MINISTÈRE DE L'INSTRUCTION PUBLIQUE

ANNALES DU MUSÉE GUIMET

BIBLIOTHÈQUE D'ÉTUDES
Tome Quinzième.

DU CARACTÈRE RELIGIEUX
DE LA ROYAUTÉ PHARAONIQUE

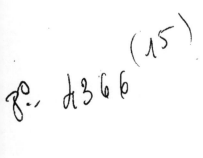

ANGERS, IMPRIMERIE ORIENTALE A. BURDIN ET Cie, RUE GARNIER, 4.

DU CARACTÈRE RELIGIEUX

DE LA

ROYAUTÉ PHARAONIQUE

PAR

ALEXANDRE MORET

Docteur ès-lettres,

Chargé de conférences d'Égyptologie à l'École pratique des Hautes-Études.

PARIS

ERNEST LEROUX, ÉDITEUR

28, RUE BONAPARTE, VIᵉ

—

LE DOUBLE DU ROI AOUTOU-AB-RI
(De Morgan, *Dahchour*, I, pl. XXXIII).

BIBLIOGRAPHIE

Principaux recueils de textes et Périodiques.

Lepsius, *Denkmäler aus Aegypten und Aethiopien*, 1849-1858 (abr., *L. D.*).

E. de Rougé, *Inscriptions hiéroglyphiques copiées en Égypte*, Paris, 1877-79 (abr., *R. I. H.*).

Brugsch, *Thesaurus inscriptionum aegyptiacarum*, Leipzig, Hinrichs, 1883-1891.

Recueil de travaux relatifs à la philologie et à l'archéologie égyptiennes et assyriennes, Paris, Bouillon, t. I-XXIV (abr., *Recueil*).

Zeitschrift für aegyptische Sprache und Altertumskunde, Leipzig, Hinrichs, t. I-XXXIX (abr., *Zeitschrift*, ou *Ä. Z.*).

Society of Biblical archaeology, London, *Proceedings* et *Transactions* (abr., *Trans. S. B. A.* et *P. S. B. A.*).

Sphinx, revue critique d'égyptologie, Leipzig, Hinrichs, t. I-V.

Mélanges d'archéologie égyptienne et assyrienne, Paris, Franck, 1872-1877 (a cessé de paraître).

Principaux documents pour l'étude des cultes divin, funéraire, royal.

ÉPOQUE ARCHAÏQUE

Amélineau, *Les nouvelles fouilles d'Abydos*, t. I, Paris, Leroux, 1899.

J. de Morgan, *Recherches sur les origines de l'Égypte*, t. I et II, Paris, Leroux, 1896-1897.

Fl. Petrie, *The royal tombs of the first dynasty*, t. I et II, London, Quaritch, 1900-1901 (Publications of *The Egypt exploration fund*, t. XVIII et XXI).

Quibell, *Hierakonpolis*, I, London, 1900 (Publications of *The Egyptian research account*, t. IV).

A. Pellegrini, *Nota sopra un' iscrizione egizia del museo di Palerma (Archivio storico Siciliano*, N. S., t. XX, 1896).

ANCIEN EMPIRE

Lepsius, *Denkmäler*, abth. II.

A. Mariette, *Les Mastaba de l'ancien Empire*, Paris, Franck, 1881-87.

G. Maspero, *Les Inscriptions des pyramides de Saqqarah*, Paris, Bouillon, 1894 (et *Recueil*, t. III à XV).

MOYEN EMPIRE

Fl. Petrie, *Koptos*, London, Quaritch, 1896.

J. de Morgan, *Fouilles à Dahchour*, Vienne, Holzhausen, 1895.

NOUVEL EMPIRE

Lepsius, *Denkmäler*, abth. III.

Ed. Naville, *The temple of Deir el Bahari*, 1 vol. *text*, et t. I-III, London, Quaritch, 1893-97 (Publications of *The Egypt exploration fund*, t. XII-XIV, XVI).

A. Gayet, *Le temple de Louxor*, 1er fasc. : *Constructions d'Aménophis III*, Paris, Leroux, 1894 (*Mémoires de la mission française au Caire*, t. XV).

A. Mariette, *Abydos*, t. I, *temple de Séti*, Paris, Franck, 1869.

Ed. Naville, *The festival Hall of Osorkon II in the great temple of Bubastis*, London, Quaritch, 1892 (Publications of *The Egypt exploration fund*, t. X).

Hieratische Papyrus aus der Königlichen Museen zu Berlin, Erst. Band, *Rituale für der Kultus des Amon und für den Kultus der Mut*, Leipzig, Hinrichs, 1896-1901.

Grébaut, *Hymne à Amon-Râ des papyrus égyptiens du musée de*

Boulaq, Paris, Franck, 1874 (*Bibliothèque de l'École des Hautes Études*, XXIe fasc.).

R. Lepsius, *Das Todtenbuch der Aegypter*, Leipzig, Wigand, 1842.

E. Schiaparelli, *Il libro dei funerali degli antichi Egiziani*, I et II, atlas, Torino, Lœscher, 1882-1890.

ÉPOQUE GRÉCO-ROMAINE

Lepsius, *Denkmäler*, abth. IV.

A. Mariette, *Dendérah*, 1 vol. *texte*, t. I-IV et supplément, Paris, Franck, 1873.

De Rochemonteix-Chassinat, *Le temple d'Edfou*, t. I et II, en cours de publication, Paris, Leroux (*Mémoires de la mission française au Caire*, t. X et XI).

G. Bénédite, *Le temple de Philae*, t. I et II, en cours de publication, Paris, Leroux (*Mémoires de la mission française au Caire*, t. XII et XIII).

J. de Morgan, *Kom Ombos*, Ire partie, en cours de publication, Vienne, Holzhausen 1895 (*Catalogue des monuments et inscriptions de l'Égypte antique*, t. II).

Reinisch und Roesler, *Die zweisprachige Inschrift von Tanis*, Wien, W. Braumüller, 1866.

F. Chabas, *L'inscription hiéroglyphique de Rosette*, Paris, Maisonneuve, 1867.

Principaux ouvrages utilisés.

H. Brugsch, *Die Aegyptologie*, 2e édit., Leipzig, Heitz, 1897.

Ad. Erman, *Aegypten und aegyptisches Leben im Altertum*, Tubingen, Laupp, 1885.

E. Lefébure, *Rites égyptiens*, Paris, Leroux, 1890 (*Publications de l'École des Lettres d'Alger*, III).

G. Maspero, *Essai sur l'inscription dédicatoire du temple d'Abydos et la jeunesse de Sésostris*, Paris, Franck, 1867.

«   *Études Égyptiennes*, t. II, Paris, Imprimerie Nat., 1888.

G. Maspero, *Études de mythologie et d'archéologie égyptiennes*,
      t. I-IV, Paris, Leroux (*Bibliothèque Égyptologique*,
      t. I, II, VII, VIII).

    «   *La table d'offrandes des tombeaux égyptiens*, Paris,
      Leroux (*Revue de l'histoire des religions*, 1897.)

    «   *Les contes populaires de l'Égypte ancienne*, 2ᵉ édit.,
      Paris, Maisonneuve, 1889.

    «   *Histoire ancienne des peuples de l'Orient classique*,
      I-III, Paris, Hachette, 1895-99.

    «   *Comment Alexandre devint dieu en Égypte* (Annuaire
      de l'École pratique des Hautes Études, 1897).

A. Moret, *Le rituel du culte divin journalier en Égypte*, Paris, Leroux, 1902 (*Annales du Musée Guimet*, série de la *Bibliothèque
d'Études*, t. XIV).

INTRODUCTION

La royauté pharaonique est, de toutes les institutions humaines connues jusqu'ici, celle dont nous pouvons pousser l'étude le plus haut dans le passé. Quatre mille ans avant notre ère, tel est le point de départ fourni par les monuments pour une civilisation dont on suit les traditions persistantes jusqu'au iii° siècle après Jésus-Christ. L'Égypte offre donc un terrain de choix pour l'observation des institutions primitives, autant par l'antiquité que par l'étendue du champ de recherches ; on y pourra contrôler les théories générales proposées sur les sociétés antiques d'après la civilisation gréco-romaine. Le présent travail a pour but de chercher dans l'étude de la société égyptienne une vérification de quelques-unes des idées émises sur les attributions des royautés primitives.

Aristote a donné la formule de ces attributions, quand il a dit des rois de Sparte : « Ils ont trois prérogatives ; ils font les sacrifices, commandent à la guerre et rendent la justice[1] ». Partant de cette idée, Fustel de Coulanges a démontré lumineusement que le magistrat, chez les peuples de l'antiquité classique, concentrait en sa main les pouvoirs du sacerdoce, de la justice et du commande-

1. *Politique*, III, 9.

ment[1]. D'après Aristote, le plus important de ces trois pouvoirs était celui du sacerdoce : « Les rois tiennent leur dignité de leur qualité de prêtre du culte commun[2] ». Il ressort des études minutieuses de Fustel de Coulanges que dans la société gréco-romaine c'est bien « la religion qui fit le roi[3] ».

La société égyptienne nous offre aussi, à tous les degrés de la hiérarchie, la confusion du sacerdoce, de la justice et du commandement militaire dans la personne des chefs et surtout dans la personne du roi. Nous savons exactement quelle importance le Pharaon attachait à son rôle de justicier et comment il s'efforçait de le remplir personnellement[4]. Chef de l'armée, le Pharaon mène au combat ses troupes et, s'il en faut croire les récits officiels, il n'y a pas de victoire qui ne soit due à sa vaillance, il n'y a pas de danger pour l'Égypte qui ne soit conjuré par la vigilance du souverain. Cette étude de l'activité du roi dans la société égyptienne en tant que dispensateur de la justice et défenseur de son peuple, serait assurément d'un grand intérêt ; mais nous avons dû nous limiter, dans ce travail, à la définition du caractère religieux de la royauté pharaonique. Aussi bien le sujet est-il assez vaste et d'un intérêt assez grand, car, en Égypte comme au début en Grèce et à Rome, il apparaîtra que le sacerdoce était l'attribution essentielle du chef de l'État.

Au point de vue religieux, le rôle du roi d'Égypte peut se résumer en trois formules :

1. *La cité antique*, p. 211.
2. *Politique*, VI, 5.
3. *La cité antique*, p. 207.
4. On trouvera un exposé très sommaire de la question dans mon étude sur *L'appel au roi en Égypte, au temps des Pharaons et des Ptolémées* (Actes du Xe Congrès des Orientalistes, 1894, p. 141-165).

Le roi est le fils, l'héritier, le successeur des dieux.

Comme tel, il rend le culte de famille aux dieux ses ancêtres et devient le chef de la religion.

En tant que prêtre, le roi reçoit lui-même les honneurs divins, sans lesquels il n'a pas qualité pour servir d'intermédiaire entre les hommes et les dieux.

Dans les trois parties du présent travail on étudiera sous ces trois aspects la royauté égyptienne ; on verra qu'elle s'accommode de la définition donnée pour les autres royautés primitives, mais avec des nuances de détail et un caractère original bien marqué.

Il eût été désirable que cette triple étude ait pu être faite au point de vue historique aussi bien qu'au point de vue analytique. Le plus souvent on ne trouvera ici qu'un exposé général des questions, comme si, pendant les quarante siècles de l'histoire égyptienne, les mêmes faits s'étaient répétés à toutes les époques sans modification appréciable. La faute en est attribuable aux documents plus qu'à nous-même. On sait que, dès l'époque la plus lointaine, la civilisation pharaonique se présente à nous complète et, en apparence, achevée : les mêmes rites, les mêmes croyances semblent subsister sans changement perceptible, depuis les temps primitifs jusqu'à la fin de la période gréco-romaine. Une Égypte archaïque commence cependant à nous être révélée : mais, jusqu'ici, les découvertes n'ont fait que reculer la date d'existence des institutions connues, sans nous apprendre encore rien d'essentiel sur leur évolution ni sur leur création. D'autre part, à l'autre extrémité de l'histoire d'Égypte, la conquête gréco-romaine a pu introduire des concepts nouveaux et apporter quelques modifications superficielles à l'aspect extérieur de la souveraineté. Mais ces innovations n'ont pas pénétré profondément dans la société égyptienne; elles n'ont eu aucune influence sur l'idée qu'elle se faisait de la royauté : on nous permettra donc de ne pas leur consacrer un exposé détaillé et de réserver ici notre intérêt à l'élément permanent et indigène de la doctrine royale pharaonique[1].

1. Il rentre au contraire dans notre sujet de noter la persistance des traditions pharaoniques après la conquête étrangère ; aussi nous efforcerons-nous d'appuyer toujours notre exposé par des citations empruntées à des documents de l'époque gréco-romaine, aussi bien qu'à des textes de la période pharaonique.

PREMIÈRE PARTIE

LE PHARAON FILS, HÉRITIER, SUCCESSEUR DES DIEUX

CHAPITRE I

Définition du caractère religieux du Pharaon d'après ses titres.

I. Le Pharaon successeur des dynasties divines. — II. Le Pharaon héritier des dynasties divines; le testament de Râ. — III. Le Pharaon, fils de Râ. Le « Grand Nom » révèle la filiation. 1° Noms d'Horus. 2° Noms solaires. 3° Titres solaires. — IV. Explication historique du protocole royal. — V. Conclusion : en quels éléments se résout le caractère religieux du Pharaon.

En Égypte, le Pharaon se distingue de tous les êtres vivants, parce qu'il est le fils, le successeur et l'héritier des dieux. Cette définition de la personne royale est donnée à satiété par les textes de toute époque; pour n'en citer qu'un seul, voici comment s'exprime Ramsès II parlant au dieu Phtah : « Je suis ton fils, que tu as mis sur ton trône; tu m'as donné par décret ta royauté, tu m'as engendré à l'image de ta personne, tu m'as fait héritier de ce que tu as créé »[1]. Les Égyp-

---

1. Ed. Naville, *Le décret de Phtah-Totunen* (*Trans. S. B. A.*, VII, p. 126

tiens ne donnaient point à ces phrases un sens vague ; chacune d'elles résumait pour eux des traditions véridiques reposant sur des faits connus ; ces traditions et ces faits, il convient de les exposer brièvement ici.

I. Le Pharaon est le successeur des dieux ; cela implique que les dieux ont régné sur l'Égypte, que les dynasties royales humaines font suite à des dynasties divines. Pour les Égyptiens il n'y avait point là fiction mythologique. L'histoire officielle, rédigée d'après les archives royales, qu'elle fût écrite sous les Ramessides par le scribe du papyrus royal de Turin ou sous les Lagides par Manéthon, reconnaissait avant les pharaons humains des dieux rois d'Égypte. A l'époque grecque on les classait en trois dynasties, la première celle des « dieux » θέοι, la seconde des « demi-dieux » ἡμίθεοι, la troisième des « mânes » νέκυες. A l'époque pharaonique, le classement est plus vague[1], et, abstraction faite des demi-dieux et des mânes, le Pharaon se proclamait surtout le successeur des « dieux ».

Après la création du monde par un démiurge, dont le nom changeait suivant les villes[2], la dynastie divine avait organisé

sqq., l. 30 :

). Le texte de Ramsès II, gravé dans le grand temple d'Ipsamboul, a été repris presque sans changement par Ramsès III (temple de Médinet-Habou).

1. Maspero a démontré dans son mémoire *Sur les dynasties divines de l'ancienne Égypte* (*Études de Myth.*, II, p. 279 sqq.) que les dynasties de θέοι et d'ἡμίθεοι correspondent, à l'époque pharaonique, aux dieux des deux premières Ennéades d'Héliopolis. Quand aux νέκυες, ils ont été identifiés par Chassinat aux dieux de la troisième Ennéade héliopolitaine (*Rec. de trav.*, XIX, p. 23).

2. Le démiurge était Phtah à Memphis, Toum et Râ à Héliopolis, Thot à Hermopolis, Montou à Thèbes, Khnoumou à Éléphantine, Seb en d'autres lieux, etc. (cf. Maspero, *Études de Myth.* II, p. 284, et *Histoire*, I,

et gouverné la terre d'Égypte ; son histoire était consignée dans des annales qui nous sont parvenues en partie. Le soleil Râ avait régné le premier [1] ; ses enfants et petits-enfants, par couples de rois et de reines, Shou et Tafnouït, Seb et Nouït, Osiris et Isis, Sit et Nephthys, lui succédèrent [2]. Les deux derniers rois, Osiris et Sit, étaient frères : leur rivalité sanglante fut le fait capital de l'époque des dynasties divines : peut-être symbolise-t-elle des luttes entre les tribus égyptiennes primitives.

Sit tua son frère Osiris et usurpa son héritage : jusqu'au jour où Horus, fils d'Osiris et d'Isis, força par les armes son oncle Sit à lui rendre la totalité du royaume paternel [3], ou — suivant une autre tradition — reprit la moitié nord de l'Égypte après sentence arbitrale rendue par le dieu

p. 159, n. 4.) Chaque ville mettait son orgueil à posséder comme dieu local le démiurge.

1. D'après une tradition, il y aurait eu une période d'anarchie et d'égalité entre les dieux avant l'établissement de la royauté de Râ et l'organisation de l'univers ; on parle aux textes des pyramides « d'un de ces grands corps de dieux nés jadis à Héliopolis, qu'aucun roi ne tenait, qu'aucun prince ne dirigeait..... alors que le ciel ni la terre n'existaient encore ». (*Pépi* II, l. 1228-1231.) Ce serait une indication sur une phase correspondante de l'histoire humaine d'Égypte, dans la période archaïque encore mal connue.

2. Pour les traditions relatives à l'histoire des dieux-rois, voir Maspero, *Histoire*, I, p. 160-178. On a deux fragments de la chronique du règne de Râ (Lefébure, *Un chapitre de la chronique solaire*, *Zeitschrift*, 1883, p. 27 ; Ed. Naville, *La destruction des hommes par Râ* (*Trans. S. B. A.*, IV, p. 1 ; VIII, p. 412), et le récit des campagnes des dieux Shou et Seb (Griffith, *The antiquities of Tell el Yahudiyeh*, pl. 23-25). La légende d'Osiris, Isis, Horus, Sit, est contée dans le *De Iside et Osiride*, et par *Diodore*, I, 13 sqq. ; la plupart des détails en sont confirmés par une foule d'allusions éparses dans les textes religieux égyptiens et surtout dans le *Pap. Sallier* IV (Chabas, *Le calendrier des jours fastes et néfastes*) ; cf. Maspero, *Histoire*, I, p. 174-176.

3. Les campagnes d'Horus contre Sit sont gravées sur les murs du sanctuaire principal d'Horus, à Edfou. (Ed. Naville, *Textes relatifs au mythe d'Horus* ; Brugsch, *Die Sage von der geflügelten Sonnenscheibe* ; cf. Maspero, *Études de myth.*, II, p. 321.)

Thot[1]. Le triomphe d'Horus fut un événement mémorable entre tous, qui resta gravé dans le souvenir des hommes; mais après sa restauration, les traditions manquent ou s'obscurcissent. Horus était-il le dernier roi de la première dynastie ou le premier des ἡμίθεοι[2]? les Égyptiens n'étaient point d'accord pour le dire. Quoi qu'il en soit, parmi les demidieux qui succédèrent à Horus, on plaçait ses compagnons dans la lutte contre Sit, Anubis et Thot[3], — et les νέκυες (ou « mânes » *Khou* 🦅☉) n'étaient autres que les propres « enfants d'Horus »[4]. — On arrivait ainsi aux dynasties humaines dont le premier roi, Ménès, était, par la naissance et par le rang, le successeur des fils d'Horus. Après Ménès, les

---

1. La tradition hellénisée du *De Iside et Osiride*, 19 (*éd. Parthey*, p. 33), est confirmée par les textes égyptiens, qui appellent Thot le dieu qui « départage les deux compagnons (Horus et Sit). » Sur cette expression *àp-rehouhouï*, cf. *Rec. de trav.*, IX, p. 57, n. 2. — D'après une autre tradition égyptienne, l'arbitre avait été Seb (Sharpe, *Egyptian Inscriptions*, I, pl. 36-38 et Goodwin, dans les *Mélanges Égyptologiques* de Chabas, III[e] série, t. I, p. 281).

2. Manéthon, d'après le Syncelle (*Fr. Hist. Gr.*, II, 530[b]-531[a]) cite Typhon (Sit) comme dernier roi de la première dynastie des θέοι, et, d'après Eusèbe. Manéthon (*Ib.*, II, 526) donne le même rôle à Horus fils d'Osiris et Isis. Le papyrus royal de Turin arrête la première dynastie divine à Horus d'Edfou (Horus le Grand) après avoir nommé Horus-les-dieux (fils d'Osiris et d'Isis) comme roi successeur d'Osiris et Sit. (Cf. Maspero, *Études de Myth.*, II, p. 295). Les Égyptiens distinguaient et confondaient tour à tour Horus le Grand (Haroëris, Harmachis) et Horus le Petit (Harpocratès) fils d'Osiris et d'Isis.

3. Manéthon-le Syncelle (*Fr. Hist. Gr.*, II, 530[b]-531[a]); cf. Maspero, *Hist.*, I, p. 204, n. 2. On verra plus loin que Thot et Anubis sont les aides d'Horus dans ses fonctions de prêtre du culte osirien.

4. Chassinat (*loc. cit., Rec. de trav.*, XIX, p. 23) montre que les « Mânes » 🦅☉ sont à Edfou, les « Enfants d'Horus » 𓀀𓂋𓅓 et 𓀀𓂋 𓎿. Lors de ses fouilles à Abydos (1895-98) qui amenèrent la découverte de monuments des rois de la première dynastie humaine, M. Amélineau crut avoir trouvé les restes véritables des νέκυες mythiques.

rois de toutes les dynasties se tenaient entre eux par les liens du sang et de l'hérédité[1] : tous, par conséquent, descendaient des fils d'Horus, d'Horus lui-même, et de Râ le premier roi d'Égypte[2].

II. Vis-à-vis de ces dieux, le Pharaon n'est pas seulement dans la position d'un successeur qui occupe par le jeu du destin une place autrefois honorée de la présence divine : il est dans la situation d'un fils et d'un héritier. L'Égypte est pour lui un domaine patrimonial ; il le tient de ses ancêtres divins. Or, dans la société humaine, tout bien tenu à titre de propriété qu'il provînt d'héritage, d'achat, de donation, devait être « établi » (⟨hieroglyphs⟩ smen) sur les papiers publics qui certifiaient le nom et la filiation du propriétaire, le nom et l'hérédité du domaine[3]. L'Égypte était propriété du roi aux mêmes conditions. Sur les actes officiels, décrets, proclamations, actes de donations royales, etc., le Pharaon témoignait de son droit à l'héritage sur le pays d'Égypte, en mentionnant sa filiation et ses titres de propriété. Nous avons vu que les prédécesseurs divins des Pharaons étaient les démiurges organisateurs du monde et les dieux-rois, en particulier ceux de la première dynastie divine. Les uns et les autres sont mentionnés dans les protocoles des actes publics, comme garants de l'hérédité du Pharaon.

On affirme que le Pharaon est fils des démiurges dans des

1. Telle était, du moins, la théorie royale égyptienne, que j'examine au point de vue objectif.

2. C'est au règne de Râ, le premier roi d'Égypte, que l'on rapportait l'origine des choses ou des coutumes très anciennes, en disant qu'elles existaient « depuis le temps de Râ (⟨hieroglyphs⟩). *Décret de Phtah-Totunen*, l. 27) » ou « depuis la première fois » ou « depuis Râ » ⟨hieroglyphs⟩ (*Abydos*, I, pl. 7, l. 56, 64).

3. Voir à ce sujet A. Moret, *Un procès de famille sous la XIXe dynastie.* (*Zeitschrift*, XXXIX, p. 29.)

formules de toutes les époques, dont voici les plus usuelles :

Râ. — A partir de la V⁰ dynastie l'épithète « fils du soleil »
sa Râ s'accole aux noms du Pharaon. — On dit de Ramsès II, par exemple, qu'il est « roi sur le trône de Râ »
(⸻)[1]. — A Edfou, le soleil Râ appelle Ptolémée XI « son héritier » (⸻)[2].

Toum. — A Abydos, Osiris dit à Ramsès II : « Ton existence est l'existence de Toum, tu t'es élevé en roi sur son trône »
(⸻)[3].

A Pithom, on dit de Ptolémée II qu'il a été formé par Toum « pour commander à son côté en qualité de roi » (⸻)[4], ou qu'il est son fils « établi sur le trône de son père Toum » (⸻)[5].

Phtah. — Dans un décret du dieu en l'honneur de Ramsès II et de Ramsès III, Phtah, s'adressant au Pharaon, dit de lui-même : « Je suis ton père qui t'ai engendré pour être un dieu qui fasse les actes de roi du Sud et du Nord en ma place »
(⸻)[6].

Ces citations sont communes, je ne les multiplierai pas. Voici d'autres formules, d'un sens analogue, mais s'appliquant à chacun des dieux-rois de la première dynastie divine de Manéthon.

Râ. — Aux textes déjà cités, à propos de Râ démiurge, on

1. *Abydos*, I, pl. 51, l. 25-26.
2. *Ä. Z.*, 1870, p. 2, pl. I, l. 1-2.
3. *Abydos*, I, pl. 5, l. 5-6.
4. *Ä. Z.*, XXXII, p. 76 (Stèle de Pithom).
5. *Ä. Z.*, XXXII, p. 81.
6. Ed. Naville, *Le décret de Phtah-Totunen* (*Trans. S. B. A.*, VII, p. 121).

peut ajouter ces allusions à l'hérédité du Pharaon, vis-à-vis de Râ, premier roi d'Égypte :

Ramsès II « se lève comme un roi sur le trône de l'Horus des vivants, de même que son père Râ, tous les jours »

[hieroglyphs])[1].

Ptolémée II, fils de Toum, est « établi sur le trône de Râ et le trône d'Horus chef des vivants » ([hieroglyphs]

[hieroglyphs])[2].

Shou. — Le titre de « fils du soleil » [hieroglyphs] que porte le Pharaon l'identifie au dieu-roi Shou, que cette épithète désigne entre tous les dieux[3].

On dit de Minephtah qu'il est « fils du soleil, sur la place de Shou » ([hieroglyphs])[4].

Le titre « héritier de Shou » ([hieroglyphs])[5] est fréquent sous les Ptolémées; on souhaite aussi au souverain le « règne de Shou » ([hieroglyphs])[6].

On dira encore du Pharaon qu'il est « frère d'Anhour, fils du soleil à sa ressemblance » parce que le dieu solaire Anhour se confond souvent avec Shou[7].

Seb. — Vis-à-vis de ce dieu, la filiation est mentionnée très fréquemment. Elle apparaît dès les textes des Pyramides de la VIe dynastie, où Pharaon se dit « maître du trône de Seb... qui lui a donné son héritage » ([hieroglyphs] .... [hieroglyphs]

1. *Stèle de Kouban*, l. 2.
2. *Stèle de Pithom* (A. Z., XXXII, p. 81).
3. Brugsch, *Religion und mythologie*, p. 410 ; *Thesaurus*, p. 724-730.
4. *Ä. Z.*, XXXIV, p. 4, l. 13.
5. Rochemonteix-Chassinat, *Edfou*, I, p. 68.
6. De Rougé, *Edfou*, pl. CLIII.
7. *Abydos*, I, pl. 6, l. 30.

〜〜 🦆 ⚘ ✕)[1]; on s'exprimera de même pendant toute la période pharaonique. Touthmès I, par exemple, siège « sur les trônes de Seb... quand il a pris son héritage » (⚱ △ ▭

🦆 🏺 ... ▭ ✕ 🐃 🐦 🐦 ✕)[2].

Osiris. — Ramsès II « règne à la suite d'Osiris » (⚱ △ ▭ 🏺)[3], et Isis lui souhaite « les royautés de *Nib-er-zer* (Osiris) (🦆 ⚱ 〰 ▭ 🏺)[4].

La stèle de Pithom nomme aussi Ptolémée II « l'héritier accompli d'*Ounnofir* (Osiris) » ▭ 🏺 ⚱ (▭🏺)[5]. A l'époque ptolémaïque et romaine on appelle souvent le Pharaon « l'aimé d'Isis » (▭ 🏺 ▭) pour tout nom officiel.

Horus-Sit. — Les deux dieux rivaux, réconciliés après l'arbitrage de Thot, sont dans les formules de filiation tantôt distingués 🦅 🦅 « Horus et Sit » tantôt réunis 🦅 🦅 « les deux dieux, les deux Horus. » (*Nibouï* ou *Noutirouï*)[6]. Le Pharaon est « semblable aux deux dieux ses frères jumeaux » (▭ 🏺 ⚘ 🐦 " 🏺 🏺)[7]; il règne sur « les portions d'Ho-

---

1. Pyr. de *Téti*, début, *Pépi* I, l. 64, 65; *Pépi* II, l. 136.
2. *Stèle de Tombos*, Piehl, *Petites études*, p. 1.
3. *Abydos*, I, pl. 7, l. 56.
4. *Abydos*, I, pl. 5, l. 11.
5. *Ä. Z.*, XXXII, p. 75.
6. Sur la lecture du groupe 🦅 🦅 ou 🦅 🦅 voir Piehl. *Proceedings* S. B. A., XX, p. 198 et *Sphinx*, II, p. 140.

Les deux groupes échangent dès les monuments de l'époque archaïque (Fouilles d'Amélineau à Abydos, tombeau de *Khâsekhemouï hotep nebouï âmf*. Cf. De Morgan, *Recherches*, II, p. 243).

7. *Stèle triomphale de Thoutmès* III, l. 22.

rus et de Sit » (⟨𓊹𓏤⟩ var. ⟨𓅃⟩)[1] *pess-hitou nibouï*) et « ces portions divines deviennent les portions » de l'héritage du roi (⟨𓊹𓏤⟩)[2]. A l'époque classique cette formule est une des plus fréquemment usitées; la stèle de Pithom souhaite de même à Ptolémée II « le trône des deux dieux » (⟨𓊹𓅃⟩)[3].

Horus. — L'affirmation que le Pharaon est un autre Horus, ou « qu'il se lève en roi sur le trône » de ce dieu, est insatiablement répétée du début à la fin de la civilisation égyptienne; j'aurai l'occasion d'insister plus loin sur l'importance et le sens précis de cette formule. Je ne citerai que quelques textes caractéristiques : à Abydos, on dit à Ramsès II « tel tu es, tel est le fils d'Osiris; te voici (son) héritier bel adolescent à sa ressemblance; ses royautés, tu les réalises comme lui » (⟨𓏏𓅱𓈖𓊹𓅃𓏏𓏤⟩)[4]. Tu es dieu, comme Horus fils d'Isis et d'Osiris », dit-on à Ptolémée V[5]; les Ptolémées et les Césars n'ont cessé de prendre l'épithète de « bel adolescent » (⟨𓊹𓏤⟩) « qui s'assied sur le trône d'Horus » (⟨𓊹𓅃⟩)[6].

Il serait aisé de développer cette liste déjà trop longue de formules. Toutes les divinités d'Égypte, grandes ou petites, dans le sanctuaire où elles occupent la première place

1. Voir Piehl, *Petites études égyptologiques*, p. 9, n. 9.
2. Brugsch, *Recueil de monuments*, I, 50.
3. *Zeitschrift*, XXXII, p. 76.
4. *Abydos*, I, pl. 7, l. 60.
5. *Ion de Rosette*, texte grec l. 10; cf. texte hiéroglyphique *Rec. de trav.* VI, p. 7.
6. Par ex., inscriptions d'Auguste et de Tibère, à Karnak (*Zeitschrift*, XXXVIII, p. 124-155) publiées par Erman.

peuvent assumer le rôle d'ancêtre et de prédécesseur de
Pharaon. Ceci n'est pas contradictoire avec l'idée que la
filiation dont le roi se réclame surtout est celle des dieux qui
ont régné sur l'Égypte. Les figures du panthéon égyptien se
ramènent facilement, sinon à un monothéisme, du moins à
un « hénothéisme » solaire ; toutes sont des répliques plus ou
moins fidèles du soleil Râ; aussi tous les dieux ont-ils peu ou
prou régné sur l'Égypte, à l'image de leur prototype, avant
la venue des dynasties humaines. A quelque personnalité
divine que le Pharaon s'adresse, il est toujours en présence,
suivant la formule égyptienne, de ses « frères » ou de ses
« pères les dieux ».

Aussi plutôt que de citer une nomenclature plus longue
— qui serait toujours incomplète — est-il plus utile de définir
le sens précis des termes dont le Pharaon se sert pour désigner
sa filiation et son hérédité vis-à-vis des dieux. Au cours des
citations données précédemment certains mots reviennent
sans cesse : le Pharaon est le fils ⟨hiéroglyphe⟩ *sa*, l'héritier ⟨hiéroglyphe⟩
àouâ (lit. : « la chair ») du dieu ; et il est « établi » ⟨hiéroglyphe⟩ *(smen)*
sur le trône de son père. Ces termes ne sont pas employés sans
intention : ce sont des expressions techniques, celles dont les
Égyptiens se servaient pour désigner la filiation et l'hérédité humaines dans les actes de transmission de propriété.

Quand un fils possédait de plein droit un bien venant de son
père, on disait qu'il était « établi » (⟨hiéroglyphe⟩ *smen*) sur ce bien
en qualité d' « héritier » (⟨hiéroglyphe⟩ *àouâà*) : c'est proprement la formule juridique qui atteste la propriété[1]. Le droit
à l'héritage s'appuyait le plus souvent sur un « inventaire-tes-

---

1. J'ai résumé ce que l'on sait actuellement sur ces questions dans mon
mémoire *Un procès de famille sous la XIXᵉ dynastie* (*Zeitschrift*, XXXIX,
p. 30).

tament » ⸿ 𓄿 ⸗ *àmit-pou*[1] (lit. : « ce qui est dans la maison »); le père le rédigeait et le faisait enregistrer au greffe du nomarque par devant témoins. L'inventaire-testament donnait la description détaillée du bien transmis, avec sa contenance, et, s'il y avait lieu, le nombre des maisons, des champs cultivés, des arbres, des sources, des serfs de la glèbe, qui y étaient compris.

Les Égyptiens imaginèrent que Râ, le premier roi d'Égypte, avait légué son héritage à Pharaon suivant la forme légale, par « inventaire-testament »; on le sait par un texte du temple d'Edfou dont l'importance n'a pas été suffisamment remarquée[2]. On voit sur le mur extérieur du temple, le « greffier divin » Thot, rouleau de papyrus en main, s'adresser au dieu Horus (et au Ptolémée qui s'identifie à Horus) et lui dire : « Je te donne l'écrit inventaire-testament de ton père » (⸗). Suit le texte de l'inventaire : « Acte d'établissement (*smen*) des terres cultivées de l'Égypte entière; elles sont « établies » pour Horus, à perpétuité, depuis Éléphantine jusqu'à Bouto»[3]... tant d'aroures en terres cultivées, tant occupées par le Nil en largeur, et tant d'aroures en profondeur[4]. « Le tout est donné à Horus fils d'Isis, l'héritier accompli d'Ounnofir, à Horus d'Edfou... pour qu'il

---

1. Les *Amit-pou* sont mentionnés dès les IV-V[e] dynasties (*RIH*, pl. I, l. 6,18; Mariette, *Mastabas*, p. 318). — Les Papyrus de Kahun (ed. *Petrie Griffith*) nous en ont conservé de la XIIe dynastie.

2. De Rougé, *Edfou*, pl. CXVI et Brugsch, *Thesaurus*, p. 604-607. Je cite d'après ce dernier texte.

3.

l. 1-2. Éléphantine et Bouto étaient les frontières traditionnelles de l'Égypte au sud et au nord.

4. L. 2-4.

réjouisse son cœur de sa portion (d'héritage) »[1]. Le Pharaon,
qui est lui aussi, comme nous l'avons vu, « l'héritier accompli d'Ounnofir » est associé par l'inventaire-testament au dieu
Horus pour la jouissance de l'héritage : Râ lègue son royaume
à Horus d'Edfou à condition que lui-même « donne des
millions de panégyries et des centaines d'années sur le siège
d'Horus au fils du soleil Ptolémée et établisse le double (de
celui-ci) en tête des doubles vivants »...[2]. Une formule finale
atteste que l'acte a été dûment enregistré : « Tous ces biens
en leur totalité sont « établis » sur le plan général de
l'Égypte du Sud et du Nord »[3]; d'après les intentions des
rédacteurs, l'acte est fait pour le roi aussi bien que pour le
dieu.

Dans d'autres textes d'Edfou[4], on certifie que le roi possède
« la durée de Râ, les royautés de Toum, le règne de Shou,
le trône de Seb, le grand inventaire-testament du modeleur
d'Osiris, Horus ».

A l'époque classique les mêmes expressions étaient
certainement employées : sur un ostracon du Musée de
Gizeh, dans un hymne à Ramsès II, on lit : « les royautés
d'Horus et de Khopri sont la propriété ([glyphs]) de ta majesté à perpétuité, tu es roi comme Amon, il a comblé

1. L. 15-16.
2. L. 16-17.
3. [hieroglyphs]
l. 18. — Les textes juridiques relatifs aux affaires privées appellent
les registres du cadastre, où sont « établies » les propriétés, du nom
de [hieroglyphs] (cf. mon étude *Un procès de famille sous la XIXe dynastie*, *Zeitschrift*, t. XXXIX, p. 15).

4. De Rougé, *Edfou*, pl. CLIII (cf. CLII); [hieroglyphs]

[hieroglyphs]
etc.

ton cœur de (ses biens) il a fait pour toi un inventaire-testament (⟨image⟩) »[1]. — Ainsi, dans la pensée
des Égyptiens, les archives du Pharaon conservaient le testament des dieux; le roi possédait les titres de propriété de
son héritage aussi bien que n'importe quel fils des hommes
héritier de son père[2].

III. L'expression de l'hérédité du Pharaon vis-à-vis des
dieux se disperse dans des formules variées, puis se résume
dans l'acte officiel du testament des dieux. La filiation du
roi vis-à-vis des dieux, exprimée d'abord par d'innombrables
épithètes, trouve aussi sa formule officielle dans le Protocole,
ou, comme disaient les Égyptiens, dans le « Grand Nom »
⟨image⟩ (ran our) du Pharaon.

Ce protocole royal n'a été définitivement fixé qu'assez tard,
sous la XIIe dynastie; mais les termes qui le composent se
retrouvent, plus ou moins complets, dans les titres des plus
anciens Pharaons, et leur série, une fois constituée, fut respectée par les souverains de l'Égypte jusqu'aux derniers Césars. L'analyse technique des éléments du « Grand Nom » a été
faite magistralement par Erman et Maspero[3]; je m'efforcerai
ici de mettre en lumière l'intention morale que révèle le

1. Texte publié d'abord par Erman, *Zeitschrift*, t. XXXVIII, p. 40, puis
plus complètement par Daressy, *Catalogue général des antiquités égyptiennes du Musée du Caire, Ostraia*, n° 25.204, p. 40, l. 9.

2. Le temple d'Edfou a conservé des décrets (⟨image⟩) de Râ en faveur de son fils Horus qui s'incarne dans le Pharaon. Dans un de ces textes,
relatifs au couronnement du dieu et du roi (scène du lancer des oiseaux),
on dit que Râ a décrété un inventaire-testament de tous ses biens pour
le compte du dieu et du roi ⟨image⟩ Rochemonteix-Chassinat, *Edfou*, II, p. 14). Voir aussi Brugsch, *Wörtb. Supplément*, p. 72-73.

3. Erman, *Aegypten*, p. 89-91; Maspero, *Études égyptiennes*, II, p. 273-
288, *Sur les quatre noms officiels des rois d'Égypte*, et *Histoire*, I, p. 258 sqq.

A. MORET.   2

choix de ces noms. Ce choix n'avait point été fortuit : comme
dans la plupart des sociétés antiques ou primitives, les noms
avaient en Égypte une valeur éminente[1], un sens puissant :
ceux du Pharaon étaient d'une signification précise et l'on
n'aurait pu les changer sans altérer la personnalité du souverain.

Le « grand nom » comprenait trois espèces de titres, composés d'éléments les uns invariables, donnés à tous les Pharaons, les autres personnels à chaque roi et variables avec lui.

1° Le Pharaon était appelé « Horus » ; on l'identifiait
soit au dieu solaire « Horus le grand[2], le dieu d'Edfou, maître
du ciel » (,   ) soit au dieu Horus, fils d'Isis
et d'Osiris »   [3] (Harsiésis).

Sous l'une ou l'autre de ces formes, comme dieu du ciel
fils du démiurge Râ (Horus le grand) ou comme dieu « modeleur de son père Osiris »[4], Horus incarnait en lui l'idée la
plus haute que les Égyptiens avaient pu se faire du *Fils* ;
aussi dans les groupements de dieux en triades composées du
dieu père, de la déesse mère et du dieu fils, ce dernier est-il
sans cesse identifié à Horus. Le culte d'Horus dieu-fils lui a
valu d'ailleurs un nom spécial « Horus l'enfant »

---

1. Lefébure, *Le nom en Égypte* (*Mélusine*, VIII, n° 10 et *Sphinx*, I, 93. Les
dieux créent par la voix ; nommer les choses et les êtres, c'est les appeler à l'existence (cf. *Rituel du culte divin*, ch. 41).

2. Sous la forme   'Αρούηρις.

3. Sur Horus, dieu identique à Shou, fils de Râ, voir Brugsch, *Thesaurus*, p. 776-778 et *Religion*, p. 437, 530 ; Maspero, *Études de myth.*, II,
p. 227 sqq. A partir de la XIIe dynastie le titre royal s'écrit Horus Râ
      (Louvre, Stèle C 1). Horus se confond alors avec Râ (Brugsch,
Religion, p. 529).

4.   *Hor neznou tef-f*. Cf. Chapitre V.

⚹ ⚹ (*Hor pa Khrodou* Ἀρποκράτης) [1]. Appeler le roi
« Horus » c'était le dénommer le « fils des dieux », et en particulier, le « fils de Râ ».

Dans le langage courant, il suffisait de dire « l'Horus » [2]
pour désigner le Pharaon ; mais le langage officiel exigeait
plus de précision : avec le nom d'Horus, on avait composé
deux titres royaux : le *nom de double* et le *nom d'Horus d'or*.

D'après les formules protocolaires, le nom d'Horus est
donné à cette partie de la personne du pharaon qui s'appelle
le « double » ⎍ *ka*, sorte d'âme corporelle qui épouse les
contours physiques de l'homme et survit, sous cette forme,
après la mort dans les statues du défunt. Le double du roi est
souvent représenté, vivant et agissant derrière son possesseur ; sur sa tête, entre les deux bras de l'hiéroglyphe qui
forme son nom, ⎣⎤, s'allonge en un rectangle ▦ le plan
d'un édifice, temple ou tombeau, [3] où le double royal est adoré

---

1. Brugsch, *Religion und Mythologie*, p. 354 sqq. Cf. Maspero, *Contes
populaires* (2ᵉ édit.), p. 117, nᵒ 5 ; 119, nᵒ 1.

2. On disait tout court « l'Horus » 🦅, ou « l'Horus qui est dans le
palais » 🦅 ✚ 🦅 ▯. L'hiéroglyphe d'Horus 🦅 étant un épervier, on appelait aussi le roi « l'épervier » 〗 ⫱ 🦅 *bâk* (*Stèle
de Kouban*, l. 2. Maspero, *Contes populaires*, p. 97, n. 3).

3. C'est un plan en perspective, avec les détails d'une façade à rainures
comme celle des tombeaux archaïques, la porte est souvent munie de
verrous. (Voir le tombeau de Ahâ-Menès dans De Morgan, *Recherches*, II,
p. 157 et Borchardt, *Zeitschrift*, XXXVI, p. 85-107.) Les Égyptiens appelaient ce cadre ⌐ ▦ *srekh* ; c'était un naos △ 〗 ⌐
tebit d'où l'oiseau pouvait s'envoler, par ex. au jour du sacre, lors du
lancer des quatre oiseaux symboliques (cf. Rochemonteix-Chassinat,
Edfou, II, p. 14). Aussi disait-on que le Pharaon est « *chef du srekh*
🖊 △ 〗 ⌐ ▦ (cf. H. Schäfer. A. Z., XXXIV, p. 167 ; la for-

pendant la vie et reposera après la mort. Dans ce rectangle un nom est inscrit : il se compose d'un élément permanent, le signe ⟨image⟩ « Horus »,ou ⟨image⟩ Horus-Râ,debout sur le *serekh*[1] ;

mule est aussi appliquée à Ptolémée II, *Pithomstele*, *Ä. Z.*, XXXII, p. 76). Le double royal vit dans la *tebit* » ⟨glyphes⟩ (formule qui accompagne le plus souvent la représentation du double royal portant son nom gravé sur sa tête, par exemple dans Ed. Naville, *Deir el-Bahari*, III, pl. LXXXV).

La signification du cadre où est inscrit le nom de double a été long-temps méconnue. On y voyait une bannière rectangulaire, avec frange au bas, d'où l'épithète « nom de bannière, donnée fort longtemps au « nom de double ». Petrie (*Tanis*, I, p. 5 et *A Season in Egypt*, p. 21-22) et Mas-pero (*Revue critique*, 1888, II, p. 118) ont démontré qu'il s'agissait du plan d'un édifice, et plus particulièrement d'un tombeau. Je proposerai d'y voir le plan d'un édifice en général, temple aussi bien que tombeau, où le double du roi reçoit pendant la vie et après la mort le culte divin et le culte funéraire ; à Louxor (Gayet, pl. XVI, fig. 50) le *serekh* ⟨glyphe⟩ sert de façade au naos du dieu Min ; à Abydos, le roi Séti Iᵉʳ a un siège en forme de *srekh* (I, pl. 33 *a*) ce qui symbolise sa prise de possession du sanctuaire. L'édifice est donc un temple aussi bien qu'un tombeau. On a dit à tort que lorsqu'un roi mourait « on établissait l'épervier Horus sur le *srekh*, c'est-à-dire le tombeau » (Mariette, *Mon. div.* pl. 9, l. 2-3, stèle de l'in-tronisation ; Chabas, *Choix de textes*, p. 64 traduit aussi ⟨glyphes⟩ ⟨glyphes⟩ « lorsque l'épervier divin fut établi sur sa châsse (c'est-à-dire *quand le roi fut enterré*). En réalité, la for-mule veut dire « lorsque le roi fut intronisé » ; ce sens apparaît nettement dans un récit du couronnement de Thoutmès III (Brugsch, *Thesaurus*, p. 1283, l. 12) : « Horus lui-même a gravé mon nom royal (*nekheb*), il a établi l'épervier sur le *srekh* (⟨glyphes⟩ ⟨glyphe⟩), il m'a rendu fort comme un taureau puissant, il m'a fait lever dans Thèbes » (expressions qui développent les épithètes du nom royal). Voir aussi les textes ptolémaïques cités par De Rochemonteix. *Œuvres*, I, p. 252 et 290.

1. L'épervier ⟨image⟩ est figuré tantôt dessus, tantôt dedans le *srekh* ; une variante archaïque existe dans le nom de double du roi Khâsakhemouï

à l'intérieur du cadre une épithète variable exprime une des
qualités de l'Horus désirées par le roi. Ce *nom de double* est en
usage dès les temps les plus reculés : celui que l'on attribue
à Ménès *Hor âhâ* signifie « Horus combattant »[1] ;
Ramsès II avait choisi l'épithète « Horus, taureau vigoureux
aimé de Mâït   ; Ptolémée II Philadelphe
« Horus, l'adolescent vaillant »   ; l'empereur Titus « Horus, le bel adolescent, palme d'amour »
 . Ces mots caractérisent un « dou-
ble » en pleine vie active : souvent l'épervier qui figure au début
est introduit par le mot *ânkh* : « Il vit l'Horus[2] ». En résumé, le titre signifie que le « double » du roi, est Horus
incarné et vivant.

Le nom d' « Horus d'or » se distingue du nom de double en
ce que l'épervier Horus y est représenté debout sur le signe
de l'or *Hor noub*. Ce titre est postérieur à celui de l'Horus simple qui forme le nom de double ; il apparaît au début
de la IVe dynastie sous Snofrouï, et son introduction dans le
protocole royal s'explique par le besoin de préciser un des
caractères distinctifs du Pharaon, que ne définissait pas le
premier nom d'Horus. Sur la foi d'une inscription bilingue
datée de Ptolémée V Épiphane, Brugsch avait traduit *Hor*

(IIe ou IIIe dynastie) où   est remplacé par les deux Horus
  ou par Hor-Sit   affrontés. (Voir pl. I.)

1. De Morgan, *Recherches*, II, p. 167. Les autres exemples, d'après Lepsius, *Königsbuch*.

2. Voir à ce sujet, F. von Bissing, *Die statistische Tafel von Karnak*, p. 1,
qui cite la formule analogue   « Il vit le roi du Sud et du
Nord (*L. D.*, III, 59 a).

noub par « Horus superior inimicis[1] », Horus *sur* son ennemi
Sit (*noub* devant être lu *Noubti*, l' « habitant d'Ombos » Sit-
Typhon). Sans contester l'interprétation qu'on donnait de ce
titre à l'époque ptolémaïque, je crois qu'à l'époque pharaonique *Hor noub* signifiait « Horus d'or » et non point « Horus
vainqueur de Sit »[2]. L'origine de ce sens nous est donnée par
la forme première que nous connaissions d'un « nom doré »[3]
royal : c'est celui du roi Zosiri, de la IIIᵉ dynastie ; il est
écrit *Râ noub* « Râ d'or », formule remplacée ensuite

1. Le texte grec donne (βασιλεύοντος) ἀντιπάλων ὑπερτέρου.

2. J'ai soutenu cette interprétation nouvelle du titre dans un article du *Recueil de travaux* (XXIII, p. 23-32 : *Le titre Horus d'or dans le
protocole pharaonique*) auquel je renvoie pour le détail de la démonstration.

3. Inscription de la chambre funéraire de la pyramide à degrés de
Saqqarah (L. D., II, 2 *f.*, et *Auswahl*, pl. VIII). L'équivalence de avec
avait été déjà suggérée par K. Sethe (*A. Z.*, XXXV, p. 4, n. 2). J'ajoute
cette observation que l'inscription de Séhel (Brugsch, *Siebenjährige
Hungersnoth*), rédigée à l'époque ptolémaïque soi-disant au nom du roi
Zosiri, remplace par ce qui prouve l'identité des deux titres ;
à la basse époque, on écrit aussi « Hor-Râ d'or » (Marucchi, *Gli
obelischi egiziani di Roma*, p. 126 ; obélisque de Domitien) ; la forme
de l'époque gréco-romaine (*Stèle de Pithom*, *Ä. Z.*, XXXII, p. 79) est aussi
un rappel du titre archaïque. A l'époque classique, on trouve la forme
(avec le déterminatif du métal) dans un texte officiel de Thoutmès Iᵉʳ (Ad. Erman, *Ä. Z.*, XXIX, p. 117).
La formule « nom doré » est égyptienne, et paraît sur la « Pierre de
Palerme » (attribuée à la VIᵉ dynastie) sous la forme « le
nom royal doré ». Cf. *Recueil*, XXIII, p. 126. Enfin, de même que devant le
« nom de double » on peut trouver ou « les deux
Horus, Horus-Sit » de même devant le nom d'Horus d'or, on trouve sous

par celle d' « Horus d'or ». Le dieu d'or est donc comparé au soleil : en effet, l'or « liquide de Râ » sert à modeler un corps incorruptible pour les dieux, les rois fils des dieux, et les morts divinisés[1].

On appelle Pharaon « Horus d'or » pour attester son origine divine, pour lui décerner le privilège d'indestructibilité, d'in-corruptibilité dont les dieux se prévalaient par nature, et que les hommes pouvaient acquérir par les rites du culte funé-raire. A mon sens, tandis que le « nom de double » attribue à l'âme-double du roi la vie d'Horus, le « nom doré » ⟨hieroglyphe⟩ spécifie que le Pharaon en tant que fils des dieux, et surtout de Râ, est déjà incorruptible de corps comme un dieu.

Avec le groupe permanent ⟨hieroglyphe⟩, le titre « Horus d'or » com-prenait une épithète variable, plus ou moins développée, personnelle à chaque Pharaon. Ramsès II se qualifiait « Ho-rus d'or, riche d'années, grand de forces » (⟨hieroglyphes⟩ ⟨hieroglyphes⟩)[2]; Ptolémée III Evergète s'intitule plus longuement « Horus d'or, grand de vaillance, celui qui célèbre les rites, le maître des panégyries comme Phtah Totounen, le prince comme Râ » ⟨hieroglyphes⟩[3] Domitien use de la formule « L'Horus-Râ d'or que son père a fait lever (sur le trône) » (⟨hieroglyphes⟩)[4].

Ainsi le nom d'Horus, sous deux formes, signale l'origine divine du Pharaon, en attribuant à son corps comme à son âme la personnalité d'Horus.

l'ancien empire ⟨hieroglyphe⟩ et ⟨hieroglyphe⟩ l'Horus double et triple (*Recueil*, XXIII, p. 26).

1. *Recueil*, XXIII, p. 26-31.
2. *Stèle de Kouban*, l. 1.
3. Brugsch, *Thesaurus*, p. 857.
4. Marucchi, *Gli obelischi egiziani di Roma*, p. 126-127.

2° La filiation solaire du Pharaon s'exprime encore par ce qu'on a appelé les « *noms solaires* » : le roi n'est plus identifié à un dieu, intermédiaire entre lui et le soleil Râ; il est qualifié directement « fils du soleil ». Les noms d'Horus mettent le Pharaon en communication *médiate* avec Râ; les noms solaires les mettent en communication *immédiate*. Comme les précédents, ces noms comprennent des éléments invariables et des éléments variables.

L'élément invariable c'est d'abord les mots ⟨glyphes⟩ *sa Râ* « fils du Soleil Râ » dont l'usage apparaît de fort bonne heure, sous la V° dynastie. L'expression est assez claire par elle-même : on la trouve cependant développée, commentée ainsi : « fils du soleil, de son ventre, aimé de lui » ⟨glyphes⟩ (*sa Râ n khât-f mer-f*)[1]. Un autre élément invariable est le signe symbolique que nous dénommons « cartouche » assez improprement puisque les Égyptiens l'appelaient « cercle » ⟨glyphe⟩ *shenen*[2]. A l'origine c'était un cercle arrondi sur une base plate ⟨glyphe⟩, dont la forme rappelait celle d'un anneau à sceller; puis on a préféré l'ellipse ⟨glyphe⟩ au cercle[3]; l'une et l'autre figure étaient pour les Égyptiens un schéma de la course circulaire

1. *Stèle d'Amada* (Aménophis II), l. 1 (Reinisch, *Chrestomathie*, pl. 7). Cf. *Décret de Phtah-Totunen*, l. 2. — Sur la date de l'usage du titre ⟨glyphe⟩ cf. Petrie, *History*, I, p. 69.

2. H. Schäfer, ap. *Ä. Z.*, XXXIV, p. 167, a montré, d'après un passage du Pap. de Berlin, n. 3049 que le Pharaon était appelé ⟨glyphes⟩ ⟨glyphes⟩ « chef du *serekh* et du *shennou* » c'est-à-dire du cadre du nom de double et du cartouche du nom solaire. — Il faut ajouter à cet exemple ceux cités ici p. 28.

3. La forme circulaire ⟨glyphe⟩ apparaît répétée deux fois comme cadre des noms royaux de Zosiri (III° dynastie); Sethe (*Ä. Z.*, XXXV, p. 4, n. 2) y a bien vu la forme arrondie originelle du cartouche (opinion contestée par Wiedemann *P. S. B. A.*, XX, p. 112); la forme elliptique appa-

ou elliptique du soleil, « un plan du monde, l'image des régions que Râ entoure de sa course et sur lesquelles Pharaon
exerce son empire en tant que fils de Râ' ». Le cartouche évo-
quait aux yeux le contour du domaine où vivait le Pharaon
identifié au soleil, c'est-à-dire l'orbe solaire; de même qu'on
inscrivait le « nom de double » dans la demeure du double,
on inscrivit dans le cartouche le nom du Pharaon en tant
qu'habitant du circuit solaire; ce nom était l'élément variable
du titre. L'usage fut au début d'avoir un seul nom et un seul cartouche, puis on adopta deux noms; il y eut alors deux cartouches qui furent séparés par le groupe . L'idée qui amena
le dédoublement du nom et du cartouche apparaîtra plus clairement dans l'analyse du troisième groupe des titres royaux.

Les noms inscrits dans les cartouches pouvaient varier avec
chaque Pharaon. L'un des deux, le premier en usage avant
l'adoption du cartouche double, qualifiait dès sa naissance
l'enfant royal. Le sens qu'il offrait variait suivant la mode
ou le temps, mais, à l'époque classique, il est « théophore »
c'est-à-dire qu'il exprime un vœu lié au nom d'une divinité :
Amenemhâit « Amon est en avant (de moi); *Amenophis*
« Amon repose (en moi) »; *Ramsès* « Râ l'a enfanté ». Ces
noms étaient pareils à ceux des autres hommes, ils ne révé-
laient pas la race divine du roi. C'est que les princes royaux
ne devenaient pas tous des pharaons. S'ils n'arrivaient pas au

---

rait de suite après avec Snofroui et Chéops; Petrie, *History*, I, p. 31 (*L.
D.*, II, 1, *c*) à Hiéraconpolis, le roi archaïque *Besh Kâhsakhem* inscrit
son premier nom dans le cartouche arrondi ◯ (Quibell, pl. XXXVI).

1. Maspero, *Histoire*, I, p. 260. — L'idée que le Pharaon règne dans les
limites que circonscrit le disque solaire avait été exposée avec beaucoup
de clarté par Grébaut dans l'*Hymne à Amon-Râ* surtout p. 215-216, *Les
deux yeux du disque solaire* (*Recueil de trav.*, I, p. 73), et les *Mélanges
d'archéologie égyptienne et assyrienne*, p. 249. Voir les textes cités à propos
du titre où le mot *circuit* du soleil est le même que celui qui désigne le *cartouche* royal.

trône, ils gardaient leur nom tel quel ; s'ils ceignaient la couronne, leur nom ne devenait royal que par son inscription dans le cartouche solaire. Aussi le nom reçu à la naissance semblat-il insuffisant à caractériser le Pharaon ; pour cette raison, et d'autres qui seront exposées plus loin, on donna au roi, au moment où il prenait le pouvoir royal, un second nom inscrit dans un second cartouche.

Comme le premier, ce second nom est théophore, mais le choix du dieu ne change pas suivant la mode de l'époque[1] ; à travers toute l'histoire d'Égypte, presque sans exception, le dieu Râ occupe la place divine. Ainsi Pépi I se dit « aimé de Râ » ⊙ 𓏏𓏏 ; Ousirtasen I s'intitule « le double de Râ se manifeste » ⊙ 𓆣 𓊦 ; Ramsès II est « celui qui est riche de la vérité de Râ, élu de Râ » ⊙ 𓏏𓃭𓏏 ; Ptolémée II « puissant double de Râ, aimé d'Amon » 𓈖𓏏𓏏𓊪𓏏. Ce nom devint le « nom royal » par excellence ; il rapprochait le roi de son père Râ, par une affirmation constante de filiale piété. Dans l'ordre du protocole, la première place lui fut donnée : c'est pourquoi on l'a appelé, improprement d'ailleurs, le « prénom », pour le distinguer du « nom » reçu à la naissance et inscrit dans le second cartouche.

On voit par ce bref exposé quelles intentions dictent le choix des « noms solaires » inscrits dans les cartouches et réunis par l'épithète « fils du soleil ». Tandis que les noms

---

1. La seule mode dont le nom donné à l'avènement subisse l'influence est dans le choix des épithètes accolées au nom de Râ. Ainsi que M. Maspero le faisait observer à ses cours du Collège de France, dans chaque famille royale ou dynastie, il y a une règle de formation du prénom, Ainsi pour la XIIᵉ dynastie : *Ousirtasen I* : « Le double de Râ se manifeste » ; Amenemhâït II : « Les doubles de Râ sont d'or » ; Ousirtasen II : « Le lever de Râ se manifeste » ; Ousirtasen III : « Les doubles de Râ se lèvent », etc. ; on sent une harmonie visible et voulue dans la série de ces choix.

d'Horus désignaient dans le Pharaon un dieu successeur du dieu Râ, les noms solaires montrent en lui « le dieu Râ incarné » (⊙ ▢ ⟶) [1] suivant la forte expression d'un texte égyptien.

3° Les « noms solaires » et les « noms d'Horus » du Pharaon sont encadrés de titres invariables, qui font partie intégrante du protocole et achèvent d'en préciser le sens.

Le premier de ces titres 𝕎 *souton bàit* [2] désigna d'abord le « roi de la Haute et Basse Égypte » [3] ; puis, quand la tradition théologique s'imposa, le « roi du Sud et roi du

---

1. *Stèle de Kouban*, l. 18. Cf. Grébaut, *Hymne à Amon-Ra*, p. 187.

2. La lecture *bàit* du groupe 𝕎 n'a été établie que récemment, après de laborieuses discussions. La lecture *kheb* fut longtemps admis, puis Brugsch lut l'abeille *Qat* (*Wört.* p. 1232) et Lepage-Renouf *nit* (*Ä. Z.*, 1877, p. 79). Piehl réfuta la lecture de Brugsch et s'en tint à celle de Lepage-Renouf (*Ä. Z.*, 1877, p. 39-41). Mais K. Sethe a démontré que la couronne du Nord, en tant que signe royal symbolique se lisait *bàit* d'après un texte de la pyramide de *Téti* (l. 351-352) ; il en a conclu que l'abeille royale 𝕎 se lisait aussi *bàit*, lecture qu'on retrouve dans le mot « miel » en copte, εϐιω (*Ä. Z.*, 1890, t. XXVIII, p. 125). W. Max Muller confirma ce dernier rapprochement et cita un texte des momies royales de Deir el-Bahari (*Miss. arch. franç.*, I, p. 598) où Amon est appelé *bàiti* « roi du Nord » en opposition à *souton* « roi du Sud » (*Ä. Z.*, XXX, p. 56). La démonstration fut achevée par G. Möller qui cita un duplicatum du texte de *Teti* où *bàit* est remplacé par (𝕎) (*Ä. Z.*, XXXV, p. 166-167) ; Piehl confirma ces lectures d'après un texte d'Edfou (*A. Z.*, XXXVI, p. 85).

3. Le décret de Rosette donne : βασιλεὺς τῶν τε ἄνω τε καὶ τῶν κάτω χορῶν (l. 3 ; cf. texte hiérogl. *Recueil*, VI, p. 5).

Nord, termes d'une signification plus large que les précédents. Le titre ainsi traduit est plus divin que royal et s'applique autant qu'aux rois, aux dieux solaires tels que Amon-Râ, Shou, Osiris, Isis, Hor [1], parce que le soleil dans sa course « tranche le ciel des deux plumes » de sa couronne (⬛⬛⬛⬛⬛⬛) [2] « ouvre la séparation du Sud et du Nord » (⬛⬛⬛) [3], et traverse « le ciel du Sud et le ciel du Nord » (⬛⬛⬛⬛). Des textes mettent en effet le titre ⬛ « roi du Sud et du Nord » en relation avec ces idées solaires : on dit au dieu Râ, en lui parlant de Pharaon : « Tu l'établis dans *ta dignité de roi du Sud et du Nord en tant que chef du circuit du disque solaire* » (⬛⬛⬛⬛⬛⬛⬛⬛⬛⬛⬛⬛⬛⬛⬛⬛) [4] : ailleurs on dit à Pharaon lui-même : « De même que Râ est prospère en naviguant dans le ciel, tu resplendis comme roi du Sud et du Nord » [5] (⬛⬛⬛⬛⬛⬛⬛⬛⬛⬛⬛⬛⬛). Le Sud et le Nord peuvent désigner d'une façon générale les deux moitiés de l'univers divisées, pour nous, par l'équateur ou dans un sens plus restreint les « deux terres », le Sud et le Nord de la terre [6]. De là une habitude

---

1. Exemples cités par Grébaut, *Hymnes à Amon-Ra* : Amon-Râ, p. 181; Shou, p. 179; Osiris, p. 177; Isis (*Mélanges*, p. 248). Cf. *Recueil*, I, p. 72.

2. Épithète d'Osiris (*Louvre*, A, 66; Pierret, *Inscript.*, I, p. 3).

3. Épithète d'Horus, Grébaut, *Hymnes*, p. 189.

4. L. D., III, 107, *a*, 1.

5. Grébaut, *Hymnes à Amon-Ra*, p. 218.

6. Il y a certains cas où le groupe des « deux terres » ⬛ a comme variante le ciel et la terre. Ainsi *sam taouï* « la réunion des deux terres » lors du couronnement royal (cf. ch. III) peut être remplacé par la « réu-

de joindre au protocole royal un titre qui n'en fait pas obliga-
toirement partie ⬛ *neb-taoui* « le maître des deux terres »,
mais qui s'y joint fort souvent; de là des phrases laudatives
telles que celles-ci : « Il s'est levé comme un dominateur des
deux terres, pour commander au circuit du disque solaire; le
Sud et le Nord sont (pour lui) les deux moitiés d'Horus et
Sit » (⬛⬛⬛)[1].

L'influence théologique qui a fait dévier le sens du titre ⬛
semble expliquer aussi le dédoublement des cartouches, des
noms solaires, des noms d'Horus. Il a fallu deux noms dans
chaque série des titres pharaoniques, parce que Pharaon était
l'incarnation du soleil Râ (ou de l'Horus) qui divise en deux
parties l'univers. Le titre ⬛ est d'ailleurs étroitement lié
aux cartouches et aux noms solaires; il précède toujours le
« prénom » c'est-à-dire le nom solaire et royal par excellence,
et on le retrouve dans cet emploi dès les premiers monuments
connus[2] jusqu'aux dernières époques de la civilisation égyptienne. Nous verrons plus loin que ces dédoublements s'ex-
pliquaient au début par des raisons purement historiques.

A l'expression ⬛ s'opposait encore dans le protocole
un second titre aussi ancien que le précédent et expressif de

nion du ciel à la terre » ⬛ (Ed. Naville, *Festival Hall of
Osorkon*, pl. II, n° 8). Il semble y avoir souvent ambiguïté voulue quand
les Égyptiens parlent des « deux terres »; il s'agit des deux parties oppo-
sables de l'Univers entier autant que du monde terrestre.

1. *Stèle de Tombos* (*L. D.*, III, 5, *a*, l. 2.
2. Petrie, *Royal Tombs of the first dynasty*, p. 35.

la même idée; c'est le groupe 〔hiéroglyphe〕 *nebti*[1] qu'à l'époque
grecque on traduit par κύριος βασιλειῶν « maître des deux couronnes »[2]. J'aurai l'occasion de montrer plus loin (ch. VIII) que
les couronnes royales sont des êtres divins qui interviennent
activement dans la vie du Pharaon; elles étaient identifiées
aux divinités protectrices des parties de l'univers parcourues
par le soleil et par son successeur le Pharaon ; ici la déesse
Nekhabit, 〔hiéroglyphe〕 et la déesse *Ouazit* 〔hiéroglyphe〕 maîtresse l'une du

Sud, l'autre du Nord[3], symbolisent la couronne blanche 〔hiéroglyphe〕 du

Sud, et la couronne rouge 〔hiéroglyphe〕 du Nord, dont l'union formait

le *pschent* 〔hiéroglyphe〕 , diadème symbolique du « maître des deux

terres ». Les monuments montrent sans cesse la relation qui
unit les couronnes du Sud et du Nord et les déesses 〔hiéroglyphe〕

1. Le groupe 〔hiéroglyphe〕 a été longtemps d'une lecture discutée (cf. Piehl,
P. S. B. A., XIII, p. 569). Erman proposa (*Ä. Z.*, XXIX, p. 57) de le lire
smaouti d'après un titre des reines, qui signifie en réalité « l'alliée »
smaouti de l'Horus, et qui ne s'applique pas au Pharaon mais aux reines
elles-mêmes; cette observation est due à Daressy (*Recueil*, XVII, p. 113)
confirmé par Ed. Naville (*Ä. Z.*, XXXVI, p. 133) et par Piehl (*P. S. B. A.*,
XX, p. 199). Daressy a montré d'autre part qu'un collier dessiné sur un cercueil de la XIIᵉ dynastie, et orné d'un vautour et d'une uræus était appelé
« le collier des *nebti* » 〔hiéroglyphe〕 c'est-à-dire « le collier
des deux maîtresses (du Sud et du Nord) » (*Recueil*, XVII, p. 113); plus
tard, il put établir que le groupe 〔hiéroglyphe〕 était bien l'équivalent de 〔hiéroglyphe〕
(*Recueil*, XX, p. 75, n. 2). La lecture *nebti* semble donc acquise pour le
titre que les Grecs interprétaient « maître des deux couronnes ».
2. Brugsch, *Uebereinstimmung einer hierog. Insch. von Philae*, p. 70.
3. *Nekhabit* est la déesse d'El-Kab, grand sanctuaire archaïque du
sud de l'Égypte; *Ouazit* est la déesse de Bouto, la ville sacrée du Delta.
— Voir à ce sujet Grébaut, *Hymne à Amon-Ra*, p. 195 sqq. Wiedemann
(*P. S. B. A.*, t. XX, p. 117) interprète le titre *nebti* comme « maître d'El
Kab et de Bouto », c'est-à-dire du Sud et du Nord.

avec le disque solaire : dans la plupart des tableaux religieux
des temples on voit le vautour du Sud et l'uræus du Nord
offrir au roi, celui-ci avec ses serres, celle-là dans les replis
de sa queue, l'image archaïque du cartouche ⚬ qui symbolise le domaine d'action du soleil et du Pharaon [1]. Parfois
aussi les mêmes déesses, sous la forme des couronnes ⚬
et ⚬ coiffent les deux cartouches royaux de Snofrouï, c'est-
à-dire le cercle solaire, par ex. dans la pierre de Palerme [2]. Le
titre ⚬ est donc un symbole de même nature que ⚬ ⚬,
ou que ⚬ debout sur le plan rectangulaire du temple royal ;
cela semble résulter aussi de la variante archaïque ⚬ [3],
qui fut peut-être la première forme du titre ⚬, et où
l'épervier Horus figure à côté de l'Uræus du Nord.

Le groupe ⚬ a d'autant plus d'analogie avec les noms
d'Horus qu'il est suivi, comme l'épervier, d'une épithète
variable avec chaque Pharaon, et que cette épithète, jusqu'au
milieu de la XIIe dynastie, fut commune au « nom de double »
et au nom *nebti* : par exemple Zosir a comme nom d'Horus
⚬ et comme nom *nebti* ⚬ [4]. C'est seu-

---

1. Par ex. Ed. Naville, *Deir el-Bahari*, III, pl. LXIV où *Nekhabit* tend
le cartouche de ses serres, tandis qu'il est projeté par le corps des
Ouazit en frise au plafond. Cf. t. II, pl. XXXVIII-XXXIX. Le vautour
Nekhabit présente déjà le cercle solaire ⚬ où le nom du roi *Besh* est
inscrit, sur un vase d'Hiéraconpolis (Quibell, pl. XXXVI).

2. A. Pellegrini (*Archivio storico siciliano, n. s.*, XX, 1896, pl. I, d. lig.)

3. Tablette du roi Ahà-Ménès à Negadah (cf. pl. I ; voir à ce sujet Wiedemann, *P. S. B. A.*, XX, p. 112). Les deux déesses ⚬ sont appelées
les mères du roi, comme les deux dieux ⚬ ⚬ sont ses pères (*Décret
de Phtah Totunen*, l. 37).

4. Cf. Brugsch, *A. Z.*, XXVIII, 110.

lement à partir d'Ousirtasen II[1] qu'une épithète spéciale différencia le *nebti* du nom de double; Thoutmès I par exemple, s'intitule « maître des deux couronnes, qui se lève en roi (couronné) de l'Uræus, fort et vaillant »

, et porte comme nom d'Horus « taureau puissant de Màït »[2]. L'usage persista jusqu'à la fin : Ptolémée II qui est « l'Horus-Râ adolescent vaillant » se dit « maître des deux couronnes, grand de vaillance »[3].

IV. Les textes de toute époque cités plus haut nous font voir clairement quelles intentions les Égyptiens discernaient dans le choix des noms royaux. Les titres d'Horus attestent l'origine divine du roi en lui attribuant la personnalité du dieu céleste ou du fils d'Osiris vainqueur de Sit; les noms de naissance et d'intronisation, enfermés dans le cartouche, image de l'orbe solaire, rappellent la filiation immédiate du Pharaon vis-à-vis de Râ; les doubles titres *souton bàït, nebti,* spécifient que le roi domine sur le Sud et le Nord comme le disque solaire. Tous ces noms impliquent la divinité de ceux qui les portent : les noms d'Horus sont ceux d'un dieu; les noms et titres solaires avaient été, d'après la tradition, adoptés par les dieux, au temps où ils régnaient sur l'Égypte, et l'on pouvait toujours les attribuer aux divinités. Le Pharaon n'avait donc fait qu'adopter le protocole en usage sous les dynasties divines.

Telle est la théorie qui ressort des documents officiels de l'époque classique. Ce n'est pas qu'il soit impossible de donner du protocole royal une explication *humaine* après avoir exposé la tradition théologique. Le dédoublement des noms et des titres, Horus et Horus d'or, roi du Sud et du Nord,

---

1. K. Sethe, *Ä. Z.*, XXX, p. 53, n. 4.
2. *Stèle de Tombos*, l. 1.
3. Brugsch, *Thesaurus*, p. 855.

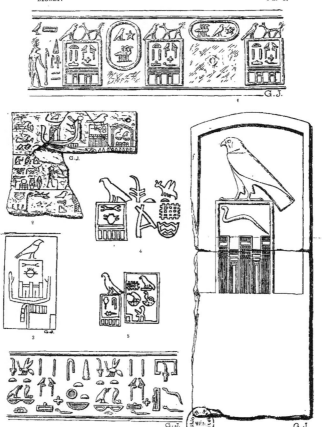

EXEMPLES DE PROTOCOLES DES ROIS DE LA PÉRIODE ARCHAÏQUE

1. Empreinte de cylindre, donnant le nom de double du roi *Khâsakhemoui Neboui hotpou âmf*, précédé de l'Horus-Sit. A gauche, le dieu Shou donne la vie et la force (De Morgan, *Recherches*, II, p. 244). — 2. Palette d'ivoire portant le nom de double *Ahd-Menès* et le nom de *nebti* (De Morgan, *Recherches*, II, p. 167). — 3. Nom de double de *Azâb*, sur l'hiéroglyphe du double (De Morgan, *Recherches*, II, p. 241). — 4. Nom d'Horus et titres *Souton bâit* de *Azâb Merbapen* (Petrie, *Royal tombs*, I, pl. 20). — 5. Nom d'Horus et titre *nebti* de *Merpekhâ Semempsès* (Petrie, *Royal tombs*, pl. 26). — 6. Noms de *Souton bâit* et de *nebti* du roi *Khârakhemoui* (De Morgan, *Recherches*, II, p. 244). — 7. Stèle du roi *Z* portant le titre d'Horus seul sur le *serekh* (Fouilles d'Amélineau, De Morgan, *Recherches*, II, p. 228).

maître d'El Kab et de Bouto, l'usage des deux cartouches
semble aussi bien explicable par la division naturelle et permanente de l'Égypte en delta et en vallée[1], en région basse
et région haute : les deux portions du pays, séparées souvent
aux époques historiques, devaient être distinctes aux temps
archaïques, et leur réunion sous un même roi dut amener le
choix de titres en partie double. Les découvertes récentes de
monuments aux noms de rois archaïques des trois premières
dynasties nous permettent aujourd'hui de voir un peu plus
clair dans les origines obscures de la monarchie pharaonique.
Le premier centre connu de la royauté semble avoir été Hieraconpolis (*Nekhen*, Kom el Ahmar actuel, en face d'El Kab
Nekhab); là s'élevait le sanctuaire de l'épervier . Le plus
ancien des rois jusqu'ici retrouvés *Narmer* (?) porte comme
seul titre royal le nom de l'épervier debout sur le cadre
serekh[2]. Or les monuments de Narmer sont essentiellement
belliqueux : ce sont des masses d'armes votives, ou des palettes de schiste portant gravées des scènes religieuses où l'on
sacrifie des prisonniers de guerre aux pieds du roi et de
l'Épervier vainqueurs[3]. Les vaincus, nous le savons par des
documents analogues un peu postérieurs, sont des « gens du
Nord » ()[4]; à partir du moment où leur défaite s'accentue,
le centre de la royauté primitive se déplace vers le Nord,

1. Cette division a existé en fait à toutes les époques troublées de l'histoire d'Égypte : il y a eu deux capitales sous les IXe-XIe dynasties (Héracléopolis et Thèbes), de la XVe à la XVIe dynastie (Avaris et Thèbes),
de la XXIe à la XXVIe dynastie (Tanis et Thèbes).

2. Quibell, *Hierakonpolis*, I, pl. XXVI B (masse d'arme, avec reliefs relatifs à la fête *Sed*. Sur la grande palette de Narmer (*ib.*, pl. XXIX) le
nom royal est inscrit dans le *serekh*, mais l'épervier n'est point juché au-
dessus.

3. Voir à ce sujet l'article de Foucart (*Sphinx*, IV, p. 198).

4. *Hierakonpolis*, I, pl. XXXVI-XLI, vases et statues du roi Khâsakhem-
Besh ; cf. Maspero, *Revue critique*, 1901, I, p. 382 sqq.

A. MORET.   3

passe d'Hiéraconpolis à Négadah et à Abydos, où se trouve
le second groupe des monuments royaux archaïques[1]. Alors
apparaissent les doubles titres *souton bàït* et *nebti*[2] dont
l'usage semble attester l'annexion progressive de la moyenne
et de la basse Égypte au royaume du Sud. Si le roi adopte
comme nom le vautour de Nekhab 🐦, c'est parce qu'il en
occupe le sanctuaire; le titre formé avec l'uræus de Bouto
🐍[3] signale l'acquisition du Delta. *Souton* ⌒ épithète portée
par le grand prêtre d'Héracléopolis magna, et *bàït* 🐝, nom
du pontife de Koptos, passent dans le protocole des rois du
Sud après la prise de ces deux villes. La progression des
noms royaux, depuis l'épervier jusqu'aux doubles titres
semble marquer les étapes géographiques d'une conquête
allant du Sud au Nord.

Au contraire le cartouche solaire et le titre Horus d'or
n'apparaissent que plus tard, après la réunion des deux
Égyptes. Leur introduction dans le protocole royal semble
attribuable à l'influence de la théologie solaire, qui affirme
au même moment (IV-V⁰ dynasties) sa puissance en ajoutant
l'épithète « fils du soleil » 🦆 aux noms archaïques, et
plus tard en associant le disque solaire à l'épervier 🦅.
Mais ici encore la rivalité historique du Sud et du Nord im-
pose sa tradition bipartite : le roi aura deux cartouches et

1. De Morgan, *le tombeau royal de Negadah*; Amélineau, *Les nouvelles
fouilles d'Abydos, Le tombeau d'Osiris;* F. Petrie, *The royal tombs of the
1st dynasty,* I et II.

2. De Morgan, *Le tombeau royal,* p. 167, 241, 244; Fl. Petrie, I, pl.
XV-XVII. Voir notre pl. I.

3. C'est l'idée émise dès 1890 par Lepage Renouf dans son article *The
priestly character of the earliest egyptian civilization* (*P. S. B. A.,* XII,
p. 358). Les textes relatifs au *souton* sont dans Brugsch, *Dict. géographique,* p. 1377; pour *bàït* voir p. 1374. Wiedemann a repris ces idées
(*P. S. B. A.,* XX, p. 119) et en a tiré les conclusions exposées ici.

deux noms solaires, de même qu'il a ses noms de roi du Sud et ses noms de roi du Nord. Nous verrons plus loin comment, dans tout ce qui touche à la personne du roi, et dans toutes les fêtes du culte public ou privé, la division géographique de l'Égypte en deux parties, réunies mais distinctes théoriquement, se maintint jusqu'au bout de la civilisation égyptienne.

Cette explication historique du choix des noms royaux n'est nullement contradictoire avec la théorie religieuse de l'époque classique, par laquelle le Pharaon s'associe aux dieux en prenant leurs noms. Dès l'époque où Narmer règne dans la région restreinte d'Hiéraconpolis, il s'identifie au dieu protecteur de la ville, et il adopte son nom, l'épervier

[1]. Or, les représentations des fêtes religieuses célébrées par le roi nous attestent que les rites du culte osiririen et solaire[2] étaient déjà en usage, et rien ne nous défend de

penser que l'épervier debout sur le *serekh* n'ait eu

déjà le sens *Horus* que nous avons défini plus haut. La victoire du roi du Sud contre les gens du Nord a été la victoire d'Horus sur Sit (témoignage confirmé par les textes d'Edfou gravés plusieurs milliers d'années plus tard)[3] ; quand l'union

---

1. Quibell, *Hieraconpolis*, I, pl. XXVI B.

2. Ce sont les fêtes *Sed* des monuments d'Hiéraconpolis et d'Abydos. Voir chapitre VIII. Le culte du double existait dès cette époque, et était confié à des prêtres appelés *khou-ka* « ceux qui font les rites du double » (De Morgan, *Recherches*, II, p. 240 et 217).

3. Palette de Narmer (Quibell, pl. XXIX) : l'épervier tient par une corde une tête de vaincu. Pour Edfou cf. Ed. Naville, *Textes relatifs au mythe d'Horus*. Maspero a depuis longtemps émis l'idée que sous le voile des guerres mythiques d'Horus et de Sit se dissimulent des luttes historiques de tribus égyptiennes primitives combattant les unes sous l'égide d'Horus, les autres sous la protection de Sit (*Les forgerons d'Horus*, ap. *Études de Mythologie*, II, p. 313 sqq..). Cette hypothèse se vérifie de plus en plus, au fur et à mesure que les monuments des rois archaïques sor-

du Saïd et du Delta fut accomplie, le roi réunit en lui Horus et Sit [1]. Le roi s'identifia de la même façon, au Vautour d'El-Kab et à l'Uræus de Bouto; à Koptos et à Héracléopolis le Pharaon adopta les titres sacerdotaux *souton* et *bâit* à la place des noms divins. Mais bientôt cette origine historique du protocole royal fut oubliée : les dieux locaux qui avaient, au début, imposé au roi leurs noms originaux, furent dépouillés de leur personnalité au profit de la théologie solaire. A vrai dire, les noms royaux en partie double rappelèrent la division primitive des sanctuaires de la Haute et de la Basse Égypte; mais les deux éperviers, le vautour et l'uræus, le roseau et l'abeille ne furent plus que des doublets de Râ ou des noms de l'univers solaire. Ainsi dans le protocole royal, les traditions historiques et mythiques se fondent et se pénètrent réciproquement. L'explication humaine des titres royaux nous amène à la même conclusion que la doctrine théologique : tous les noms du Pharaon viennent des dieux et lui confèrent un caractère sacré.

tent du sol (cf. l'article de V. Loret, *Sur le mot* [glyphs], *Revue égyptologique*, t. X).

1. Un successeur de Narmer, le roi *Khâsakhemouï Nebouï hotpou âmf* associe en tête du cadre de son nom d'Horus les deux totems rivaux [glyphs]; son nom est significatif à ce point de vue : « les deux formes divines se lèvent (sur le trône) — les deux dieux s'unissent en lui ». (*Hieraconpolis*, I, pl. 2 ; De Morgan, *Recherches*, II, p. 243). Le roi Khâsakhemouï prend en effet les titres [glyphs] et [glyphs] qui impliquent la réunion des deux Égyptes (Petrie, *Royal tombes*, pl. XXIII). Un des rois d'Abydos, Peràbsen Sakhemàb semble indiquer la même intention en faisant précéder le premier de ses noms de [glyph] et le second de [glyph] (Petrie, *Royal tombs*, II, pl. XXI). Sur la persistance des titres composés avec [glyphs]. Voir Ed. Meyer, *Sit-Typhon*, p. 31 sqq. et De Rougé, *Recherches*, p. 45 et 58.

V. Il me reste à dire brièvement quel ordre fut adopté pour
la présentation des noms royaux. Ce n'est qu'à la fin du premier empire thébain qu'on arriva à une classification définitive : titres et noms, après avoir été longtemps énumérés
un peu à l'aventure[1], furent dès lors ordonnés rigoureuse-
ment.

En tête le nom de double (Horus) puis le nom de *nebti*; ensuite le nom d'Horus d'or, tous suivis de leurs épithètes; enfin
le titre « roi du Sud et roi du Nord » précédant le cartouche du
« prénom royal », et l'épithète « fils du Soleil » précédant le
cartouche du nom de naissance ». Il suffira de donner ici un
seul exemple d'un de ces protocoles complets (que les Égyptiens appelaient *nekheb*) dont l'économie se maintint jusqu'à
la période romaine : je l'emprunte au pharaon Ramsès II
(stèle de Kouban).

---

1. Pendant la période archaïque, les titres royaux usités ,
et le « nom de double » dans l'édifice sont ou bien groupés sans ordre
apparent (Petrie, *Royal tombs*, I, pl. XXVI, XVII, n° 29) ou bien on met
à la suite (*ibid.*, pl. XVII, n°ˢ 26, 27) ; même disposition pour
Zosiri (III° dynastie; cf. *A. Z.*, XXXV, p. 4). Quand apparaît le « nom
doré » on le met, au début, à la suite des autres (Zosiri, *A. Z.*, XXXV,
p. 4; Chéops, Maspero, *Histoire*, I, p. 365, fig. ; *Pépi* I, l. 64-65) en gra-
vant à part le « nom de double ». L'épithète fut d'abord inscrite
dans le cartouche unique (ex. Snofrouï, Teti, Maspero, *Hist.*, I, p. 260) ;
quand il y eut deux cartouches, on la plaça derrière le cartouche nom
(*Pépi II*, début), puis entre les deux cartouches ; mais on connaît même
sous la XII° dynastie des emplois d'un seul cartouche où sont groupés
prénom solaire, épithète fils du soleil, nom de naissance (Louvre, Stèle
C 4 d'Amenemhâït II, Pierret, *Insc.*, II, p. 36), y compris le groupe *souton
baït* (Louvre, Stèle C 166 d'Ousirtasen I, Pierret *Insc.*, II, p. 67). Les deux
cartouches n'eurent pas au début de place fixe (Pépi II, *Recueil de Travaux*, XII, p. 56-58). Le tout ne s'ordonna qu'à la fin du 1ᵉʳ Empire thébain.

Horus-Râ, taureau puissant aimé de Mâït ;

Le maître des deux couronnes, protecteur de l'Égypte, dompteur des pays étrangers ;

L'Horus d'or, riche d'années, grand de forces ;

Le roi du Sud et du Nord (Ousirmâ-Râ-sotpou-n-Rî)|, fils du Soleil (Meri-Amon Râmessou)| qui donne la vie éternellement à jamais.

Sous cette phraséologie hiératique, il n'y a — nous l'avons vu — que l'expression sans cesse répétée que le Pharaon est le successeur, l'héritier et le fils des dieux et du soleil Râ. Dès lors, nous savons en quels éléments essentiels se résume le caractère religieux dont sont comme imprégnés l'âme et le corps du Pharaon.

CHAPITRE II

La naissance divine du Pharaon

I. Représentation figurée de la filiation du Pharaon dans les temples. — II. Conception égyptienne de la vie. Le fluide de vie. — III. Union charnelle du dieu et de la reine. — IV. L'accouchement. — V. Reconnaissance de l'enfant royal par les dieux. — VI. Théorie sur la théogamie : est-elle occasionnelle ou générale? Témoignages des textes de toute époque en faveur de la généralité. — VII. Formules de l'allaitement et du « règne dès l'œuf ». — VIII. Témoignage de la littérature populaire. — IX. Le *mamisi* gréco-romain : nativité symbolique d'Horus, des dieux et des morts osiriens. — X. Réalisation matérielle de la nativité du Pharaon.

1. La filiation divine du Pharaon, que définissent ses titres, n'était point pour les Égyptiens une fiction pieuse, mais une réalité matérielle. Les paroles du dieu au roi : « Tu es le fils de mon ventre (𓅯 𓈖 𓄖), celui que j'ai engendré » (𓂋 𓏤) doivent être prises par nous au sens littéral. Preuves en sont les représentations figurées et les textes par lesquels les Égyptiens décrivent la naissance du Pharaon et sa procréation par le dieu.

Les principales de ces représentations et les plus importants de ces textes se trouvent dans les temples. Nous verrons plus loin (chap. VII) que dans chaque temple égyptien une ou plusieurs salles étaient spécialement réservées au Pharaon : on y trouvait plus ou moins détaillés — suivant la place dont on disposait — des tableaux relatifs aux grands événements de la vie « divine » du Pharaon : sa naissance, son couronnement, les renouvellements de son couronnement (ce qu'on appelle fêtes *Sed*), et les autres cérémonies ritualistiques du culte royal. Le nom de cette salle ou de ces salles était *pa our* « la grande maison » (terme dont on se servait aussi pour désigner les sanctuaires des dieux), ou bien « la demeure qui est dans le temple[1] ». Les tableaux et les textes conservés dans ces *pa our* formeront la base de ce travail sur le caractère religieux de la royauté en Égypte ; je leur emprunterai tout d'abord ce qu'ils nous apprennent sur la naissance du Pharaon.

II. Pour comprendre à leur valeur certains rites de la procréation du roi par les dieux, il nous faut définir quelle idée les Égyptiens se faisaient de la vie physique. Les démiurges avaient créé l'Univers et tout ce qui y vivait, par l'œil et par la voix : quand ils avaient « vu » les êtres et les choses, ceux-ci s'étaient manifestés ; quand ils avaient « parlé », « dit les noms » des êtres et des choses, ceux-ci avaient existé. Ainsi tout était tombé de l'œil et de la bouche du dieu. La vie était une émission de lumière fécondante et de verbe créateur ; de là les épithètes de « maître des rayons » ( ) et de « créateur par la voix » ( ) ou « émetteur de paroles » ( ) que l'on donne à tous ceux qui ont

---

1. A Deir el Bahari, on dit, à propos du roi, « son édifice de la salle du culte » (*litt.*, syringe); le texte d'Horemheb désignera « la grande maison de la maison royale » (cf. ch. III, § III); ailleurs cf. Lepsius, *Denkm.*, III, 159 c, « Le roi se lève pareil au soleil dans son édifice qui est dans le temple »; III, 286 a « le roi se lève dans son édifice et va se reposer dans le temple » .

en partage la puissance des démiurges[1]. Entre tous, le soleil
Râ était le créateur par excellence, et les agents de sa puissance
créatrice avaient été son œil le soleil « Œil d'Horus » (⌣)
) et sa voix, « la voix du ciel, la foudre » ( ) [2].

On retrouve l'influence de ces conceptions particulières
sur la création dans le choix des signes hiéroglyphiques
employés par les Égyptiens pour exprimer l'idée de vie. Quand
un dieu procrée un Pharaon ou lui assure l'existence, on dit
qu'il lui fait △ ♀ ⌐ ▓ « le don de vie, force et durée ». Si
l'on analyse de plus près les signes ♀ ⌐ ▓, on s'aperçoit que
chacun d'eux symbolise une « vertu » du soleil créateur.

Le signe de vie ♀ *ânkh* se compose d'un cercle elliptique,
d'une barre horizontale, d'un pied souvent fendu en deux
pointes de façon à prendre une forme triangulaire[3]. Est-ce
une silhouette humaine grossièrement esquissée, tête, bras
et jambes[4]? Est-ce un miroir, objet que les Égyptiens appelaient *ânkh*[5]? Je rapprocherai plutôt ♀ de la figure gravée

1. Voir à ce sujet les textes cités et les développements donnés dans
mon étude sur *Le rituel du culte divin*, p. 129, 138 et commentaire du
chap. XLII.

2. Cette interprétation de l'expression ⌐ | ⌐ et du rôle créateur
de la foudre « voix du ciel » a été proposée et justifiée au *Rituel du
culte divin*, commentaire du chap. XLII.

3. Voir la forme archaïque du signe dans Petrie, *Royal Tombs 1st Dynasty*, I, pl. XXIII, nᵒˢ 11 et 12 et Quibell, *Hierakonpolis*, I, pl. XLIV.

4. J'ai entendu souvent cette idée exprimée aux cours de M. Maspero
au Collège de France et à l'École des Hautes Études.

5. Voir à ce sujet l'article de Loret, dans le *Sphinx* (V, p. 138). L'auteur
estime que ♀, nom du miroir, représente véritablement un miroir. On
peut objecter à cette interprétation : 1ᵒ que les miroirs appelés *ânkh* ont
le plus souvent la forme ⌐, 2ᵒ que l'insigne ♀ se tient généralement,

sur les stèles puniques[1] où l'on peut reconnaître un dessin schématique du soleil, du ciel, et du rayon triangulaire ⋀ [2].

Dans cette hypothèse, qu'on ne peut encore justifier par des preuves matérielles suffisantes, mais qui concorde avec les concepts égyptiens sur la création, la « vie » du Pharaon serait symbolisée par le rayon solaire tombé du ciel.

Le signe de « force » *ouas* ⎮ est un sceptre que portent les dieux et les rois. Il échange avec un autre sceptre ⎮ orné de la plume (insigne solaire), qui prend dans les textes anciens une forme brisée où l'on reconnaît le zig-zag de l'éclair[3] ; il détermine dans ce cas un mot ⩊ *zeser*, qui vient d'une racine

non par le manche comme on tiendrait un miroir, mais par la boucle elliptique supérieure. A mon sens si l'on a appelé le miroir du nom de la « vie », c'est que le miroir en réfléchissant l'image d'un objet, le fait se révéler, se manifester, semble le créer, lui donner vie ; aussi le nom usuel du miroir est « celui qui révèle la face, qui découvre la face » ⟨hiero⟩ *oun her*. Dans cette idée *ânkh* serait plutôt un nom symbolique du miroir qu'une appellation primitive. Loret a bien montré comment par une dérivation de sens analogue le nom *ânkh* s'applique aussi à des battants de porte et aux oreilles.

1. Cette comparaison m'a été suggérée par M. E. Soldi, l'auteur de plusieurs livres sur la *Langue sacrée*, où se trouvent exposés tant d'ingénieux rapprochements entre les écritures figuratives de tous les peuples primitifs. (Cf. E. Soldi, *La langue sacrée*, I, p. 162.)

2. Le triangle ⋀ symbolise la lumière zodiacale (Brugsch ⋀ ou *La lumière zodiacale*, *Proceedings*, S. B. A., XV, p. 287 et 387) ; il donne aussi leur forme aux quatre côtés des pyramidions dans les obélisques, et des pyramides-tombeaux, tous monuments du culte solaire (cf. Schiaparelli, *Il significato symbolico delle Pyramidi*). Il y a peut-être une intention d'exprimer la puissance créatrice du démiurge dans le choix du signe ⋀, ⋀ pour le verbe « donner, faire » et du signe ⬪ pour « faire, créer. » L'œil du soleil et la lumière sont les agents de création.

3. Pyramide de *Téti*, l. 111, où le signe détermine le mot *zosirit*. Sur les sceptres de forme zigzaguée, voir plus loin ch. IX.

ser ⟨glyph⟩ « flèche, trait ». Ces signes ⟨glyph⟩ et ⟨glyph⟩ déterminent des mots tels que l'on peut reconnaître en eux les « traits » du soleil ou le « marteau » de la foudre[1]. Le sceptre-éclair ⟨glyph⟩ est en effet une arme magique qui donne la vie : souvent l'on voit le signe ⟨glyph⟩ sortir de la tête du sceptre, émis par celui-ci[2] comme par l'Uræus solaire. Cette association de signes a laissé sa trace dans le langage : il en est résulté un mot composé « vie-force » ⟨glyph⟩ *ânshous* qui désigne, comme d'ailleurs le terme ⟨glyph⟩ *zosirit*, le lait des déesses, breuvage de force et de vie, lait de flamme, dont s'alimentent les dieux[3]. La « force » du Pharaon est donc une manifestation de la lumière fulgurante.

Le signe « durée » ou de « stabilité » ⟨glyph⟩ *ded* représente les quatre piliers du ciel vus en perspective les uns derrière les autres, le premier seul étant visible en entier[4]. Il évoque à la

---

1. Un des mots qui désignent les sceptres-bâtons des morts divinisés est ⟨glyph⟩ déterminé, en plus, par une massue ⟨glyph⟩ (*Pépi II*, l. 295). Il est certain que le sceptre-éclair des textes des pyramides est le déterminatif du mot *zeser* (cf. Brugsch (*Wörtb.*, p. 1683). On sait aussi que ⟨glyph⟩ *ser* désigne les « flèches » lancées par Horus ou les étoiles (Brugsch, *Wörtb.*, p. 1262. Cf. Ἀπόλλων ἐκηβόλος ἀργυρότοξος, *Iliade*, 1, 37, 45 sqq.). Aussi le sens *sublimitas, altus*, qui est le plus fréquent pour le groupe *zeser* pourrait-il fort bien dériver des mots qui désigneraient les carreaux ou le marteau de la foudre; on sait que les temples et les nécropoles étaient *bou zeser* « lieux sublimes » (Brugsch, *Wörtb.*, p. 1261), ce qui voudrait peut-être dire, à l'origine, « frappés de la foudre, où la foudre se manifeste » comme les lieux « élevés », qui ont servi de sanctuaires primitifs dans toutes les religions. Sur le mot *zeser*, au point de vue philologique et graphique, cf. Loret, *Recueil*, XVI, p. 37, et Lefébure, *Sphinx*, V, p. 129.

2. Voir à ce sujet ce qui sera dit plus loin des armes et sceptres du roi (ch. IX).

3. Brugsch, *Wörtb.*, *Suppl.*, p. 240. Sur le lait de flamme voir p. 48, n. 1.

4. C'est l'hypothèse la plus généralement admise ; sur l'interprétation du ⟨glyph⟩ voir Maspero, *Histoire*, I, p. 133.

fois l'idée de piliers et de rayons célestes, comme les traits
de foudre 𝄇 qui, tombant du ciel, lui servent de colonnes et
d'étais ⳱⳱⳱[1] ; aussi le déterminatif du soleil lançant ses rayons
peut-il s'associer au signe *ded*, dans des groupes tels que 𓊽 𓋹
splendere, splendor[2]. La « stabilité » du Pharaon est celle
des dieux solaires qui se re-
posent sur les colonnes ou
les rayons du ciel[3].

Fig. 1. — « Râ fait la protection
magique du Pharaon » en lui donnant vie, force, durée (*L. D.*, III,
121).

· Ces trois vertus solaires
« vie-force-durée » que les
dieux donnent au roi sont
souvent rassemblées dans un
symbole graphique : dès les
temps les plus anciens on
associait aux noms royaux
(cf. pl. I), on mettait aux
mains des dieux et des rois

un sceptre composé des signes 𓊽 𓋹 𓌀 superposés et com-
binés[4]. Ainsi se résumait l'image et l'idée de la vie et

1. On interprète généralement ⳱⳱⳱ comme « le ciel tombant de ses
piliers » ; j'y vois le ciel lançant les carreaux de la foudre ; le signe est
le déterminatif du mot 𓀁 *khrôou pet* « voix du ciel, tonnerre » (cf.
Brugsch, *Wörtb. Suppl.*, 956-957), et de tous les termes désignant l'orage
(cf. Chabas, *Papyrus magique Harris*, p. 41). Mais ces carreaux servent
aussi de piliers (cf. Piehl, *Sphinx*, V. p. 188). Le dieu Shou est, lui aussi,
l'air lumineux et la colonne du ciel (Brugsch, *Thesaurus*, p. 626, 651).

2. Brugsch, *Wörtb. Suppl.*, p. 1336, 1380.

3. Cf. Mariette, *Mon. div.*, pl. IX ; on dit au roi : « J'ai établi tes deux
couronnes sur ta tête (aussi solidement) qu'est établi le ciel sur ses quatre piliers » 𓊪𓏭𓈖 ⳱⳱⳱ 𓉐𓂝𓊽 𓏤𓏤𓏤𓏤.

4. Le sceptre combiné apparaît déjà sur les montants de porte trouvés
à Hiéraconpolis, au nom du roi Khâsakhemoui (IIᵉ ou IIIᵉ dyn. Quibell,

de la puissance illimitées que les dieux solaires transmettaient aux Pharaons.

Ces « vertus » solaires s'échangeaient des dieux aux rois comme la transmission d'un fluide magnétique. Ce fluide s'appelait le *sa* 𓋹, var. ⸺, et l'on précisait sa nature en disant que c'était le « *sa* de vie » 𓋹 𓋹, ou le « *sa* de vie, force et durée » 𓋹 𓋹 𓏛 𓊽. Que représente l'hiéroglyphe 𓋹? Est-il le dessin schématique de la face céleste lançant le rayon triangulaire et donnant comme 𓋹 la silhouette approximative des bras, des jambes et de la tête? Est-ce un nœud de bandelettes analogue au signe 𓋝 et tel que l' « âme en soie » des Annamites[1]? Il est difficile de se prononcer; mais on doit noter la parenté graphique du signe 𓋹 avec le signe 𓋹. Quant à l'hiéroglyphe ⸺ il représente à coup sûr un « réseau », semblable à celui qu'on utilisait dans la vie pratique pour entraver les bestiaux[2]; mais on ne peut se dispenser de rapprocher ce « réseau » des « nœuds lumineux » que l'on retrouve dans les motifs ornementaux de toutes les civilisations archaïques[3]. Certaines variantes de ⸺ nous donnent des formes telles que 𓇶[4] où l'on distingue le soleil lançant des germes lumineux

Hierakonpolis, I, pl. 2), et dans le protocole du roi Zosiri (IIIe dynastie. Lepsius, *Denkm.*, II, 2, f.). On voit le sceptre aux mains des dieux (Ed. Naville, *Deir el Bahari*, II, pl. XLV et de Morgan, *Kom-Ombos*, 1, pl. 41), et aux mains des rois (*Abydos*, I, pl. 23).

1. Voir la figure citée par E. Soldi, *La langue sacrée*, I, p. 463.

2. Lepsius, *Denkm.*, II, pl. 96; deux veaux sont entravés au pied; lég. : 𓏤𓅠𓂝𓏭𓃔 ⸺ ⸺ « attacher (?) les veaux sur les *sa*. »

3. Cf. E. Soldi, *La langue sacrée*, I, p. 395, 361, 456, etc.

4. Voir l'article de Goodwin dans Chabas, *Mélanges*, III, 1, p. 254, et Brugsch, *Wörtb. Suppl.*, p. 1256. J'ai pris le signe le plus rapproché; dans l'Hiéroglyphe original les branches du signe sont des traits terminés par des boules.

comme dans l'hiéroglyphe du soleil rayonnant *apesh* ; ailleurs on a des formes ━▦━ très semblables à l'hiéroglyphe
archaïque du dieu solaire Min ━◁○▷━ [1]. J'en conclus que l'interprétation des signes *sa*, sans être certaine, nous ramène
cependant aux signes symboliques solaires. Aussi les textes

Fig. 2. — Aménophis IV et la reine embrassés par le disque solaire Aton et
recevant la vie de ses rayons (*L. D.*, III, 109).

des pyramides nous parlent-ils du dieu Râ « chef du *sa* divin »
(𓏏 𓏏 𓏏)[2]; le *sa* de vie vient du soleil Œil d'Horus, et sou-

1. Petrie, *Koptos*, pl. 4.
2. Pyramide d'*Ounas*, l. 562.

vent les signes ☥ et ⌐ nous apparaissent, en effet, sortant du
disque solaire et tombant sur le roi avec ses rayons [1] (fig. 1 et 2).

Le *sa* se « lançait » [2] ⌐ ☐ ⌐ (*sotpou*) par les passes magnétiques de la main de ceux qui en étaient approvisionnés.
Le dieu qui donnait le *sa* au roi, prenait celui-ci en ses bras et
faisait courir sa main ouverte le long de la nuque et du dos
du Pharaon ; ou bien le même geste s'opérait sur le roi assis,
tournant le dos au dieu magnétiseur [3]. La concordance de ce
geste et du verbe « lancer » avec notre expression « lancer le
fluide » et les passes magnétiques usitées à cet effet, nous invite donc à rendre par « fluide magique » ce mot *sa* dont l'é-
quivalent littéral est encore à trouver.

Ainsi se résumait pour les Égyptiens l'idée de la vie que
les dieux dispensaient aux rois. Ce qui coulait dans les veines
du Pharaon fils de Râ, c'était le « liquide de Râ, l'or des

1. Lepsius, *Denk.*, III, 97 *e*, 103, 105, 109, 184 ; à la pl. 121 *a*, on voit
tomber du disque solaire les signes ☥ ⌐ par dessus Horemheb, et
une inscription dit au roi : « Râ fait la protection magique (⌐ ⌐) de
tes chairs ». C'est la figure 1 reproduite ici.

2. Sur cette expression ⌐ ☐ ⌐ ⌐ *sotpou sa* voir Maspero, *Études
de mythologie*, I, p. 307-308, et *Les contes populaires*, 2ᵉ édit., p. 224. —
Le sens de ⌐ ☐ ⌐ *sotpou* me semble venir de la racine ⌐ ⌐ « lancer,
jeter, émettre », dont les déterminatifs ⌐, ⌐, ⌐, ⌐ établissent
les nuances « lancer de l'eau ou de la flamme, des flèches ou des rayons,
émettre la semence » (Brusgsch, *Wörtb. Suppl.*, p. 1151-1156). Le sens
« émettre la semence » est clairement commenté aux bas-reliefs du temple d'Abousir (Vᵉ dynastie) où le mot ⌐ ☐ ⌐ désigne la saillie des
brebis par les béliers (*Zeitschrift*, XXXVIII, pl. V) ; de même au papyrus
Prisse (VII, 11) on dit à un père qu'il a engendré ⌐ ☐ ⌐ son fils. Je
traduirai donc désormais *sotpou sa* par jeter, lancer le fluide ».

3. Voir *Rituel du culte divin*, p. 99-101.

dieux et des déesses » ; ce qui le faisait vivre, c'était le *fluide* lumineux issu du soleil, source de « toute vie, de toute force, de toute durée »[1]. Les hymnes au disque solaire du temps d'Aménophis IV expriment clairement ces idées : « Tes rayons se répandent sur le Pharaon ; sa vie est de contempler ces rayons ; le Pharaon est sorti de ces rayons ; le soleil l'a bâti de ses propres rayons[2]. »

III. La procréation du roi par les dieux, et le don au nouveau-né du fluide de vie-force-durée, sont représentés avec les détails les plus circonstanciés dans les temples les plus anciens que l'Égypte nous ait conservés ; on retrouve aussi les mêmes scènes dans les édifices de la dernière période. Les temples les plus anciens sont ceux élevés par la reine Hâtshopsitou à Deir el Bahari et par Aménophis III à Louxor (XVIIIe dynastie)[3] : ces pharaons ont représenté leur propre naissance dans la partie du temple qui leur était réservée.

1. Le liquide de Râ, c'est l'or de ses rayons (cf. *Recueil*, XXIII, p. 28). Une autre source de la vie est le lait d'Isis (pyr. de *Téti*, l. 338) ; or le lait des déesses est de la flamme, tantôt vivifiante, tantôt dévoratrice (Lefébure, *Rites égyptiens*, p. 35) ; d'où les analogies entre le déterminatif du lait et celui de la flamme :   et

2. Breasted, *De hymnis in solem*, p. 21-22, où l'auteur a groupé les textes relatifs aux

3. Exception faite du sanctuaire de Râ qu'on déblaie en ce moment à Abousir, ce sont les plus anciens temples connus. Comme Champollion le disait, la plupart des grands temples d'Égypte, Edfou, Dendérah, Philæ, Ombos, sont des rééditions ptolémaïques de temples anciens, que ces restaurations ont précisément fait disparaître pour nous. Le temple d'Aménophis III à Louxor a été publié — mais avec peu de soin — par M. Gayet (*Mission archéol. franç.*, t. XV). Les scènes de la naisssance y occupent les planches LXIII-LXVII). Le temple de Deir el Bahari, déblayé par M. Naville, est l'objet d'une magnifique publication par le même savant. Le second volume (1896) contient les scènes de la naissance, pl. XLVI-LV ; cette publication a renouvelé l'étude de la question. M. Maspero a consacré à l'ouvrage de M. Naville une analyse fort intéressante et très détaillée dans le *Journal des Savants*, 1899, surtout p. 401-414.

J'exposerai par la suite les raisons qui me font croire que ces scènes de la nativité du Pharaon existaient à toutes les époques, dans tous les temples et pour le compte de tous les rois d'Égypte : les tableaux et les textes de Deir el Bahari et de Louxor nous donneraient, dans ce cas, la théorie générale de la naissance du roi [1].

Je prendrai d'abord la série des plus anciens tableaux, ceux de Deir el Bahari ; ils ont été reproduits à Louxor presque sans variante. La nativité comprend environ quinze scènes que l'on peut diviser en trois actes : 1° l'union charnelle du dieu avec la reine ; 2° l'accouchement ; 3° la reconnaissance de l'enfant par les dieux.

L'union d'Amon et de la reine est annoncée par un prologue qui se joue au ciel. A Deir el Bahari Amon convoque les dieux de l'Ennéade héliopolitaine, qui sont ses parèdres dans le temple ; il leur annonce la naissance future d'un Pharaon et les invite à préparer le fluide de vie et de force [2] (⟨glyphes⟩) dont ils disposent. A Louxor une scène à quatre personnages remplace l'assemblée des dieux : au centre, la reine reçoit les charmes magiques des mains de la déesse Isis ; sur un des côtés le roi régnant (Thoutmès IV) est présent, tandis que de l'autre côté Amon annonce son intention de « s'abaisser vers celle qu'il aime [3] ». Dans l'un et l'autre cas les dieux du temple sont avertis qu'ils aient à prémunir de tout danger l'élue d'Amon.

1. On verra à la fin de ce chapitre pour quelles raisons je ne partage pas, au sujet des scènes de la naissance, l'opinion que M. Maspero a formulée ainsi : « Il ne paraît pas, au moins à l'origine, que cette intervention solennelle du dieu fût indispensable partout et toujours, et l'on ignore encore en quelles circonstances elle était jugée nécessaire. « (*J. des Savants*, 1899, p. 401.)

2. Ed. Naville, *Deir el Bahari*, II, pl. XLVI.

3. A. Gayet, *Le temple de Louxor*, pl. LXII, fig. 206-207 ⟨glyphes⟩

⟨glyphes⟩

Puis Amon se dirige vers la chambre de la reine. Devant
lui le dieu Thot, rouleau de papyrus en main, lui récite, pour
éviter toute erreur, les noms officiels de la reine (Ahmasi à
Deir el Bahari, Moutemouàa à Louxor), l'épouse du roi régnant
(Thoutmès I à Deir el Bahari, Thoutmès IV à Louxor), la plus
belle des femmes[1]. Ceci dit, Thot cède le pas à Amon et lève
le bras derrière lui pour lui renouveler son fluide de vie; on
voit alors, d'après le texte, qu'Amon a dépouillé sa personnalité et qu'il a pris celle du roi, l'époux humain de la reine
auquel le dieu se substitue momentanément[2].

L'union du dieu et de la reine, ou théogamie, suit immédiatement ces préliminaires. Sur un lit d'apparat à têtes et à
pieds de lion, le dieu et la reine sont assis l'un en face de
l'autre, jambes entrecroisées. La reine reçoit de son époux
divin les signes de la vie et de la force ($\frac{Q}{1}$ $\binom{1}{1}$); deux
déesses, protectrices des unions conjugales, Neit et Selkit
soutiennent leurs pieds et gardent leurs personnes de tout
sort fâcheux. Le texte lyrique qui encadre la scène ne laisse
aucun doute sur le caractère réel de cette union. « Voici ce
que dit[3] Amon-Râ, roi des dieux, maître de Karnak, celui qui
préside à Thèbes, quand il eut prit la forme de ce mâle, le
roi de la Haute et Basse Égypte Thoutmès I (ou Thoutmès IV)

1. La théogamie égyptienne semble être la source certaine de la lé-
gende grecque relative à Zeus, Alcmène, Amphytrion. Sur le rôle de
Thot, comparé au rôle analogue d'Hermès, cf. Gayet, *loc. cit.*, p. 99 et
Naville, *loc. cit.*, p. 14.

2. A Louxor, les deux scènes de Thot-Amon sont condensées en une
seule (pl. LXIII, f. 205). Dans les deux temples, les légendes mutilées
placées dans la bouche de Thot permettent de voir que ce dieu lance son
fluide magique sur Thoutmès I et Thoutmès IV ainsi que sur les doubles
de ces Pharaons; par conséquent, pour s'approcher de la reine, Amon
prend la forme de son époux terrestre, le Pharaon régnant. (*Deir el Bahari*,
pl. XLVII, *Louxor*, pl. LXIII, fig. 203.) Le texte qui commente l'union du
dieu et de la reine affirme d'ailleurs cette métamorphose.

3. *Voici ce que dit* ...; cette formule initiale habituelle des textes qui
commentent les tableaux n'implique pas toujours — et c'est le cas ici —
un discours réel du héros du récit.

vivificateur. Il trouva la reine alors qu'elle était couchée
dans la splendeur de son palais. Elle s'éveilla au parfum du
dieu et s'émerveilla lorsque S. M. marcha vers elle aussitôt,
la posséda, posa son cœur sur elle, et se fit voir à elle en sa
forme de dieu. Et tout de suite après sa venue, elle s'exalta à
la vue de ses beautés, l'amour du dieu courut dans ses membres, et l'odeur du dieu ainsi que son haleine étaient pleins
(des parfums) de Pounit[1] » (fig. 3).

« Et voici ce que dit la royale épouse, royale mère Ahmasi
(ou Moutemouàa) en présence de la majesté de ce dieu au-

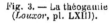

Fig. 3. — La théogamie
(*Louxor*, pl. LXIII).

Fig. 4. — Knoumou modèle l'enfant royal et
son double (*Louxor*, pl. LXIII).

guste, Amon, maître de Karnak, maître de Thèbes : « Deux
« fois grandes sont tes âmes ! C'est *noble* chose de voir ta *face*
« quand *tu te joins* à ma majesté en toute grâce ! Ta rosée im-
« prègne tous mes membres ! » Puis quand la majesté de ce
dieu eut accompli tout son désir avec elle, Amon, le maître
des deux terres, lui dit : « *Celle qui se joint à Amon la pre-*

1. Texte à gauche du tableau, derrière Amon. Le texte de Louxor ne
diffère que par des variantes insignifiantes de celui de Deir el Bahari.

« *mière des nobles*, certes, tel sera le nom de cette fille qui
« ouvrira ton sein, puisque telle est la suite des paroles sorties
« de ta bouche. Elle exercera une royauté bienfaisante dans
« cette terre entière, car mon âme est à elle, mon cœur est à
« elle, ma volonté est à elle, ma couronne est à elle, certes,
« pour qu'elle régente les deux terres, pour qu'elle guide tous
« les doubles vivants.... [1] »

On a remarqué les paroles de la reine : « C'est *noble* chose de
voir ta face (litt. tes *devants*) quand *tu te joins* à ma majesté ».
Elles sont reprises littéralement par Amon, pour en former
le nom de naissance de la future reine « *celle qui se joint à
Amon, la première* (litt. celle qui est *au devant*) *des nobles* »

« Khnoumit Amon Hâtshopsitou ». Ainsi
que M. Maspero l'a expliqué, les Égyptiens recueillaient les
paroles qui échappaient à la mère au moment de la conception
et en faisaient un nom pour l'enfant. Dans le texte de Louxor
la phrase de la reine est modifiée de façon à s'adapter au nom
du roi à naître *Amenhotpou hiq Ouàs* « Amon
s'unit au prince de Thèbes », et l'on a la formule suivante
dans les actions de grâce adressées au dieu : « C'est belle
chose *ton union* avec moi ; ta rosée divine est dans tous mes
membres *en prince de Thèbes* ». Le choix d'un nom de bon
présage prolongeait ainsi l'influence de l'intervention divine
jusqu'au moment de la naissance de l'enfant royal.

IV. Après les tableaux relatifs à l'union du dieu et de la
reine viennent ceux où se prépare, puis se réalise, l'accouchement. Tout d'abord Amon fait venir le dieu Khnoumou,

1. Texte à droite, derrière la reine, *Deir el Bahari*, II, pl. XLVII ; *Louxor*
pl. LXIII, fig. 204. Le texte de Louxor a été publié correctement par Bouriant dans le *Recueil de Travaux*, t. IX, p. 84 ; il a été traduit par Loret,
L'Égypte au temps des Pharaons, p. 62, et par Maspero, *Annuaire de
l'École prat. des H. Ét.*, 1897, p. 28-29. Partout où cela a été possible, j'ai
suivi le texte de Deir el Bahari.

celui qui, au début des temps, avait modelé les dieux et les
hommes sur son tour à potier[1]; il lui annonce qu'il a engendré
une fille (à Louxor, un fils) qui doit réunir les deux terres et
siéger sur le trône de l'Horus des vivants; Khnoumou répond
qu'il façonnera l'enfant et lui donnera des formes plus belles
que celles de tous les dieux, pour remplir sa fonction de roi
des deux Égyptes[2]. Ces promesses, Khnoumou les renouvelle
au tableau suivant où on le voit assis devant le tour à potier,
modelant le roi ou la reine et leurs doubles; il y ajoute les
vœux ordinaires de vie, santé, force, magnanimité que l'on
adresse invariablement au Pharaon; il rappelle enfin « que
l'enfant doit régner sur les deux Égyptes ainsi que l'a décrété
son père Amon ». Devant Khnoumou est agenouillée Hiqit,
la déesse à tête de grenouille, « la grande magicienne »; elle
tend aux statuettes le signe de la vie ☥ pour qu'ils la respirent;

à Louxor, la déesse Hathor
joue le même rôle (fig. 4)[3].

Le germe une fois modelé,
Thot, messager des dieux, se
présente à la reine-mère et
l'invite à le suivre en procla-
mant tous les noms officiels
d'Ahmasi ou de Moutemouàa;
comme avant la théogamie cette
sorte de constatation d'identité
était nécessaire pour qu'il n'y
eût pas erreur de personne[4].

Fig. 5. — Les dieux conduisent la
reine au lieu de l'accouchement
(*Louxor*, pl. LXIV).

Puis Khnoumou s'empare
d'une main de la reine « pour lui lancer le fluide ». Hiqit « la

---

1. Brugsch, *Religion*, p. 504, et *Thesaurus*, p. 651, A.
2. *Deir el Bahari*, II, pl. XLVIII; *Louxor*, pl. LXIII, fig. 203.
3. *Deir el Bahari*, II, pl. XLVIII; *Louxor*, pl. LXIII, fig. 202. Sur le rôle
de la déesse Hiqit, cf. Maspero, *J. des Savants*, 1899, p. 403.
4. *Deir el Bahari*, II, pl. XLVIII; *Louxor*, pl. LXIV, fig. 197.

grande magicienne, celle qui fait enfanter » (𓀭 𓁐 𓆑 𓏏)
saisit l'autre main ; la reine, dont la grossesse avancée
est visible (fig. 5), se dirige entre les deux dieux vers la
chambre d'accouchement[1]. Auparavant, elle défile devant
la neuvaine des dieux qui sont prêts à « entourer celle
qui va enfanter de suite après », et Amon adresse à ses
parèdres un discours (presque entièrement effacé), où sans
doute il leur rappelait quels devoirs de protection magique
leur incombaient pendant le travail de l'enfantement[2].

La scène suivante nous fait assister à l'accouchement.
A Deir el Bahari, la reine a déjà reçu sa fille entre ses bras
et la présente à plusieurs divinités qui ont joué le rôle de
sages-femmes. A Louxor, le double de l'enfant royal est né
le premier ; il est déjà aux mains des déesses nourrices ; les
sages-femmes se préparent à recevoir l'enfant lui-même. Tous
ces personnages sont sur une estrade en forme de lit ; derrière la reine sont les déesses protectrices des accouchements
conduites par Isis et Nephthys ; aux deux côtés du siège
royal, deux génies font monter par dessus leur tête la flamme
de vie[3] vers l'enfant et son double ; tout autour les esprits

---

1. *Deir el Bahari*, II, pl. XLIX ; *Louxor*, pl. LXIV, fig. 198, Hathor y
remplace Hiqit.

2. *Deir el Bahari*, II, pl. XLIX.

3. A Louxor, le tableau de l'accouchement est accompagné d'une inscription très mutilée qui devait exister aussi à Deir el Bahari, car l'emplacement correspondant est vide et martelé. Le texte de Louxor, comme
l'a remarqué Naville, a conservé quelques mots d'un chapitre 137 du

Todtenbuch (éd. Naville, I, pl. 151) 𓎼𓈗𓏏𓂝𓇋𓊪𓅯𓊹
« chapitre de faire monter la flamme ». Il existe deux rédactions de ce
chapitre, et dans l'une la déesse Api (l'hippopotame femelle) y est
préposée comme « gardienne du *sa* ». Il est à noter plusieurs faits qui
mettent en relation l'élément du feu avec la naissance du roi. 1° Les deux
génies qui assistent la reine, immédiatement au dessous d'elle, ont les
bras levés en forme de 𓂠, soutiennent en l'air le signe de la vie 𓋹,

de l'Est, de l'Ouest, du Sud et du Nord tendent le signe de
vie ou poussent des acclamations ; dans un coin, le dieu
grotesque Bes et l'hippopotame femelle Api tiennent à l'écart
par leur seule présence toute influence mauvaise et tout mé-

Fig. 6. — L'accouchement (*Louxor*, pl. LXV).

chant esprit. Spectatrice de la scène, une des déesses de l'enfantement, Maskhonit lève le bras pour lancer le fluide et pro-

tandis qu'une flamme ⌢ s'élève sur leurs têtes. 2° Le dieu Bes et l'hippopotame Api au « temple de la naissance » d'Erment (Lepsius, *Denkm.*,
IV, 65 *b*), ont sur la tête et aux mains le feu ⌢, qui remplace le signe
du ⌽ *sa* leur attribut ordinaire. Il y a allitération curieuse entre le
nom du dieu *Bes*, un des noms de la flamme ⌡∩⌢ *bes*, et le nom du
« lait de vie » de la déesse Isis ⌡ ⊟ *besa* : le charme du dieu, de la
flamme, du lait magique (qu'on donne aux dieux, aux rois, aux morts
divinisés) semble prendre son origine à une source commune, la flamme
solaire. Voir ce qui a été dit plus haut p. 48, n. 1. 3° Un des tableaux
suivants de *Louxor* (pl. LXVI, fig. 192, correspondant à la pl. LIII de *Deir
el Bahari*), appelle la chambre où a lieu l'allaitement de l'enfant royal

nonce la formule par laquelle l'enfant sera « douée comme reine du Sud et du Nord » (fig. 6)[1].

V. Aux tableaux suivants, on présente l'enfant aux dieux.

Fig. 7. — Amon embrasse le nouveau-né; Mout offre le signe des millions d'années (*Louxor*, pl. LXV).

Tout d'abord Amon, le vrai père du nouveau-né, vient voir celui-ci qui lui est amené par la déesse Hathor : « après la naissance, le cœur du dieu se réjouit très grandement de voir sa fille chérie... ». Puis, s'asseyant en face d'Hathor, Amon prend l'enfant dans ses bras, « il serre, embrasse, berce celle qu'il aime plus que toutes choses » et lui adresse le salut de bienvenue : « Viens, viens en paix, fille de mon flanc, que

et de ses doubles « la chambre du feu » et cette chambre semble être le lieu même où s'est fait l'accouchement; notons qu'au « temple de la naissance » de Dendérah, la présentation de l'enfant royal à Horus se fait dans la « double chambre du feu » (*L. D.*, IV, 70, *a*). Bien que tous ces faits ne se présentent pas à nous avec une clarté parfaite, il n'en reste pas moins évident que la « naissance » d'un roi était un événement mis en rapport avec le feu sacré, que les dieux possesseurs du *sa* de vie (Bes, Api, les génies) apportent à ce moment.

L'assimilation de ce feu sacré au feu solaire, germe de toute vie et particulièrement de la vie d'un roi, n'est pour moi pas douteuse. Le mot qui caractérise la « flamme » dans la « chambre du feu », désigne aussi l'uræus sacrée, fille de Râ, serpent de flamme qui entoure la tête du roi, des dieux, des morts divinisés.

L'apport du feu s'explique enfin par la nécessité de purifier le lieu où naît l'enfant royal; le feu met en déroute les esprits du mal. (Voir *Rituel du culte divin*, p. 9 sqq.)

1. *Deir el Bahari*, II, pl. LI; *Louxor*, pl. LXV, fig. 199; ici il n'y a pas de déesse Maskhonit.

j'aime, image royale qui réalisera ses levers sur le trône de
l'Horus des vivants, à jamais! » Cependant la déesse Selkit
assiste à l'entrevue et souhaite, elle aussi, santé, vie, force
pour des millions d'années (fig. 7)[1].

On ramène l'enfant royal à la chambre d'accouchement,
où des Hathors les unes à forme humaine allaitent le nour-
risson, les autres à forme de vaches lui tendent le pis (fig. 8).
Les 14 « doubles » que le Pharaon possède, comme son
père le Soleil[2], sont aux mains d'autres déesses, les « nourrices » et les « remueuses », qui leur prodiguent les « fluides
de vie, force, stabilité[3] ». Enfin le dieu du Nil Hâpi et le dieu
de la magie Hikaou portent l'enfant royal et son double en
présence de l'Ennéade thébaine, et les mènent « dans la salle
des purifications de la naissance où les guident Horus et
Sit[4] ». Au tableau suivant, Thot et Amon, au lieu et place
d'Horus et Sit purifient l'enfant, lui imposent les mains et lui
prodiguent les souhaits de « vie, force, stabilité, santé, abondance de tous biens, possession du trône d'Horus » (fig. 9)[5].
Puis la déesse Safekhit inscrit en ses livres le nom de

1. *Deir el Bahari*, II, pl. LII ; *Louxor*, pl. LXV, fig. 200-201 ; Mout remplace Selkit.
2. Il est bien caractéristique du caractère religieux de la royauté que
le Pharaon ait officiellement quatorze « doubles » comme son père Râ. De
même, au *décret de Phtah-Totunen* (l. 13) on apporte au roi les « 14 doubles de Râ ». Le soleil possède en effet sept âmes (*biou*) et quatorze
doubles (*kaou*), ainsi que l'atteste un texte du temple de Philæ (Mariette,
Dendérah, texte, p. 219, n. 3. Ces quatorze doubles figurent souvent sur
les murs des temples ptolémaïques ; ils portent tous un nom d'une faculté
ou d'un sens (ouïe, vue, entendement, puissance, etc.) et sont « comme
les émanations de la divinité, par lesquelles la divinité vit et qu'elle
transmet à l'homme. » (Mariette.)
3. *Deir el Bahari*, II, pl. LIII ; *Louxor*, pl. LXVI, fig. 192-193.
4. *Deir el Bahari*, II, pl. LIII. La formule, assez obscure, existe plus
claire à la pl. LXIII du tome III ; *Louxor*, pl. LXVIII, fig.194 ; le cycle
des dieux manque ici.
5. *Deir el Bahari*, II, pl. LIV ; *Louxor*, pl. LXVII, fig. 194 ; ici Thot est
remplacé par Horus.

naissance (Hâtshopsitou ou Aménophis) des nouveau-nés,

Fig. 8. — Allaitement de l'enfant royal et de ses doubles par les déesses
(*Louxor*, pl. LXVI).

cependant qu'Anubis roule le disque lunaire[1] (?) pour donner

Fig. 9. — L'enfant royal et son double purifiés et reconnus par les dieux
(*Louxor*, pl. LXVII).

aux enfants royaux un nombre indéfini de mois d'existence.

1. *Deir el Bahari*, II, pl. LV; *Louxor*, pl. LXVII, fig. 195-196; ici Anubis
ne roule pas le disque.

Reconnus par les dieux, Hâtshopsitou et Aménophis n'ont plus qu'à grandir pour atteindre la réalisation des promesses divines, solennellement faites et dûment enregistrées.

VI. L'intervention solennelle du dieu était-elle jugée nécessaire pour toutes les naissances royales? ou bien les tableaux qui retraçaient la divine extraction du Pharaon n'étaient-ils admis dans la décoration des temples que dans des cas particuliers? Telle est la question que l'on peut se poser après l'examen des scènes de la naissance de Deir el Bahari et de Louxor. M. Maspero[1], a émis à ce sujet la théorie suivante : lorsque la lignée royale de pure race solaire menace de manquer soit par extinction de descendants mâles légitimes, soit après usurpation de prétendants de race vile et mortelle, « les prêtres imaginaient de faire intervenir le dieu en personne, et ils enseignaient que l'enfant, garçon ou fille, auquel le sceptre revenait par la suite, avait Râ ou Amon non plus pour aïeul lointain, mais pour générateur direct. Amon ou Râ daignaient descendre sur terre, et prenant la forme du mari, s'unissaient charnellement à la femme. Ce qui naissait de ces relations surnaturelles, c'était la race pure d'Amon ou de Râ ». M. Maspero passe en revue « les exemples de ces incarnations divines »; il en trouve « deux pour les temps de la XVIIIᵉ dynastie, un pour l'époque macédonienne »; les deux premiers sont les naissances d'Hâtshopsitou et d'Aménophis III que je viens de décrire; le troisième est celui de Ptolémée Césarion, dont il sera question plus loin. Or Thoutmès I, père d'Hâtshopsitou « n'avait qu'une moitié de sang divin, car sa mère Sonisonbou était une concubine d'origine obscure »; Thoutmès IV, père d'Améno-

1. Maspero, *Histoire*, I, p. 258-289; II, p. 77-78, 292-296; Cf. *Comment Alexandre devint dieu en Égypte* (*Annuaire de l'École des Hautes-Études*, 1897, p. 18 sqq.); *Journal des Savants*, 1899, p. 401. Les passages cités entre guillemets sont empruntés au mémoire *Comment Alexandre devint dieu*.

phis III, était aussi de « naissance insuffisante »; Ptolémée
Césarion, fils de César, était « un rejeton étranger ». Dans
les trois cas cités par M. Maspero, l'intervention du dieu s'ex-
pliquerait par le souci de pallier une infériorité de race.

Il semble cependant que l'intervention solennelle du dieu
auprès de la reine était traditionnelle avant la naissance de
tous les Pharaons, même de ceux réputés le plus authentique-
ment légitimes. A vrai dire les temples de l'époque pharaonique nous ont laissé peu d'exemples de ces théogamies ; mais
on sait combien ont souffert les temples de la période anté-pto-
lémaïque. Les Ptolémées et les Césars ont refait la plupart
des édifices religieux de l'Égypte, parce que ceux-ci tombaient
en ruine sous le poids des siècles et dans ces édifices recon-
stitués, les scènes de la théogamie ont, comme nous le verrons plus loin, pris un caractère différent. Si nous n'avons pas
d'exemplaires plus nombreux des scènes de la naissance, il
ne s'ensuit pas que nous n'en aurions pas trouvé davantage
dans les temples antérieurs aux Ptolémées.

C'est ainsi que les tableaux de la théogamie existaient
au Ramesséum pour le compte de Ramsès II. M. Daressy a
retrouvé dans les annexes des temples de Médinet Habou,
bâties avec des pierres prises dans le Ramesséum et estam-
pées aux noms de Ramsès II et de sa mère Touîa, « une partie d'un tableau semblable à ceux de Louxor et de Deir el Bahari, où la mère du roi (Ramsès II) et Amon sont assis en
présence l'un de l'autre dans le ciel [1] ». Nul doute que nous
n'ayons là un débris d'une « nativité du Pharaon » copiée sur
celles des temples de la XVIIIe dynastie.

Des textes confirment l'idée que la théogamie était traditionnelle pour tous les Pharaons. Une inscription mutilée
qui relate le couronnement d'Horemheb [2], premier roi de la

1. Daressy, *Notice explicative des ruines de Médinet Habou* (1897), p. 12.
2. Maspero, *Histoire*, II, p. 368-369. La mère de Ramsès II possède tous
les titres distinctifs d'une reine du sang solaire (Mariette, *ap. Recueil
de trav.*, IX, p. 14, § VIII).

XIX⁰ dynastie, dit qu' « Amon, le roi des dieux, l'a allaité, qu'Horus fils d'Isis a protégé ses chairs de ses charmes magiques quand il est sorti du sein » ([hiéroglyphes]) ; ce sont les expressions mêmes dont on use, à Deir el-Bahari et à Louxor, lors de la présentation du nouveau-né à Amon, et de sa purification par Horus. Pour Ramsès II aussi, outre le tableau même de la théogamie du Ramesséum on peut citer telle inscription du temple de Beit el Oualli (Basse-Nubie, près de Kalabché), où le roi se vante d'être « le fils de Khnoumou, qui l'a modelé lui-même de ses deux bras, lui faisant un corps semblable à celui de Râ et des royautés comme celles d'Horus [1] » ; c'est l'évocation du tableau préparatoire à la naissance. Un des textes les plus significatifs est le décret du dieu Phtah-Totunen en faveur de Ramsès II où, en raison de l'influence croissante à cette époque du dieu Phtah, l'intervention divine lui est attribuée au lieu et place d'Amon. Tout nous rappelle les scènes figurées des temples de Deir el-Bahari et Louxor [2] ; à la seule différence que Phtah, dieu artisan, sorte d'Hephaistos égyptien, s'est passé du concours de Khnoumou le modeleur, et a façonné lui-même l'image de l'enfant royal : « C'est moi ton père, dit-il au roi, je t'ai engendré dans tous tes membres divins ; après m'être transformé en Bélier maître de Mendès, j'ai possédé ton auguste mère. Car j'avais reconnu que c'était toi qui devais être conçu en mon esprit pour la gloire de ma personne, je t'ai enfanté pour briller comme Râ, exalté par devant les dieux, ô roi Ramsès. Khnoumou et Phtah t'ont nourri à ta nais-

---

1. Birch, *Inscription of Horemhebi on a statue of Turin* (*Trans. S. B. A.*, III, p. 486). Le texte a été publié à nouveau par Brugsch, *Thesaurus*, p. 1074. La phrase citée est à la ligne 2. Cf. *Deir el Bahari*, II, pl. LII; *Louxor*, pl. LXV.

2. *L. D.*, III; 177. Cf. *Deir el Bahari*, II, pl. XLVIII; *Louxor*, pl. XLIV.

sance, levant les bras en t'acclamant quand ils t'ont vu modelé à ma ressemblance, auguste, haut et grand. Les (prêtresses) grandes et vénérables du temple de Phtah, les Hathors du temple de Toum sont en fête, et leurs cœurs en joie,
leurs deux bras élevés en signe d'acclamation, depuis qu'elles
ont vu ta personne belle et aimable comme ma Majesté... Je
te regarde et mon cœur s'exalte, je te prends dans mes bras
d'or, je t'embrasse en te donnant joie, durée, force; je m'unis
à toi en te donnant santé, magnanimité, je te pénètre de joie,
de contentement, de jouissance, de plaisir, de délices [1]... » Que
l'on se rappelle les tableaux de Deir el Bahari et de Louxor :
on verra que sous ces phrases, vagues en apparence, se des-
sinent les principales scènes et apparaissent les personnages
essentiels de la nativité du Pharaon [2]. Ajoutons que le même
texte [3], à peine modifié dans quelques-unes de ses phrases, a
été gravé par Ramsès III (XXᵉ dynastie) sur l'un des pylônes
du temple de Médinet Habou pour témoigner qu'il était de
même origine divine que son ancêtre Ramsès II.

VII. On peut objecter à ces citations que les pharaons qui
nous ont laissé des récits de leur nativité divine, doivent tous
être soupçonnés de n'avoir point dans leurs veines un sang
solaire très pur : tel serait le cas, d'après M. Maspero, de
Hâtshopsitou, Aménophis III, Horemheb, Ramsès II, Ramsès III, Césarion, qui possèdent, du côté maternel ou paternel,
un ascendant d'origine douteuse : pour tous, les tableaux de
théogamie s'expliqueraient par le désir de démontrer aux
yeux la légitimité de leur naissance. Cette question ne peut
être présentée sous cet aspect avec certitude dans l'état actuel

1. Ed. Naville, *Trans., S. B. A.*, VII, p. 122 et texte, lignes 3-8. Cf.
Deir el Bahari, II, pl. XLVI-LV.
2. Parfois même, il y a identité entre le texte des paroles qui commentent les bas-reliefs et le texte des paroles de Phtah.
3. La traduction du texte de Ramsès III est donnée par Ed. Naville ;
pour le texte, cf. E. de Rougé, *Inscriptions héroglyphiques*, pl. CXXXI-
CXXXVIII.

de la science. Nous sommes mal renseignés sur l'idée que
les Égyptiens se faisaient de la légitimité de leurs souverains ; en général le successeur du roi est le fils aîné parmi
les enfants nés de la grande épouse royale après l'avènement
au trône. Mais, distinguait-on entre eux, d'après l'origine de
la mère ou du père, des bâtards et des enfants légitimes ? Dans
le droit égyptien de l'époque ptolémaïque tous les enfants
semblent réputés également légitimes ; à l'époque pharaonique
rien ne prouve, jusqu'à présent, qu'il en fut autrement[1]. La
représentation des nativités royales ne s'explique donc pas
nécessairement par le souci de légitimer la naissance d'un
futur Pharaon, si la loi ne distingue pas le bâtard des autres
enfants.

A mon sens tout Pharaon doit nécessairement être représenté comme fils des dieux et membre de la famille divine,
quelles que soient les contingences de ses origines terrestres.
Dans la deuxième partie de cette étude nous verrons que cette
qualité de fils des dieux est indispensable au roi pour la célébration du culte divin, qui est un culte familial : le roi
prêtre doit adorer ses pères les dieux; aussi naît-il fils de
dieu. A défaut du tableau de la théogamie, une scène très
fréquente dans les représentations des temples évoque cette
idée : c'est l'allaitement du roi par les déesses. Le rite était
nécessaire non seulement dans les représentations de la nativité royale, mais dans les cérémonies préparatoires à la célébration du culte (scènes du *pa douaït* et de la fête *Sed*) que
nous commenterons plus loin en détail (ch. VII et VIII). Il

---

1. Voir à ce sujet, Max. L. Strack, *Die dynastie der Ptolemäer*, p. 100-
104. Les Ptolémées agissent vis-à-vis des bâtards suivant les principes
du droit grec qui dénie tout droit à ceux-ci et s'écartent ainsi du droit
pharaonique. Dans un compte-rendu du livre de Strack (*Sphinx*, III, p. 26)
j'avais combattu cette conclusion de l'auteur en m'appuyant sur les exemples de théogamie considérés comme des preuves nécessaires d'une naissance légitime. J'ai été amené depuis à changer d'opinion et à considérer
la théogamie comme une théorie générale de la naissance royale.

serait possible de retrouver dans tous les temples, pour tous
les pharaons qui ont laissé des monuments, le tableau de l'allaitement ; c'est ainsi qu'on peut voir tétant la mamelle divine, debout ou sur les genoux de la déesse, Thoutmès III et
Aménophis II à Karnak[1], Horemheb à Silsilis[2], Séti 1er à
Abydos[3], Ramsès II à Silsilis, à Karnak, à Beit el Oualli[4],
Ramsès III à Médinet Habou[5], Seshonq 1er et Philippe Arrhidée à Karnak[6], Ptolémée II Philadelphe à Philæ[7], etc., etc.
Une formule, presque invariable ou de sens toujours constant, accompagnait la scène et en définissait la portée[8] : « Je
suis ta mère Hathor (ou Isis, ou Anoukit, etc.), je te donne
les panégyries d'avènement avec mon bon lait, pour qu'elles
entrent en tes membres avec la vie et la force. » Ainsi c'est
en tant que roi que l'enfant a mérité le lait des déesses. Ailleurs on met dans la bouche de la déesse nourricière quelques-unes des paroles que le dieu Phtah a adressées au roi
Ramsès II au moment de la théogamie. « Voici ce que dit
Isis à son fils Ramsès II : « Je t'ai pris dans mes deux bras
pour t'embrasser comme un enfant (qui gouvernera) les deux
terres ; tu es sorti de mon sein comme un Roi bienfaisant qui
se lève couronné; celui qui t'a modelé, c'est Khnoumou, de
ses propres mains, avec Phtah lequel a fondu tes membres.
La vénérable Hathor de Dendérah, c'est ta nourrice ; Hathor
de Diospolis parva te donne le sein; la maîtresse de Qes Hathor d'Aphroditopolis est celle qui allaite tes beautés — toutes
ensemble protègent ta Majesté en tant que Chef de tous les

1. *L. D.*, III, 35 et 62.
2. *L. D.*, III, 120 *c*.
3. Mariette, *Abydos*, I, 25, usurpé par Ramsès II ; *L. D.*, III, 131 et 173.
4. *L. D.*, III, 122, 150 *b*, 177, fig. 5.
5. *L. D.*, III, 218 *c*.
6. *L. D.*, III, 233 *c* ; IV, 2 *c*.
7. *L. D.*, IV, 6 *a*.
8. Voir à ce sujet, Maspero, *Notes au jour le jour* ap. *P. S. B. A.*
XIV, p. 308.

pays [1] » (fig. 10). Concluons que l'allaitement rappelle en abrégé et suppose les rites de la théogamie.

Fig. 10. — Ramsès II allaité par les déesses (*Abydos*, I, pl. 25).

Une autre formule d'un usage aussi général rappelle encore que tout Pharaon est matériellement procréé par les dieux. Dans des inscriptions de toutes les époques on dit que Pharaon gouverne et règne « dès l'œuf », c'est-à-dire dès avant sa naissance. N'est-ce point une allusion aux promesses très précises de royauté sur le Sud et le Nord que le dieu formule au moment de s'approcher de la reine, qu'il renouvelle pendant la théogamie, qu'il fait confirmer par les « divins modeleurs » de l'enfant et du double royal ? L'allusion serait incompréhensible sans la tradition de la théogamie ; avec raison M. Maspero a vu dans cette formule l'indice de la légi-

---

1. *Abydos*, I, pl. 25. C'est peut-être tout ce qui reste à Abydos des tableaux de la nativité qui ont pu exister sur l'emplacement des parties actuellement détruites de la « travée du roi ».

A. MORET.　　　　5

timité exclusive [1] ; mais elle est applicable à tout Pharaon [2].

VIII. Une autre preuve que la théogamie avant la naissance de tout roi est conforme à la tradition générale, c'est l'introduction de cette idée dans la littérature populaire. Un conte dont le manuscrit remonte environ à la XIIe dynastie [3], mais dont la fable n'est guère postérieure à l'époque des grandes pyramides de la IVe dynastie, mentionne déjà à cette époque une théogamie. Un magicien vient avertir le roi Chéops que le dieu Râ s'est uni à la femme d'un de ses prêtres pour que les enfants issus de cette union « exercent la fonction bienfaisante de roi de cette Terre Entière [4] ». Puis le récit nous décrit l'accouchement : le dieu Râ invite d'abord les divinités de son cycle à assister la gisante, de même qu'Amon à Deir el Bahari, l'ordonne à ses parèdres ; puis Khnoumou le modeleur, survient avec Isis, Nephthys, Hiqit et Maskhonit, toutes déesses préposées à l'accouchement. Arrivés devant la femme en travail, « Isis se mit devant elle, Nephthys derrière elle, Hiqit opéra les manœuvres de l'accou-

---

1. *L'inscription dédicatoire d'Abydos*, p. 71.

2. Voici quelques Pharaons qui reçoivent cette épithète : *Ousirtasen I* (XIIe dynastie), dans le manuscrit sur cuir qui relate la fondation du temple d'Héliopolis (Ä. Z., 1874, p. 87, l. 9) « dès l'œuf je commandais au domaine d'Anubis » ; au Pap. de Berlin n° 1, l. 68 « il gouverna comme roi dès l'œuf » (Maspero, *Mélanges d'archéologie*, III, p. 82, *Contes populaires*, p. 103). — Thoutmès III (Lepsius, *Denkm.*, III, 29 a). — *Ramsès II*, Abydos, I, pl. VI, l. 44. *Stèle de Kouban*, l. 16. — *Piankhi* (*Stèle*, l. 2 et 68-69). — *Ptolémée II Philadelphe* (*Stèle de Pithom*, Ä. Z., XXXII, p. 76, l. 1) ; ici la formule devient « celui que sa mère Hathor de Dendérah a allaité, qui est sorti du sein avec la couronne sur sa tête ; la parenté entre cette formule et celle de l'allaitement est visible. Une formule analogue est prononcée au sujet d'Hâtshopsitou, lors de son couronnement par les dieux. Cf. ch. III.

3. Papyrus Westcar, conservé à Berlin, publié et traduit par Erman, *Die Märchen des Papyrus Westcar* (cf. Maspero, *Contes populaires* : « Le roi Khoufoui et les magiciens »).

4. Maspero, *loc. cit.*, p. 74.

chement ». L'enfant naît : alors « les déesses le lavèrent, lui lièrent le nombril, le posèrent sur un lit de brique, puis Maskhonit s'approcha de lui et dit : « Il se lèvera comme roi en cette Terre Entière » et Khnoumou lui mit la santé dans les membres [1]. » — Ainsi tous les détails essentiels des accouchements figurés à Deir el Bahari et Louxor sont déjà rapportés dans un conte dont l'antiquité exacte ne peut être déterminée, mais qui remonte à une époque infiniment plus ancienne que les monuments thébains.

Il faut noter que le conte qui mentionne la première théogamie met en scène des rois de la fin de la IVe dynastie ; or le titre « fils du soleil » apparaît dans le protocole au début de la Ve dynastie. La théogamie semble donc une conception née à la même époque que la théorie de la filiation directe du roi vis-à-vis de Râ : peut-être le titre est-il simplement l'expression directe et officielle de la théogamie.

Il est d'ailleurs remarquable que la scène classique de la théogamie ait inspiré aussi un récit populaire sur l'origine surnaturelle d'Alexandre le Grand qui, devenu roi d'Égypte, était par là même fils des dieux égyptiens. Ce conte a été inséré dans le roman du pseudo-Callisthène, au IIIe siècle après notre ère [2] ; il met en scène Nectanébo, le dernier des Pharaons indigènes, qui, réfugié en Macédoine et devenu amoureux de la reine Olympias, aurait annoncé à cette reine qu'un dieu s'unirait à elle pour lui donner un fils. Le dieu n'était autre qu'Amon Libyen à tête de bélier ; par des subterfuges magiques, Nectanébo se donna cette forme, pénétra dans les appartements de la reine et s'unit à elle comme autrefois Amon à la reine Ahmasi ; une fois l'union consommée, le faux dieu s'écria : « Réjouis-toi, femme, car tu as conçu de

1. Maspero, *loc. cit.*, p. 76-77.
2. G. Maspero, *Comment Alexandre devint dieu en Égypte* (*Annuaire de l'École des Hautes-Études*, 1897).

moi un mâle qui vengera tes injures et qui sera un roi maître
de l'Univers. » Ainsi naquit Alexandre qu'Amon Libyen devait en effet saluer du titre de « fils » lors de la visite du
vainqueur de Darius au temple de l'Oasis. « Ce récit, comme
le remarque M. Maspero, n'était probablement à l'origine
« qu'un décalque en prose des scènes traditionnelles figurées à
Louxor, par exemple[1]... » Ainsi l'imagination populaire tra-
vaillant sur le même thème nous offre en Égypte, à trois
mille ans d'intervalle, du papyrus Westcar au Pseudo-Callisthène, le même récit traditionnel de l'union féconde de la
reine et d'un dieu.

IX. Le roman du Pseudo-Callisthène nous montre la persistance de la tradition de la « nativité royale » à l'époque
ptolémaïque et romaine ; cependant les monuments nous la
conservent dans un cadre un peu différent. Les temples où la
naissance divine
est représentée
n'ont plus, à cer-
tains égards, la
même décora-
tion qu'à l'épo-
que classique.
On y voit moins
d'allusions aux
événements con-
temporains des
rois construc-
teurs, moins de
représentations

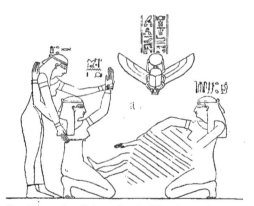

Fig. 11. — « La divine mère de Rà » donne le jour à
Horus Césarion (*Mamisi* d'Ermeut, *L. D.*, IV, 60).

étrangères au rituel : tout disparaît devant les tableaux
dogmatiques ; la personnalité du roi s'y efface devant
celle des dieux. Le souverain, à l'époque grecque et ro-

1. *Comment Alexandre devint dieu en Égypte*, p. 25.

maine, vit loin des temples ou même hors d'Égypte; on ne le désigne guère dans les cartouches que par le titre impersonnel de Pharaon ⌷ ; le plus souvent même les cartouches restent vides, anonymes. Par contre le roi se confond de plus en plus avec son correspondant divin Horus, et la nativité royale cède la place à la naissance d'Horus.

Mais, ce que ces représentations perdent en personnalité, elles le regagnent en importance ; au lieu d'une travée, d'une salle ou d'une paroi de cour consacrée à la nativité du Pharaon, on a dans les temples ptolémaïques et romains, un petit temple particulier, le *Mamisi* ⌷ « le lieu de la naissance ». « On le construisait toujours, écrit Champollion [1], à côté de tous les grands temples où une triade était adorée : c'était l'image de la demeure céleste où la déesse avait enfanté le troisième personnage de la triade », c'est-à-dire le dieu fils, Horus l'enfant.

La question qui se pose est de savoir si la naissance d'Horus symbolise ou non, la naissance du Pharaon. On peut répondre affirmativement, car la décoration caractéristique des chambres consacrées au roi dans les temples de l'époque classique, et les scènes les plus importantes sont restées les mêmes dans les *Mamisi*. Partout où on les rencontre, à Dendérah, Karnak, Erment, Esneh, Ombos, Edfou, Philæ, dès l'entrée au temple les figures du dieu Bes et de l'hippopotame femelle Api [2], protecteurs de l'accouchement, de Khnoumou et de Hiqit, les phylactères ⌷ et ⌷ s'imposaient aux yeux sur le fronton du temple ou sur les colonnes. Puis les bas-reliefs

---

1. Cité par Mariette, *Dendérah*, texte, p. 29.
2. Bes et Api paraissent à Karnak (*L. D.*, IV, 30), à Ombos (*L. D.*, IV, 34; *Ombos*, I, p. 45-48), à Dendérah (*L. D.*, IV, 83, 85), à Erment (*L. D.*, IV, 61, 65) ; Hiqit et Khnoumou, à Edfou et Dendérah (Brugsch, *Thesaurus*, p. 1362 et 1366.

se succédaient suivant la progression connue : union charnelle du dieu et de la déesse-mère [1], modelage par Khnoumou
de l'Horus et de son double [2], naissance d'Horus dans les roseaux de Bouto [3], scène de l'allaitement par Hathor, Isis ou
les vaches divines [4], protection magique exercée par les sept
Hathors [5], présentation d'Horus au dieu principal et aux divinités parèdres [6]. Parfois le caractère symbolique des scènes
est atténué par une indication précise de temps et de personne : à Erment, à côté de la naissance d'Horus dans les
roseaux, on a la scène de l'accouchement disposée comme à
Deir el-Bahari ou à Louxor, et c'est Ptolémée XVI Césarion
qui est enfanté (fig. 11) ; à Esneh, l'accouchement a lieu selon
les rites humains ; à Dendérah c'est l'empereur Trajan qu'on
présente au cycle des dieux. Sous les personnages symboliques religieux se cachent les hommes vivants, et jusqu'aux
derniers siècles de la domination gréco-romaine a subsisté
le concept égyptien de la naissance divine réelle du souverain.

1. D'après une remarque de M. Naville (*Deir el Bahari*, II, texte, p. 12-14)
la visite du dieu à la reine de Deir el-Bahari a son pendant dans des
scènes semblables à Dendérah, Edfou, Philae, Esneh. « A Philae, dit
encore M. Naville, quoique Horus soit appelé le fils d'Osiris, on voit cependant le tableau qui accompagne toujours le récit de l'apparition d'Amon
à la mère du roi » (*Recueil de travaux*, XVIII p. 92, n. 2. — Malheureusement aucune de ces scènes n'a été publiée, à ma connaissance.

2. A Dendérah (*L. D.*, IV, 70, *d*, *e*, *f*), époque d'Auguste.

3. A Karnak (*L. D.*, IV, 30), époque de Ptolémée IX ; à Ombos, même
époque (*L. D.*, IV, 34), à Esneh (époque romaine, *Description de l'Égypte*,
pl. I, 75-78 et Lenormant, *Musée Égyptien*, pl. VI, 18-15) ; à Philae, époque de Ptolémée IX (*L. D.*, IV, 36) ; à Erment, naisssance de Ptolémée XVI
Césarion (*L. D.*, IV, 60, *a*), et Horus né du lotus (*L. D.*, IV, 61 *g*) ; à Dendérah, naissance de Trajan (*L. D.*, IV, 82 *c*).

4. A Edfou, allaitement de Ptolémée IX (*L. D.*, IV, 33, *e*) ; de même
pour Ptolémée XIII (*L. D.*, IV, 48 *b*) ; à Esneh (*Description de l'Égypte*, I,
75-78) ; à Erment (*L. D.*, IV, 59) ; à Dendérah (*L. D.*, IV, 61 *g*).

5. A Edfou et à Dendérah (Brugsch, *Thesaurus*, p. 1362 et 1366) ; à
Erment (*L. D.*, IV, 59).

6. A Edfou (*L. D.*, IV, 48 *b*) ; à Denderah (*L. D.*, IV, 82) ; à Erment (*L.
D.*, IV, 60, *c*, *d*, *e*).

La théogamie et la représentation de la nativité royale
semblent donc aussi traditionnelles pour chaque Pharaon que
sa qualité d'Horus fils des dieux. Si tout roi est un Horus,
tout roi a été procréé par les dieux. Cela est si vrai que la
théorie de la « nativité divine » existe, non seulement pour
le roi, mais pour tous les êtres que le culte divinise. Les
hommes morts, nous le verrons plus loin, reçoivent les
mêmes rites que les rois et entrent dans la grande famille
divine. Aussi imagina-t-on pour eux, dès les plus anciennes
époques, toutes les péripéties de la nativité divine, telles
qu'on les trouve appliquées aux rois dans les temples. On
dit de tout mort osirien : « Seb l'a créé, le cycle des dieux l'a
enfanté... Sokhit ou Sothis l'ont conçu ; il est sorti d'entre
les cuisses du cycle des dieux » ; avant sa naissance « Horus
s'est joint à son père » de même qu'Amon se substitue à
Thoutmès Ier ; « les dieux de l'Orient et de l'Occident se sont
joints à la grande (mère) qui se trouve (assistée) dans les bras
de celle qui fait naître les dieux » ; n'est-ce point une allusion au tableau de l'accouchement par les soins des sages-
femmes divines et en présence des dieux? Puis le mort, semblable au soleil et au Pharaon, « se lève comme Nofirtoum
du lotus, « il va dans l'île de la flamme » comme l'enfant royal
passe par la chambre du feu ; les dieux « lui font la conduite »
et « le mènent à son trône de roi du Sud et du Nord », de
même qu'Amon couronne son fils enfant [1]. Enfin le mort prend
le sein de sa mère Isis et y suce le lait de vie et de force (be
sa) qui donnera à son double la vie des dieux [2] ; ainsi Isis et

---

1. Pyramide d'*Ounas*, l. 379-410; cette formule se retrouve dans des
Livres des Morts de la XVIIIe dynastie; les textes memphites et thébains
ont été étudiés spécialement par Erman (*Zeitschrift*, XXXII, p. 2-22, *Die
Enstehung eines Totenbuchtextes*).

2. Pyramide d'*Ounas*, l. 28-31, *Abydos*, I, pl. 33 b l. 26. Cf. Maspero, *La
table d'offrandes*, p. 14. Le lait de la mère divine s'offre aux dieux eux-
mêmes, que le rituel osirien assimile à des morts qui renaissent à la vie
divine (cf. *Rituel du culte divin*, ch. LIV).

Hathor ont allaité le roi : par leur naissance divine, le roi et le mort sont devenus des dieux.

Pour toutes ces raisons, historiques ou religieuses, il semble que la théorie de la nativité divine est, non point occasionnelle, mais aussi ancienne que les rites osiriens, et qu'elle s'appliqua à tous les rois depuis le moment où ils portèrent les titres de fils de Râ.

X. Tel était ce « drame religieux sur la nativité du Pharaon[1] » que les Égyptiens avaient imaginé pour se représenter au naturel la venue au jour de leur roi fils des dieux. Après avoir passé en revue les tableaux et les textes qui nous montrent vivantes pendant une période de plusieurs milliers d'années les traditions relatives à la naissance des Pharaons, « l'on est induit à se demander — comme le dit M. Maspero — si ces tableaux représentent un concept imaginaire ou bien s'ils reproduisent un ensemble de scènes réelles qui se répétaient à l'accouchement des reines[2] ». Je crois, comme M. Maspero, que les scènes gravées sur les murs des temples correspondaient à la pure réalité ; que pour son union avec la reine, le roi assumait, à l'origine, le costume et la personnalité d'Amon ; qu'au moment de l'accouchement, des prêtres et des prêtresses prenaient les costumes, les masques et les insignes des dieux Bes, Apit, Hathor, Khnoumou, Hiqit, etc.[3] ; et que les doubles du nouveau-né royal pouvaient être

1. Maspero, *Journal des Savants*, 1899, p. 406.
2. *Ibid.*, p. 406.
3. Les processions figurées sur les murs des temples d'Edfou et Dendérah nous montrent des prêtres porteurs de masques de ce genre (Mariette, *Dendérah*, IV, pl. 57, 14, 16, 17 et surtout 31). Dans les cérémonies du culte funéraire, les prêtres assumaient aussi le nom, la personnalité, le costume des dieux osiriens. Cela est dit en propre terme pour Horus dans le calendrier du temple d'Edfou (Brugsch, *Die Festkalender*, pl. VIII, l. 25, et p. 14). Diodore (I, 62) rapporte un écho de ces traditions quand il dit qu'à l'occasion « les rois d'Égypte se couvrent la tête de masques de lions, de taureaux et de dragons ».

figurés par des poupées, de même que dans les temples des statues les représentaient. A ce point de vue, l'origine du *Mamisi*
a été fort bien expliquée par M. Maspero : « Il semble qu'au
moins aux temps très reculés où le cérémonial des naissances
royales ou divines fut réglé, l'usage était de séparer la
femme sur le point de devenir mère et de l'enfermer dans une
case isolée où elle se cachait jusqu'à ses relevailles : chacune
des grandes villes de l'Égypte avait en souvenir de cette
coutume, tombée en désuétude parmi le peuple, un petit
temple construit à côté du temple principal et où la déesse-
mère du nome était censée faire ses couches [1]. »

Ainsi prenaient vie, pour un peuple crédule et pieux, les
titres symboliques du protocole pharaonique : à l'intérieur
des temples, avec la complicité dévote des prêtres, les abstractions du langage se transmuaient en vivantes réalités.
Celui qui s'appelait fils du Soleil était matériellement procréé, mis au jour, adopté par le dieu Râ.

1. *Journal des Savants*, 1899, p. 404.

CHAPITRE III

Le couronnement du Pharaon par les dieux.

I. Les promesses de la nativité réalisées par le couronnement. — II. Purifications du candidat royal par les dieux. — III. Présentation du candidat
royal à la cour par le roi régnant ou par les dieux. — IV. Rédaction et
proclamation des noms et titres royaux. — V. Couronnement par les
dieux du roi proclamé : 1° *Souten khâ, bâit khâ* ou remise des deux couronnes par Horus et Sit; 2° *Sam taouï* ou « réunion des deux régions »;
3° *rer ha ânbou* ou « procession derrière le mur »; 4° « royale montée
au temple, » consécration du roi couronné, par l'embrassement du dieu principal. — VI. Antiquité et persistance des rites du couronnement. —
VII. Donations faites par le roi aux dieux qui l'ont couronné.

I. Les formules du protocole royal, les titres officiels des
Pharaons, la plupart des légendes qui encadrent les tableaux
de la nativité royale, prédisent au fils des dieux son règne
futur sur l'Égypte : aussi est-ce l'intronisation du fils des
dieux par les dieux ses pères qui est représentée dans les tableaux des temples et décrite dans les textes, à la suite des
scènes de la nativité. Comme l'a dit fort bien M. Maspero, ce
que nous avons vu au chapitre II forme « un premier acte où
l'on joue les scènes relatives aux origines du roi, et où les
pouvoirs d'en haut l'introduisent divinement à la vie : le second acte le prend au moment où la destinée en vue de laquelle il a été créé s'accomplit à la face de l'univers, et il
nous montre l'introduction divine à la royauté. L'intervalle
et ce qui l'avait rempli, l'allaitement, l'éducation, la crois-
sance, l'initiation aux devoirs divers de l'homme et du souve=

rain, tout cela est passé sous silence à bon droit. C'étaient là des faits communs à tous les princes, ou même à tous les êtres humains, et pour lesquels il n'y avait aucun besoin d'une intervention spéciale des divinités : or les décorateurs ne choisissaient que les moments critiques de l'existence, ceux qui décident de la destinée de leur héros » [1]. Le couronnement par les dieux était ce moment où toutes les promesses du jour de la naissance se réalisaient pour le Pharaon, où, aussi, commençaient pour lui les obligations, les devoirs qui étaient la contre-partie des faveurs reçues des dieux.

Les sources les plus importantes seront donc celles qui ont déjà été utilisées plus haut[2], c'est-à-dire les tableaux et inscriptions relatifs à Hâtshopsitou (Deir el Bahari), à Horemheb (statue de Turin), à Ramsès II (inscription d'Abydos et décret de Phtah Totunen,ce dernier commun aussi à Ramsès III) ; comme précédemment, le texte de Deir el Bahari, qui est le plus ancien, est aussi le plus développé ; il a en outre l'avantage inestimable d'être commenté par des tableaux très détaillés. Ajoutons que certaines cérémonies du culte royal (fêtes *Sed*), qui seront plus loin l'objet d'une étude spéciale (ch. VIII), étaient la répétition presque littérale du couronnement; les textes et les tableaux qui y font allusion pourront donc nous servir à combler les lacunes des documents relatifs à l'intronisation réelle du roi.

II. Le rituel d'intronisation, à l'époque thébaine, comprenait cinq séries de cérémonies : 1° purification et présentation aux dieux du candidat royal ; 2° présentation par le roi régnant

1. Maspero, *Journal des Savants*, 1899, p. 413. J'ai pris la liberté de mettre ce qui concerne le Pharaon au masculin ; dans le texte de M. Maspero il est question de la reine Hâtshopsitou.

2. Sauf les tableaux de Louxor, qui pour la partie réservée au couronnement royal, ne nous sont parvenus que sous une forme incomplète. (Cf. Daressy, *Notice explicative des ruines du temple de Louxor*, 1893, p. 71, salle P, mur du Sud.)

ou par le dieu principal aux gens de la cour ; 3° proclamation
des noms officiels du nouveau roi ; 4° remise des couronnes
de la main des dieux ; 5° donations et offrandes solennelles du
roi aux dieux.

La purification du candidat royal avait le caractère commun aux ablutions obligatoires qui précèdent tout acte du
culte ; les dieux Horus et Amon versaient sur la tête du candidat royal l'eau « vivificatrice » en disant par quatre fois : « Pur
est le roi N... », et la légende gravée au-dessus de la scène
spécifie que le prince « est purifié avec son double pour la
grande dignité de roi vivant du Sud et du Nord ». Puis Amon,
tenant en ses bras son enfant, le présentait au Cycle des dieux
du Nord et du Sud : « Voyez mon fils (ou ma fille)..., repo-
sez-vous sur lui... (c'est-à-dire unissez-vous à lui). » A quoi le
Cycle répond unanimement : « Puisque voici ton fils (ou ta
fille), nous nous reposons sur ton enfant en (lui donnant) vie
et tranquillité. Certes c'est ton fils, ton émanation, celui que
tu as engendré et que tu as muni de ce que tu lui as donné,
à savoir ton âme, ton cœur, ta volonté, les enchantements
de (ton) diadème [1]. Il était encore au sein de celle qui l'a
enfanté, que lui appartenaient déjà les plaines et les montagnes, tout ce que recouvre le ciel et ce qu'entoure la mer.
Tu as fait pour lui tout cela, puisque c'est toi qui as pensé
les périodes (de son règne) ; tu lui as donné les « portions
d'Horus » avec la vie ($\frac{Q}{T}$), les années de Sit avec la force
($\big\uparrow$), et nous les lui avons données... Nous voici, pour lui
donner toute vie et toute force d'auprès de nous, toute santé
d'auprès de nous, toute abondance d'auprès de nous, toutes
offrandes d'auprès de nous, toutes provisions d'auprès de
nous, pour qu'il soit à la tête de tous les doubles vivants,

1. Des expressions analogues ont été utilisées lors de la naissance du
roi (p. 62). Cf. aussi ce texte de *Pépi II* (l. 855) : « O Râ, ce Pépi est ton
fils, il a une âme, une volonté, une puissance (émanées de toi) ». Le mort
divinisé a les qualités d'un dieu et d'un roi.

lui et son double, en tant que roi du Sud et du Nord sur le
trône d'Horus éternellement comme le Soleil[1] ».

Ces paroles, que les textes prêtent aux dieux, définissent
clairement la situation d'un candidat royal avant l'intronisation. Si c'est un fils qui succède sans contestation à son
père, les dieux sont censés l'avoir, dès sa naissance, prédestiné au trône[2]. Le candidat royal est-il tenu en échec pour
des raisons humaines, une compétition dynastique, une rivalité de famille? Dès qu'il a triomphé, on explique son succès
par l'intervention d'un dieu. Thoutmès IV doit le trône à la
protection du Sphinx Harmakhis[3]; Horemheb devient Pharaon par la faveur spéciale d'Horus de Cynopolis[4]. Que la
royauté ait été un domaine héréditaire ou une acquisition
fortuite, le Pharaon qui en dispose la doit toujours à l'intervention divine.

III. Choisi par les dieux, le candidat royal devait être
reconnu, proclamé devant les hommes. La cérémonie avait
lieu dans la partie du temple réservée au roi : à Deir el Bahari
on l'appelle « l'édifice du roi (dépendant) des salles du
culte[5] ».

Presque toujours le roi régnant présidait, car les associations du prince royal à son père étaient la règle en

1. *Deir el Bahari*, III, pl. LVI. A Louxor, où les deux scènes existent
aussi, la purification, avec texte identique, est faite par Toum et Montou
(pl. LXXV, fig. 186) et la présentation du roi Aménophis III enfant aux
dieux du Sud et du Nord (pl. LXXIII, fig. 190 est commentée par Thot dans
un discours adressé au cycle divin (*Ibid.*, fig. 189).

2. A l'époque grecque, quand un héritier du trône est mineur, on le
couronne malgré sa jeunesse (Polybe, *Fr. Hist. gr.*, II, p. xxvii), quitte
à le consacrer solennellement par l'intronisation réelle (ἀνακλητήρια) dès
que l'âge le permet (Polybe, XVIII, 38, 3).

3. Stèle du sphinx (*L. D.*, III, 63); cf. Maspero, *Histoire*, II, p. 294.

4. Inscription de Turin. Cf. Maspero, *Histoire*, II, p. 343.

5. *Deir el Bahari*, III, pl. LX, l. 3 et 10.

Égypte[1]. En fait la direction du couronnement n'échappait pas aux dieux, puisque le roi régnant n'était lui-même qu'un substitut de Râ, d'une façon générale en temps que Pharaon, d'une façon particulière depuis la théogamie où le dieu avait pris la forme du roi-père.

A Deir el Bahari Thoutmès Ier s'est assis dans la salle royale, sur un trône élevé[2] et tient ce discours à sa fille Hât-shopsitou : « Voici venir vers toi la consécration (*khou*) que je donne de mes deux bras ! Tu vois la cérémonie dans le palais qui rend augustes tes doubles. Lorsque tu prends la dignité de ton *pschent*, consacrée par tes charmes magiques, forte de ta valeur, tu domines dans les deux terres, tu écrases les rebelles, tu te *lèves* dans la salle, la tête ornée du *pschent* posé sur la tête de l'héritière d'Horus, toi celle que j'ai enfantée, la fille de la couronne blanche du Sud, l'aimée (de la couronne du Nord) Ouazit, et les couronnes te sont données par ceux qui président aux demeures divines. » Le discours s'arrête ici, mais le texte poursuit la description de la scène : « Sa Majesté fit venir à lui les « nobles royaux », les « dignitaires », les « amis », les « esclaves de la cour », les « chefs des

---

1. A la XIIe dynastie tous les rois se sont associé leur fils (sauf 2 sur 8 pour lesquels la preuve n'est pas faite); à la XVIIIe dynastie la reine Nofritari fut associée à son mari Ahmès, puis s'associa son fils Aménophis I; Touthmès I qui fut associé à son père, s'associa Amenmosou, puis sa fille Hâtshòpsitou; Aménophis IV s'associa son gendre Saakeri. A la XIXe dynastie, Ramsès I s'associa Séti I, et celui-ci s'associa Ramsès II, qui à son tour appela près de lui Khâmoïsit, puis Minephtah. A la XXe dynastie, Ramsès IV régna avec Ramsès III. Pour l'époque ptolémaïque, voir Strack, *Die Dynastie der Ptolemäer*, p. 24 sqq.

2. La scène se passe dans un pavillon à colonnes *zadou* [hieroglyphs] (pl. LX, l. 11) précédé d'un escalier *khend* [hieroglyphs] (pl. LXI, l. 13), tout à fait analogue au pavillon de la fête *Sed* qui sera décrit plus loin, chap. VIII. — Un autre récit abrégé du couronnement d'Hâtshopsitou existe à Karnak (*L. D.*, III, 18), il a été signalé et étudié par De Rougé (*Mélanges d'archéologie*, I, p. 47).

Rekhitou », pour (voir) l'embrassement (frottement de face ⊤ ⊖) que la Majesté de sa fille, cet Horus, lui donna dans ses deux bras, dans la salle du culte ; et cela se fit sur le trône du roi lui-même dans le pavillon (*zadou*) de l'Ouest (où l'on lance) le fluide magique ; et tous ces hommes présents, cou-.chés le ventre à terre, lançaient le fluide magique [1]. »

Fig. 12. — Thoutmès I embrasse sa fille Hâtshopsitou et lui lance le fluide de vie (*Deir el Bahari*, III, pl. LXI).

En résumé le roi régnant, après un discours adressé au roi à introniser, le prenait dans ses bras et lui faisait les passes qui donnent le fluide de vie ; c'était le point culminant de la cérémonie, et c'est celui que représente le tableau de Deir el Bahari (fig. 12). Si nous nous reportons au texte d'Horemheb nous retrouvons, dans un récit très abrégé, les mêmes indications. Le dieu Amon, qui a déjà purifié le candidat royal, le fait monter (*ouza*) vers la « chambre royale » et le fait passer devant lui pour le présenter dans le « pa our » à la reine régnante Moutnozmit, que le texte appelle seulement « la fille d'Amon » et qui joue ici le rôle de Thoutmès Ier à Deir el Bahari. La reine purifia Horemheb « en lui versant l'eau sur les mains » ( ), elle « embrassa ses beautés (c'est-à-dire le prit à bras le corps pour lui communiquer le fluide magique) et l'établit solidement par devant elle »,

---

1. *Deir el Bahari*, III, pl. LX, l. 3-11. Sur le « lieu du *sotpou sa*, voir ch. IX). Le *zadou* est mentionné aux *mastabas* de Mariette (p. 204).

pour le présenter à l'assistance comme Thoutmès avait fait de sa fille [1].

Enfin le texte d'Abydos, où Ramsès II rappelle comment il fut associé au trône par son père Séti Ier, nous a conservé une description analogue de la présentation du nouveau roi aux dignitaires. « Je me suis mis en marche (*bes*)... en qualité de fils aîné et d'héritier, vers le trône de Seb..... Mon père s'étant *levé* par devant les *connus du roi*, moi tout enfant je fus pris dans ses bras, et il me dit : « Qu'il se *lève* en qualité de roi, pour que je voie ses beautés de mon vivant [2]... »

IV. Arrivé à ce point de la cérémonie, le roi régnant reprenait la parole pour énumérer les noms officiels du roi à introniser et les fixer pour ainsi dire à sa personne; opération religieuse de la plus haute importance, qui équivalait à un baptême et à une consécration définitive de la personne royale. Le texte de Deir el Bahari est encore ici le plus complet. « Alors S. M. dit en face de l'assemblée : « Cette fille, *Khnoumit Amon Hâtshopsitou*, vivante — je la place sur mon siège, c'est-à-dire sur mon trône. Et certes voilà qu'elle siège sur mon trône (*khend*), elle fait entendre ses paroles à ses sujets [3] dans tout lieu du palais, certes voici qu'elle vous conduit, écoutez ses paroles, soyez unanimes pour (exécuter) ses

1. Brugsch, *Thesaurus*, p. 1076, l. 15-16. La dernière phrase est obscure par suite d'une erreur du lapicide qui a échangé les pronoms masculin et féminin; au lieu de [hiéroglyphes], lire [hiéroglyphes]. Sur le rôle de la reine Moutnozmit, cf. Maspero, *Histoire*, II, p. 344, n. 1.

2. *Abydos* I, pl. 6, l. 44-45. Le mot *lever* [hiéroglyphe] khâ s'applique au soleil qui se lève, au dieu et au roi qui apparaissent en public sur le trône. Le signe [hiéroglyphe] est le soleil levant avec sa « couronne » de rayons.

3. Litt. « elle émet les paroles » [hiéroglyphes], expression caractéristique qui s'applique à ceux qui possèdent la voix créatrice (cf. *Rituel du culte divin*, p. 155); obéir au roi, c'est « écouter ses paroles ».

ordres. Celui qui l'adore, certes, vivra; celui qui dira des
choses mauvaises et hostiles à Sa Majesté, certes, mourra. Or
donc, tous ceux qui entendent et acceptent unanimement
le nom de Sa Majesté, certes qu'ils viennent sur le champ
pour proclamer le roi près de moi, comme on le fit (jadis) pour
ma Majesté. Certes, divine est cette fille du dieu, et ce sont
les dieux qui combattent pour elle, et qui lancent leur fluide
(de vie) derrière elle chaque jour, comme l'a ordonné son père
le Maître des dieux[1] ! »

De la bouche même du roi tombe la définition du pouvoir
royal légitime : Hâtshopsitou doit être reconnue comme
reine, parce que fille du Maître des dieux (Amon), elle est divine, elle possède le fluide de vie des dieux. Ces qualités sont
celles auxquelles on a reconnu jadis la propre royauté de
Thoutmès Ier ; ce sont celles qui rendent Hâtshopsitou digne
de la couronne.

Le discours du roi est accueilli par une acclamation de
l'assistance qui « proclame » le nom du nouveau Pharaon.
« Les nobles royaux, les dignitaires, les chefs des *Rekhitou*
entendirent cette annonce que c'était elle qui possédait
la dignité de fille du roi, roi du Sud et du Nord *Mâit ka rî*
vivante à jamais ! Ils flairèrent la terre à ses pieds, ils se
prosternèrent à l'ordre royal qu'elle donna, qu'ils adorassent
tous les dieux du roi du Sud et du Nord *Aâkhoper ka rî*
(Thoutmès Ier). » C'est l'instant décisif : pour la première
fois le nom royal solaire d'Hâtshopsitou est prononcé, ce
« prénom » *Mâit ka rî* qui rappelle la filiation de Râ : dès
lors le caractère royal est attaché à la personne de la fille du

1. *Deir el Bahari*, III, pl. LXI. Voici le texte de la dernière phrase, la
plus caractéristique de toutes :

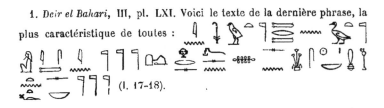

(l. 17-18).

roi. Aussitôt celle-ci donne un ordre, le premier émané
d'elle : c'est d'adorer « les dieux de son père Thoutmès Ier »,
c'est-à-dire ce qu'il y avait de divin dans l'ancien roi, et qui
lui restait attaché jusqu'à la mort. Thoutmès Ier avait proclamé que sa fille était divine ; sa fille intronisée ordonne, par
son premier décret, qu'on adore la divinité de son père : ainsi
s'affirmait le caractère divin permanent de la royauté pharaonique à travers les vicissitudes des changements de personne.

L'assemblée royale se disperse alors avec force cris et gam-
bades selon l'étiquette du temps. Restait à dresser le procès-
verbal du couronnement et surtout à fixer *ne varietur* les titres officiels du nouveau Pharaon, ce qu'on appelait la
« charte » *nekheb* des noms royaux. « Après
que Sa Majesté (Thoutmès Ier) eut entendu que tous les *Rekhitou* étaient d'accord unanimement sur le nom de sa fille
comme roi..., il ordonna d'amener les « officiants » pour mé-
diter (?) ses *grands noms* de prise de la dignité de sa double
couronne de roi du Sud et du Nord, (ceux que) l'on fera mettre
sur les monuments et sur tout acte scellé, (les noms) sous
lesquels elle célébrera les cérémonies du couronnement...,
sous lesquels elle célébrera les fêtes du début de l'année et
des millions de panégyries[1]... Et lorsque les officiants médi-
tèrent (?) ses noms de roi du Sud et du Nord, certes le dieu
suggéra à leur cœur de faire ses noms à la ressemblance de
ceux qu'il avait faits auparavant[2]. » On se rappelle qu'au moment de l'union charnelle du dieu et de la reine mère, Amon
avait formé d'avance le nom de l'enfant prédestiné, en repre-
nant les paroles de bienvenue dont l'avait salué l'épouse
choisie. Suit alors la liste complète, officielle, des titres

1. Je paraphrase et je résume la fin de la phrase, qui trouvera plus
loin son explication littérale. Voir l'excellent commentaire de Maspero,
Journal des Savants, 1899, p. 411.

2. *Deir el Bahari*, III, pl. LXII.

d'Hâtshopsitou : « Son grand nom d'Horus ()... ; son grand nom de maître des deux couronnes ()... ; son grand nom d'Horus d'or () ; son grand nom de roi du Sud et du Nord (et le cartouche) — et au-dessous, la rubrique qui certifie conformes les noms royaux. « Or, certes, c'est son nom véritable, qu'a fait le dieu auparavant [1]. »

L'utilité de ces procès-verbaux du couronnement était grande. Tous les sujets du futur roi qui n'avaient pu assister à l'intronisation n'auraient pas eu une connaissance rapide des nouveaux noms royaux — par lesquels on devait prononcer les serments et prier les dieux — sans l'envoi de procès-verbaux rédigés comme nous venons de le voir. Une copie d'une circulaire ainsi envoyée nous a été conservée sur un ostracon du Musée de Gizeh [2] : elle notifie au chef du poste d'Éléphantine l'intronisation de Thoutmès Ier lui-même, le propre père d'Hâtshopsitou. En voici la traduction :

« (Rescrit) royal pour te faire connaître que ma Majesté v. s. f. s'est *levée* en roi de la Haute et de la Basse-Égypte sur le siège de l'Horus des vivants, sans pareille, à jamais, et que mon protocole (*nekhebit*) a été arrêté ainsi : l'Horus taureau vigoureux aimé de Mâit — le maître des deux couronnes qui se lève comme une flamme, le grand vaillant — l'Horus d'or, beau d'années, vivificateur des cœurs — le roi du Sud et du Nord *Aâkhoper ka Rî* — fils du Soleil — *Thoutmès* vivant éternellement et à jamais. — Tu feras donc exactement apporter les offrandes aux dieux du Sud et d'Éléphantine avec des chants pour la vie, la santé et la force [3] du roi de la Haute et Basse-Égypte *Aâkhoper ka Rî* vivifi-

1. *Deir el Bahari*, III, pl. LXIII.
2. Publié et traduit par Erman (Ä. Z., XXIX, p. 116-119.)
3. C'est l'épithète qu'on abrège en français par *v. s. f.*

cateur, et tu feras prêter le serment sur le nom de ma Majesté v. s. f. né de la royale mère Sonisonbou qui est en
bonne santé. Ceci t'est envoyé pour te faire connaître que
la maison royale est prospère, saine... L'an I, le 21ᵉ jour du
3ᵉ mois de Pirit, jour de la fête du couronnement[1]. » Notons
que tous les termes de ce rescrit du couronnement correspondent à ceux qui sont employés dans les récits d'intronisation. Le document émane de la « chambre royale » ( )
nommée aussi dans le texte d'Horemheb ; il mentionne la
présence effective de la « royale mère » qui a tenu, sans
doute, son fils dans ses bras, comme la mère d'Horemheb a
fait de son fils, comme Thoutmès Iᵉʳ a fait d'Hâtshopsitou,
pour la présentation aux dignitaires ; il énumère le protocole
officiel (nekheb) des grands noms du roi ; il prévoit le serment prêté sur le nom du nouveau roi, ce qui correspond aux
acclamations des courtisans à Deir el Bahari et aux menaces
contre ceux qui refuseront de « connaître » le nom royal.

Si nous revenons un instant aux textes d'Horemheb et de
Ramsès II qui nous servent de points de comparaison, nous
trouvons, en termes plus brefs, le même récit du couronnement. A Abydos, Ramsès II se contente de dire qu'après le
discours de son père Séti Iᵉʳ aux gens du palais (âmi khon-
tiou) « ceux-ci établirent la couronne sur mon front » sur le
désir exprimé par Séti Iᵉʳ « qu'on mît la couronne sur ma
tête[2] ». — Pour Horemheb, la reine régnante Moutnozmit
« le tient devant elle » pour le présenter à l'assemblée ; mais
chose bien intéressante, cette assemblée se compose, non de
dignitaires de la cour, mais d'un cycle de dieux, c'est-à-dire
de statues divines présentées par des prêtres leurs interprè-
tes. Les dieux jouent leur rôle à merveille, profèrent les ac-

_____

1. [hieroglyphs] ou « fête des couronnes » : l'uræus
est celle qui entoure la base du pschent.
2. Mariette, Abydos, I, pl. VI, l. 46.

clamations réglementaires et proclament le protocole officiel d'Horemheb : « le cycle de tous les dieux de la chambre du feu [1], acclame les bras levés à son *lever* ; Nekhabit, Ouazit, Neit, Isis, Nephthys, Horus, Sit, le cycle des dieux, s'accordèrent unanimement sur celui qui prenait possession du grand siège, et leurs acclamations (furent poussées) aussi haut que le ciel quand ils élevèrent les bras à l'arrivée d'Amon : « Voici, certes, Amon qui vient, son fils devant lui, en ce temple pour établir ses couronnes sur sa tête et grandir la durée (de son règne) à la façon de nos propres images. Nous établissons (ses couronnes), nous lui donnons les insignes (royaux) de Râ, nous prions Amon pour lui, puisque tu nous amènes notre défenseur. Puisse-t-il avoir les périodes de Râ, les années d'Horus en qualité de roi ! puisque c'est lui qui fait ce qui plaît à ton cœur dans Thèbes et aussi dans Héliopolis et dans Memphis et qui rend augustes ces villes. » Et on arrêta le grand nom de ce dieu bienfaisant et son protocole semblable à celui de Râ [2]. » Suivent, comme à Deir el Bahari les noms d'Horus, de *nebti*, les nom et prénom solaires. Les différences de détail qui existent entre ce récit et celui du temple de Deir el Bahari ne font qu'attester avec plus de force l'intervention directe, personnelle des dieux dans l'assemblée du couronnement.

V. Le roi « proclamé » par les hommes devait ensuite « recevoir ses couronnes des chefs des demeures divines »( ), c'est-à-dire de la main des dieux eux-mêmes [3]. Le couronnement proprement

---

1. Voir à ce sujet ce qui est dit p. 54, n. 3.

2. Inscription d'Horemheb, l. 16-19. (Brugsch, *Thesaurus*, p. 1076-1077.) Le texte de la dernière phrase est : ... etc. (l. 19).

3. *Deir el Bahari*, III, pl. LX, l. 7.

dit se divisait en quatre scènes : 1° le don de la royauté du Sud et du Nord 🪶 par la remise des couronnes symboliques; 2° « la réunion des deux régions » 🪷 *sam taouï* sous les pieds du roi ; 3° le « tour extérieur du mur » « ⇒ 🪶 𝄚 *rer ha ànbou*, c'est-à-dire la prise de possession effective du domaine royal ; 4° la « royale montée » vers le dieu principal et l'embrassement du roi par celui-ci. Les trois premières scènes sont énumérées dans cet ordre à Deir el Bahari : elles étaient précédées d'une purification du roi.

Cette purification se fait par les soins des dieux, à la porte de la « grande chambre » ⬚ *pa our*, nom qui désigne les sanctuaires et ici l'*adytum* de la partie du temple réservée au culte royal.

Un prêtre prenant le costume du dieu Anmoutef conduisait sa fille, dans la partie orientale de la « grande chambre »[1] ; là il lui faisait l'ablution en aspergeant sa tête de l'eau d'un vase ♀ auquel, pour la circonstance, on donnait la forme même du signe de vie ♀. La formule de purification explique cette intention : « Je te purifie avec cette eau (qui donne) toute vie et force (♀ 𝄚), toute durée (𝄟), toute santé et la joie de faire de très nombreuses fêtes qui renouvellent le couronnement(*sed*) » (fig. 13). A peine la formule dite, un autre prêtre, costumé en Horus, prenait la main d'Hâtshopsitou, et guidait sa fille vers la « grande chambre » sans doute dans la partie occidentale, où la purification était renouvelée[2]. Le roi purifié à l'Orient et à l'Occident, c'est-à-dire dans les deux moitiés de la course du Soleil, était apte à recevoir les cou-

---

1. Sur le dieu-prêtre *Anmoutef*, voir chap. VII.
2. *Deir el Bahari*, III, pl. LXIII.

Fig. 13. — Le roi purifié par l'*Anmoute* dans le *pa our* est conduit par Horus à la salle du couronnement (*Deir el Bahari*, III, pl. LXIII).

ronnes du Sud et du Nord au cours des trois cérémonies qui vont être décrites.

1° La remise des deux couronnes se faisait dans une salle

Fig. 14. — Le bandeau royal *sed* (Leemans, *Monuments ég. de Leyde*, II, pl. 34, 1).

de la « grande chambre », qu'on appelait la « large salle de la fête du bandeau royal » 𓏃𓏏𓉐𓏏𓂋𓏏 (*ouskhit hebou seshed*). Ce bandeau maintenait au front du roi les deux couronnes et leurs deux plumes : théoriquement, il n'était autre que la queue 𓂋𓏏 *sed* ou *seshed*, de l'Uræus sacrée, fille de Râ, qui ceignait, à la base du *pschent*, le front du Pharaon[1].

1. La traduction exacte du mot 𓂋𓏏 ou 𓂋𓏏 déterminé

6

Aussi cette partie de l'insigne royal avait-elle isolément une importance exceptionnelle. On disait, en Égypte comme dans beaucoup d'autres pays, le « bandeau » pour la couronne, et la fête du couronnement et des répétitions du couronnement s'appelait la « fête du bandeau », « fête *sed* ou *seshed* » ; le même nom était appliqué, nous le voyons à Deir el Bahari, à la salle de la « grande chambre » où l'on couronnait le roi.

par la queue ⟍ ou par la bandelette ⌒ a longtemps été cherchée. Chabas y voyait un pectoral (*Pap.* d'Orbiney, XVII, 4, passage où *seshed* a les déterminatifs ⌒ dont le second désigne le pavillon où se faisait la cérémonie du couronnement, v. ch. VIII); Le Page Renouf, un collier (cité par de Horrak, *P. S. B. A.*, t. XII, p. 49). Le mot *seshed* de la stèle de Kouban où l'on dit de Ramsès II « qu'il s'est levé avec le bandeau et les deux plumes » 𓉠 𓅓 𓏤 𓈖 𓂋 𓏤 𓃀 (l. 8) était traduit « diadème » par Chabas et de Horrack. M. Maspero a traduit dernièrement « fête *sed* » par « fête de la ceinture », parce que c'était alors qu'on « *ceignait* le diadème au roi » (*Journal des Savants*, 1899, p. 412). — Le sens véritable me semble avoir été donné par Piehl (*P. S. B. A.*, XIII, p. 564) qui traduit 𓏲 𓍑 ⌒ 𓏤 𓅆 𓏲 𓏤 « le bandeau, le bandeau royal qui occupe le front de Râ » (*Pépi 1er*, l. 89-90, interprétation que Piehl a soutenue à nouveau au *Sphinx*, (V, p. 30-31). Je puis citer des textes qui impliquent formellement la traduction « bandeau ». Dans un fragment d'inscription, provenant d'Abydos (*R. I. H.*, pl. 29, l. 1, et *Recueil de travaux*, XI, p. 90-91). Ramsès II, dit : « J'ai purifié la tête d'Horus quand il a pris son bandeau qui maintient ses deux plumes », ou « avec lequel il maintient ses deux plumes » 𓏲 𓏤 𓅓 𓈖 𓏤 𓃀 𓃀 𓂝); un texte donné par Brugsch (*Thesaurus*, p. 755, n° 17 *a*) dit Amon-Râ qu'il « est illustre par son diadème à deux plumes stable sur sa tête, scellé par le bandeau » 𓂽 𓅓 𓏲 𓈖 𓂋 𓏤 ; le dieu porte le mortier à deux plumes et les deux brides du bandeau sortent derrière et flottent sur son dos. On s'explique maintenant que la stèle de Kouban, associe *seshed* aux deux plumes 𓉠 𓂝 𓈖 𓃀 𓏥.

Le déterminatif de la queue ⟍ s'explique parce que le bandeau,

Dans la « salle de la fête *sed* deux pavillons étaient dressés, symbolisant l'un le siège des pays du Sud, l'autre le siège des pays du Nord. Deux prêtres porteurs des masques d'Horus et Sit, les dieux du Sud et du Nord, introduisaient le roi dans le pavillon du Sud, et, debout à ses côtés, le coiffaient de la mitre blanche ⟨⟩, symbole de la royauté méridionale : ils disaient tous deux à la fois : « J'établis pour toi ta dignité de roi du Sud (*souton* ⟨⟩) qui se lève sur le

comme d'ailleurs les couronnes elles-mêmes, était identifié à l'uræus qui ceint le front de Râ (d'où le texte de *Pépi I*er, l. 89-90 cité plus haut). Le texte de Kouban nous donne l'uræus soleil comme déterminatif de *shed* ⟨⟩ (l. 8). Le décret de Canope explique tout au long cette allégorie, à propos de la couronne de Bérénice : c'est une couronne en forme d'aspic (ἡ ἀσπιδοειδὴς βασιλεία, l. 62), composée de deux épis et d'une uræus (⟨⟩ l. 31), on y ajoute un sceptre de papyrus « autour duquel s'enroulera la queue *sed* de l'uræus » ⟨⟩ l. 31-32 ; ἡ οὐρὰ τῆς βασιλείας ἔσται περιειλημμένη, l. 63). — Le bandeau *sed* affermissait le pschent, les deux plumes, de la couronne des rois et des dieux, comme la queue *sed* de l'aspic (le grec dit : « la queue de la couronne ») consolidait les épis et le sceptre de papyrus de la couronne de Bérénice.

Nous reproduisons (fig. 14) le bandeau royal trouvé sur la tête de la momie d'un roi Antef (XIᵉ dynastie) et conservé actuellement au Musée de Leyde. Il se compose de l'uræus divine, dont le corps stylisé forme le lien du bandeau tandis que la queue nouée en devient le nœud. Il semble certain que ce soit le bandeau *sed* lui-même. L'uræus est en or, le bandeau en argent doré ; les petites perles du pourtour sont en terre émaillée jaune et verte, les pendeloques en verre coloré (Leemans, *texte*, p. 18).

Porté seul ou associé au casque, au pschent, aux couronnes diverses, le bandeau retombe en queue sur la nuque jusqu'à mi-épaule (cf. *Abydos*, I, pl. 23). C'est pour cela qu'aux rituels du culte divin (*Abydos*, appendice A, pl. 7, l'officiant, qui est le roi, se présente devant le dieu « la bandelette au cou et le bandeau sur le dos » ⟨⟩ ⟨⟩ (var. ⟨⟩) ⟨⟩. Cf. *Rituel du culte divin*, p. 168.

trône de l'Horus guide de tous les vivants, éternellement et à jamais » (fig. 15). — Ceci fait, Horus et Sit conduisaient processionnellement le roi dans le pavillon symétrique du Nord, et lui remettaient la couronne rouge $\bigvee$ (fig. 16), en prononçant la même formule où le mot « roi du Sud » était rem-

Fig. 15. — Le roi, couronné dans le pavillon du sud par Horus et Sit (*souton khâ*), fait le tour derrière le mur (*rer ha*) (*Deir el Bahari*, t. II, pl. LXIV).

placé par « roi du Nord » ($\bigvee$ *bàït*). Dans chacun des pavillons le roi prenait place sur le trône ; aussi le déterminatif habituel de la fête *sed* est-il un pavillon muni de deux trônes $\boxed{\text{🪑🪑}}$ sur chacun desquels siège une figure du roi couronnée l'une de $\mathcal{Q}$, l'autre de $\bigvee$. Cette première cérémonie achevée, le roi, coiffé des deux couronnes réunies, le *pschent*, [hieroglyphs] « allait et venait vers sa chambre de la salle des fêtes *seshed* » précédé des enseignes divines ([hieroglyphs] [hieroglyphs] cf. p. 100). On remarque aux mains du roi les armes

Fig. 16. — Le roi, couronné dans le pavillon du Nord (*bäït khâ*) « va et vient vers la chambre de la grande salle des fêtes *seshed* » (*Deir el Bahari*, III, pl. LXIV).

divines symboliques, croc [hieroglyph], fouet [hieroglyph], sceptre [hieroglyph], qui lui ont été remis en même temps que les couronnes. On disait du roi, après la double cérémonie qu'il avait fait son « lever de roi du Sud » [hieroglyph] (*souton khâ*) et son « lever de roi du Nord » (bàit khâ). La division historique primitive des deux pays explique ce couronnement en partie double, ainsi que les rites du *sam taouï* et du *rer ha* dont il va être question. Notons que le Sud a toujours le pas sur le Nord en ces cérémonies et dans le protocole royal : c'est sans doute par égard pour le plus ancien domaine des rois d'Égypte.

2° Au couronnement, d'après le texte cité plus haut qui énumère les cérémonies, succédait la « réunion des deux régions » *sam taouï*. Les tableaux consacrés à sa description manquent à Deir el Bahari[1], mais on peut reconstituer la scène du *sam taouï* d'après les tableaux consacrés à la fête *sed* (renouvellement du couronnement) dans le temple de Séti 1er à Abydos. Le roi était assis sur un trône placé le plus souvent entre deux sièges où les déesses des couronnes solaires Nekhabit d'El-Kab (personnifiant l'Égypte du Sud) et Ouazit de Bouto (personnifiant l'Égypte du Nord), s'installent à ses côtés. Les déesses croisaient leurs bras sur le dos du roi pour les passes de protection magique, et voici leurs paroles d'après un tableau d'Abydos. *Ouazit* : « Mes deux bras sont derrière ta tête pour ta vie et ta force, ô roi Séti ». *Nekhabit* : « Mes deux bras pour ta protection embrassent tes chairs, maître des deux terres, ô Séti ! » Cependant sous le trône royal ont été disposés des lotus, plantes du Sud, et des papyrus, plantes du Nord ; elles sont réunies entre elles par des liens sortant d'un pilier ⍓ *sam* (réunion) et deux dieux, ordinairement Horus et Sit, les maîtres des deux Égyptes (à Abydos, Sit est remplacé par Thot), serrent des deux mains et maintiennent du pied le nœud qui assemblent les lotus et papyrus autour du pilier symbolique ⍓ *sam*[2] (fig. 17).

1. Une légende d'un tableau détruit (*Text*, p. 4) nous apprend qu'Horus et Sit, Nekhabit et Ouazit, apportaient à la reine « les deux couronnes et les deux terres ».
2. Sur ce pilier, cf. E. Soldi, *La langue sacrée*, III, p. 101 sqq. Sur le lotus et le papyrus, cf. V. Loret, *L'Égypte au temps des Pharaons*, p. 106 sqq.

Voici ce que disent les dieux. *Horus* : « Je lie les deux terres (*sam taouï*), sous toi, à tes pieds, Horus maître-du-palais (le roi), pour que viennent à toi les Anou de la Nubie, les Méridionaux de l'Éthiopie, et que ta Majesté soit stable au faîte de son *serekh,* comme Toum est prospère dans Héliopolis !.... »

Fig. 17. — Horus et Thot réunissent les deux régions (*sam taouï*) sous les pieds du roi couronné (*Abydos,* I, pl. 31 *a*).

Thot : « O mon fils, seigneur des couronnes, Séti, je lie pour toi le lotus et le papyrus (le Sud et le Nord), pour t'amener les deux terres à toi qui possèdes la voix créatrice et tous les pays de plaine et de montagne, sous les pieds de ta Majesté, à jamais. » Et la déesse Safkhit « rédige le décret d'investiture tel qu'il est sorti de la bouche de Râ », et inscrit le nom de Séti pour des années innombrables dans les livres divins. Une légende résume le tout : « Voici qu'Horus, fils d'Isis, lie le lotus et le papyrus, le Sud avec le Nord, sous le trône de son fils Séti, à jamais [1]. »

C'est sans doute après la remise du pschent, du croc et du

---

1. *Abydos,* I, pl. 31 *a*. — Parfois le roi est debout ou à genoux sur le *sam* (fig. 22). Pour l'époque gréco-romaine, cf. *L. D.,* IV, pl. 15, 30, 57, 69, 76, 90, où le roi est souvent assimilé au dieu *Horus sam taouï.*

fouet, qu'on célébrait le *sam taouï*, car le roi y est toujours représenté couronné et muni des insignes royaux, tel qu'il sort des naos à Deir el Bahari.

3° La troisième cérémonie était celle de « faire le tour derrière le mur » ⬛ 𝕏 ⫼ (*rer ha ànbou*)[1]. Il semble bien qu'elle était figurée à Deir el Bahari et que des traces de la représentation se découvrent entre les deux naos où a eu lieu la remise des couronnes : on y devine la silhouette d'Hâtshopsitou qui marche solennellement, précédée des quatre enseignes divines lesquelles n'ont d'autres porteurs que les hiéroglyphes de la vie, de la force et de la stabilité ☥ ⌡ ⫙.

---

1. L'expression ⬛ 𝕏 ⫼ *rer ha ànbou* est traduite par Naville « faire le tour du mur du Nord » (*Recueil de travaux*, XXI, p. 114 ; *Deir el Bahari*, III, texte p. 8), en attribuant à 𝕏 *ha* la valeur symbolique fréquente « nord ». J'objecterai à cette traduction, que l'orthographe correcte de « mur nord » serait ⫼ 𝕏, de même que dans la formule « les dieux de la partie nord » ⟨⟨⟨ 𝕄 ◁ ⬭ ▯ 𝕏 (*Deir el Bahari*, III, pl. LX, voir quantité d'exemples, *Abydos*, I, pl. 4). Maspero interprète « faire le tour extérieur du mur » (*Journal des Savants*, 1899, p. 411, n. 1) ; sans doute, ce savant prête au mot 𝕏 la signification « derrière », qu'il a, par exemple dans la locution si fréquente « lancer le fluide *sa* derrière quelqu'un ⌐▭ ◦▩◦ 𝕏 (*Deir el Bahari*, II, pl. XXXVII, XL, XLIII, LI, etc.) ; dans ce cas, on dit que la main de celui qui jette se met « derrière la tête » 𝕏 ♉ de qui reçoit le fluide (*Abydos*, I, pl. 21 *a*). Il me semble donc plus littéral de traduire « faire le tour derrière le mur ». On verra plus loin, p. 98, que le but de ce rite était de faire la ronde autour et d'assurer la possession des naos d'Horus et de Stt, c'est-à-dire autour du temple symbolisant le monde. Le mot 𝕏 entre aussi en composition dans des termes tels que ◁ ⟿ ⫙⫼ 𝕏 ⬭

On lit encore au-dessus du cortège un fragment de légende (fig. 15) ⟹ 𓀀 [▦] ▭ 𓅡 ⟹ ⚚ ‘..... qui, tout mutilée qu'elle soit, suffit à nous montrer que cette procession faisait le tour derrière le mur. Dans aucun autre texte relatif à un couronnement la cérémonie du *rer hâ ânbou* n'est décrite plus longuement ni plus clairement, et il serait difficile d'en comprendre le sens précis si nous n'avions à notre service des textes du culte funéraire et du culte divin où mention en est faite. Quand le mort, devenu dieu, reçoit les insignes et les pouvoirs de la royauté, on lui adresse les paroles suivantes : « Tu t'es assis sur le trône, tu as en main les sceptres..., tu fais le tour des demeures d'Horus, tu fais le tour des demeures de Sit » (𓏤𓈖𓏤𓅆𓂝𓈖𓏤𓅆𓀠)[2].

Effectivement, à Deir el Bahari, la procession du tour du mur, figurée entre les deux naos où Horus et Sit ont couronné le roi, semble en faire extérieurement le tour ; ce serait donc une prise de possession des régions du Sud et du Nord.

ânbou ha « mur de derrière » et 𓀀 𓎟 « salle de derrière (Brugsch, *Wört. Suppl.*, 773). — Ces expressions ont-elles quelque rapport avec notre *rer ha ânbou*? Dans le récit d'intronisation d'Horemheb, le roi, dès qu'il a reçu ses noms divins « sort vers la salle de derrière dans la maison du roi » (𓂋𓂋𓀀𓎟𓏲 , l. 19-20) précédé par Amon, qui va le recevoir dans ses bras ; il y a donc dans la partie du temple réservée au roi une « salle de derrière ». Peut-être était-ce là qu'on exécutait la procession derrière le mur du sanctuaire, dans le but d'assurer sa sauvegarde. — A Bubastis, il y avait aussi la « salle de derrière », avec le déterminatif du mur ▭ 𓀀 [▦] (Naville, *Festival hall*, pl. XXIII, n° 7 et dans le temple d'Abydos, il y avait l'« édifice de derrière », du Sud et du Nord 𓀀𓊪𓏤 𓅆 𓀀𓊪 𓏤 𓀀 (*Abydos*, I, 35 *b*).

1. *Deir el Bahari*, III, pl. LXIV.
2. *Pyr. d'Ounas*, l. 207-208. D'autres textes cités en variante par M. Maspero donnent ▭ 𓏤 *pakhrer* au lieu de 𓏤 *rer*.

D'autre part, dans le rituel du culte divin, le dieu à qui
l'on a renouvelé ses pouvoirs divins et royaux, exécute la
même procession mystique : tantôt c'est dans l'intérieur du
sanctuaire, le long des murs qui entourent le naos ; tantôt
c'est autour du temple lui-même, le long des murs de l'édifice entier. J'ai exposé ailleurs le sens de cette cérémonie :
on fait « circuler » le dieu, le mort, le roi, incarnation du soleil, comme circule le disque dans le ciel [1] ; on assure leur
marche journalière contre les éclipses, et tous les troubles
célestes que Sit-Typhon, l'ennemi toujours embusqué sur la
route du soleil, suscite journellement ; et comme preuve de
la victoire du dieu, du mort, du roi identifiés au soleil, on
immole aux grands jours de fête un âne, animal typhonien,
sur leur passage [2]. Tel est le rite développé ; au couronnement
royal, on n'en a gardé que la procession, la ronde vigilante
du roi derrière le mur des naos d'Horus et de Sit.

Ces trois cérémonies, qui constituent ce que le texte de
Deir el Bahari appelle « la remise des couronnes par les
dieux » (cf. p. 86), étaient certainement en usage dès les premières époques connues de la civilisation égyptienne. La
pierre de Palerme mentionne parmi les fêtes royales : 1° les
⸫ *souton khâ* et les ⸫ *bàït khâ*, c'est-à-dire la remise des couronnes du Sud et du Nord dans les deux naos ;
2° le ⸫ *sam taouï*, la réunion des deux régions sous le
trône du roi ; 3° le ⸫ *rer ha ànbou*, le tour derrière le mur [3]. Ces rites y sont nommés à l'occasion de fêtes

---

1. Cf. *Le rituel du culte divin*, p. 91.

2. Brugsch, *Thesaurus*, p. 1142 sqq. *Die Procession « um die Mauern »*
⸫.

3. A. Pellegrini, *Nota sopra un'iscrizione egizia del Museo di Palerma*
pl. I. — Cf. Ed. Naville, *Les plus anciens monuments égyptiens* (*Recueil de
travaux*, XXI, p. 113 sqq. et XXIV, p. 119), un des monuments du roi ar-

seshed et célébrés pour des rois dont les noms se retrouvent en partie dans les tombeaux archaïques d'Abydos et d'Hiéraconpolis, et, de fait, le titre de  que portent ces rois, les représentations de la fête *sed*, répétition du couronnement, qu'on trouve sur des plaquettes de schiste à Abydos comme à Hiéraconpolis [1], la mention du *sam taouï* qui existe sur un vase d'Hiéraconpolis au nom du roi Khâsakhem-Besh [2], confirment assez le témoignage du calendrier de Palerme. A l'autre extrémité de l'histoire de l'Égypte, pendant la période gréco-romaine, les nombreux exemples de remises solennelles des couronnes, de *sam taouï*, les textes relatifs aux processions du *rer ha*, témoignent aussi que les cérémonies religieuses du couronnement royal ont été célébrées pour les Ptolémées et les Césars.

4° Au sortir de la triple cérémonie qui vient d'être décrite, le roi n'était point encore laissé à lui-même. D'après le témoignage du texte d'Horemheb, le dieu Amon accompagna son fils dans « le tour derrière le mur », et « le tenant devant lui, il embrassa les beautés de celui qui s'était levé avec la couronne, pour lui transmettre (en héritage) le circuit du disque solaire et (mettre) les neuf arcs (peuples étrangers) sous ses pieds » [3].

Il me semble qu'il s'agit ici d'un rite complémentaire des cérémonies précédentes : après le sacre par Horus

---

chaïque Ahâ nous montre une enceinte fortifiée avec le signe ⊂⊃ à l'intérieur (Petrie, *Royal Tombs*, II, pl. III, 2) ; ce serait déjà une indication du rite de *rer ha*.

1. Voir plus loin, ch. VIII.

2. Quibell, *Hierakonpolis*, I, pl. XXXVII-XXXVIII. Cf. p. 106.

3. Brugsch, *Thesaurus*, p. 1077, (l. 19-20).

et par Sit, le roi était conduit au sanctuaire du dieu principal : mis en présence de la statue divine, celle-ci le prenait dans ses bras et lui affermissait le diadème sur la
tête. C'est à ce sujet que le dieu Phtah dit à Ramsès II et
à Ramsès III : « J'ai établi ta couronne de mes propres
mains, quand tu t'es levé sur le trône de la « grande chambre » (pa our)..., j'ai embrassé tes chairs, en leur donnant la
vie et la force, le fluide de vie derrière toi, c'est-à-dire la
quiétude et la santé [1]... »

Pour cette entrevue avec le dieu principal, le roi quittait
le pa our et se rendait au sanctuaire du dieu en cortège solennel, précédé des enseignes divines, tenu en main par les
prêtres qui jouaient le rôle des dieux; il revenait du sanctuaire, l'entrevue finie, avec la même pompe (pl. II). C'est
ce que les textes appellent faire la « royale montée » souton
bes, ou, avec plus de précision : « faire allée et venue,
royale montée vers le temple de son père » (⌒⌒↓⏋⌐⎎⎍⌐⎍⏋[2].

La « royale montée » apparaît toujours dans les cérémonies commémoratives du couronnement (cf. ch. VII et VIII);
le texte d'Horemheb la mentionne formellement lors de l'intronisation réelle de ce roi (l. 14); à Deir el Bahari, elle
était certainement représentée dans la partie aujourd'hui
détruite, car on a conservée (fig. 16) au-dessus de la figure
de la reine sortant des pavillons du couronnement, la lé-

---

1. Ed. Naville, Le Décret de Phtah Totunen :

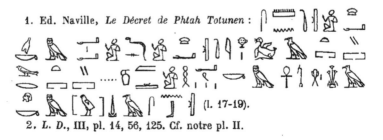

(l. 17-19).

2. L. D., III, pl. 14, 56, 125. Cf. notre pl. II.

gende « allée et venue vers sa chambre de la salle de la fête *seshed* » qui indique le moment du départ du cortège royal. Il reste aussi la dernière scène qui a seule été respectée parmi les tableaux qui suivaient le couronnement. Nous y apercevons Amon assis dans un naos et tendant le bras avec le geste du dieu qui donne le signe de vie au Pharaon. Hâthsopsitou, couronnée du Pschent, armée des sceptres ⌐ et ⋀, dans le costume qu'elle avait en sortant des salles du couronnement, est devant son père. Nul doute qu'elle ne soit venue pour l'embrassement divin dont parle le texte d'Horembeb ; Amon lui tient, en effet, un discours où se retrouvent les expressions mêmes déjà citées plus haut : « Je t'ai donné toutes les terres, toutes les montagnes, tout ce qu'entoure l'orbe du soleil dans le ciel — tout cela est sous l'empire (litt. le siège) de ta face... » Entre le dieu et la reine, le dieu-prêtre Anmoutef proclame que la reine « s'est levée sur le trône d'Horus, qu'elle guide tous les vivants et qu'elle vivra dans l'abondance, elle et son double, éternellement[1]. »

L'embrassement du roi par le dieu servait donc de consécration définitive ; on verra au chapitre V quelle est l'importance de ce rite : il nous suffira de dire dès maintenant que le « fluide de vie » venait au Pharaon des bras du dieu et que le mot « embrasser » ⌐ 🌑 ⌐ a fini par signifier « consacrer, couronner, diviniser »[2]. A ce moment-là le dieu « établissait la couronne » sur la tête du roi (pl. II) et le don du diadème suffisait aussi à donner à la personne royale un caractère sacré (voir chap. V)[3].

Notons qu'au début du couronnement d'Hâtshopsitou,

---

1. *Deir el-Bahari*, III, p. LIX.
2. Voir à ce sujet *Rituel du culte divin*, p. 100, n. 4.
3. *Rituel du culte divin*, p. 95, 99.

Thoutmès I lui avait déjà transmis la dignité suprême par un embrassement : la répétition de ce rite par le dieu principal était obligatoire pour consacrer la royauté du Pharaon dans le monde des dieux comme dans le monde terrestre.

De même la rédaction du « nom royal » (*ran our*) ou du protocole (*nekheb*) ne devenait définitive que si la chancellerie divine collationnait et transcrivait les actes dressés par les scribes royaux au début de la cérémonie. Dans toutes les

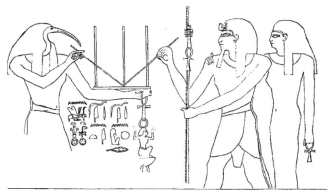

Fig. 18. — Thot et le Pharaon rédigent ensemble la charte divine d'intronisation (*L. D.*, III, 55 *b*).

scènes où le dieu couronne le roi, on voit Thot « le maître de la maison des livres divins » et Safkhit « la maîtresse des registres divins » inscrire les noms royaux sur les actes authentiques déposés aux archives célestes (fig. 18) : « ils établissent le bon acte (*smen genitou*[1]) de vie et de force 𓏞 𓎰 » pour le roi, de même qu'au moment de l'accouchement, ils avaient dressé l'acte de naissance du Pharaon (p. 57). Souvent aussi on conduisait le

---

1. *L. D.*, III, 55 *b* ; cf. *Deir el Bahari*, III, pl. LX et LIX. Sur *genitou*, voir *Ä. Z.*, 1867, p. 50. Pour la période ptolémaïque, cf. *L. D.*, IV, 11 *c*, 21.

roi' vers l'arbre sacré *àshed* et les dieux inscrivaient le nom royal sur ses feuilles[2] (fig. 19) : c'était un présage de vie et de force pour le Pharaon, auquel *Thot* assignait des années de règne éternelles (cf. pl. II). C'est probablement à ce moment encore, que les scribes divins étaient censés ré-

Fig. 19. — Amon, Thot et Safkhit écrivent le nom de Ramsès II sur les feuilles de l'arbre *àshed* et l'« établissent » pour une durée éternelle (d'après *L. D.*, III, pl. 169; cf. pour Ptolémée IV, *L. D.*, IV, 17 *b*).

diger ces décrets de Râ, que nous avons déjà mentionnés, par lesquels le dieu faisait une donation authentique (*àmit pou*) de son patrimoine à son fils Horus (le roi)[3].

1. *L. D.*, III, 37 *a*.
2. Voir à ce sujet l'article de Lefébure, *Sphinx*, t. V, p. **7**.
3. Voir plus haut p. 17, n. 2. Au temple d'Edfou, on trouve à côté de la scène du lancer des oiseaux pour Horus, un « décret de Râ » par lequel le dieu donne à son fils, auquel Pharaon s'as-

Il semble aussi que divers rites complémentaires pouvaient s'intercaler à ce moment. L'allaitement du candidat royal par la déesse-mère est souvent représenté dans les cérémonies similaires que je décrirai aux chapitres VII et VIII, et j'ai déjà cité (p. 64) la formule très fréquente que l'on grave en pareil cas au-dessus du tableau. Peut-être enfin faut-il ajouter aux tableaux du couronnement royal de Deir el Bahari et

Fig. 20. — Le lancer des quatre oiseaux lors du couronnement d'Horus
(*L. D.*, IV, 57 *a*).

d'Abydos (qui d'ailleurs sont mutilés et incomplets) une céré-monie symbolique qui s'était conservée dans la panégyrie du dieu Min[1]. A un moment de la fête on « donnait la voie » à

---

simile, les deux parties de l'Égypte et les pays étrangers (*Edfou*, II, p. 13). De même lors de la fête *sed* de Ramsès II et Ramsès III, le dieu Phtah donne par décret la royauté à ces pharaons (cf. p. 5, n. 1). Il n'est pas douteux que des actes similaires fussent rédigés lors du cou-ronnement initial du roi.

1. On trouve les fêtes de Min au Ramesséum (*L. D.*, III, 163) et à Médinet-Habou (*L. D.*, III, 212 *b*). On lançait aussi les quatre oies lors de la grande panégyrie d'Horus d'Edfou (Brugsch, *Die Festkalender*, p. 13, pl. VII, 19-12 ; cf. Rochemonteix-Chassinat, *Edfou*, II, p. 14-15) et pendant

quatre oies (personnification des quatre fils d'Horus) qui s'en-

volaient aux quatre coins de l'horizon ; cha- cune était inter- pellée en ces termes : « Allez au Sud (ou au Nord, Est, Ouest) dire aux dieux du Sud (Nord, Est, Ouest) qu'Horus fils d'Isis a pris la grande couronne double et que le roi du Sud et du Nord N... a pris la double cou- ronne » (fig. 20). Si l'on récitait ces formules et si l'on lançait les oiseaux au cours de cérémonies où, comme nous le verrons plus loin, les rites de l'intronisation étaient répétés, on doit supposer qu'au jour du vé-

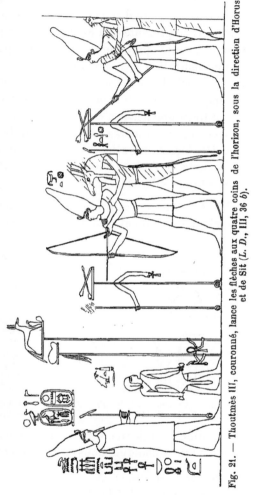

Fig. 21. — Thoutmès III, couronné, lance les flèches aux quatre coins de l'horizon, sous la direction d'Horus et de Sit (L. D., III, 36 b).

ritable couronnement ces rites étaient exécutés pour la première

les rites de la veillée d'Osiris à Dendérah (L. D., IV, 57 a); c'est notre fig. 20). Voir aussi Daressy, notice de *Médinet Habou*, p. 7 et mon *Rituel du culte divin journalier*, p. 28.

fois. A Deir el Bahari on constate la présence de génies du
Sud et du Nord qui proclament dans les deux régions le « lever
du roi sur le trône d'Horus des vivants[1] » ; ailleurs le candidat royal se présente à la divinité tenant par les ailes un oiseau qui semble prêt à prendre son vol[2] : peut-être avons-nous
là une indication des cérémonies dont nous avons ailleurs
l'exposé détaillé. Je ferai la même hypothèse pour un rite qui
accompagne à Edfou le lancer des oiseaux : le roi prenait un
arc et tirait une flèche à chacun des quatre points cardinaux ;
la scène est représentée à Karnak pour le compte de Thoutmès III, lors d'une célébration de la fête *sed*. Il est probable
qu'au jour de l'intronisation on exécutait pour la première
fois le tiré des flèches[3].

VI. Les rites du couronnement que nous avons résumés
d'après des documents qui datent de l'époque classique de la

Fig. 22. — Le *sam taouï* de   Fig. 23. — Nekhabit donne le *sam taouï* à Khâ-
    Pépi I (*L. D.*, II, 116).   sekhem (Quibell, *Hierakonpolis*, pl. 38).

civilisation égyptienne, sont d'une très haute antiquité. Les
monuments archaïques nous en énumèrent déjà les différentes

1. *Deir el Bahari*, III, pl. LX.
2. *L. D.*, III, 122 *b* (Horemheb).
3. Brugsch, *Die Festkalender*, p. 13 et pl. VII, I. 22-23 ; la figure 21 reproduit la scène de Karnak. Il semble que cette cérémonie ait pour but
de définir le pouvoir qu'a Pharaon-Horus de lancer, comme le soleil, ses
rayons dans les quatre parties du monde.

scènes : le « lever du roi du Sud » (*souton khâ*), le « lever du roi du Nord » (*bâït khâ*), le *sam taouï*, le *rer ha*, ainsi que la « royale montée » vers le dieu principal[1]. D'autre part, nous possédons des représentations très anciennes de la fête *sed*, qui reproduit les cérémonies d'intronisation : il y a donc lieu d'admettre que dès l'époque archaïque les rois d'Égypte étaient couronnés de la même façon que les Thoutmès ou les Ramsès. D'ailleurs, nous verrons plus loin (chap. V et VIII) que les mêmes rites, appliqués aux dieux et aux morts osiriens[2], sont mentionnés dans les rituels des Pyramides, les plus anciens textes religieux qui nous soient parvenus.

A l'autre extrémité de l'histoire d'Égypte, les cérémonies traditionnelles du couronnement se retrouvent encore. On sait que les Ptolémées se faisaient introniser à Memphis[3], dans le sanctuaire de Phtah : la remise des couronnes, l'embrassement du jeune roi par son père en cas d'association au trône, la « royale montée » et l'embrassement du dieu principal étaient encore les principaux épisodes de l'intronisation[4]. Dans le royaume théocratique d'Éthiopie, fondé par les grands-prêtres de Thèbes réfugiés à Napata, le choix du

1. Voir ce qui a été dit plus haut, p. 98. Le plus ancien exemple que je connaisse de la « royale montée » est celui que mentionne la fig. 22 dont la légende se traduit « le roi lui-même va et vient et se lève en roi... ». Il s'agit de Pépi Ier, qui est représenté debout sur le *sam taouï*. La figure 23 d'après des vases d'Hiéraconpolis est le plus ancien témoignage du *sam taouï*.

2. Voir aussi ce qui a été dit plus haut p. 97 au sujet du *rer ha*.

3. Décret de Rosette, *texte hiér.*, l. 8 (cf. *Recueil*, t. VI, p. 12, l. 44); *texte grec*, l. 44.

4. *Rosette*, l. 8. Le roi Ptolémée V était coiffé du pschent, quand, dans le temple de Phtah à Memphis, « on fit pour lui les rites de la royale montée au temple lorsqu'il prit sa grande fonction » ( ) ὅπως συντελεσθῇ τὰ νομιζόμενα τῇ παραλήψει τῆς βασιλείας). Plus loin il est question des « rites du couronnement du roi du Sud quand il prit la royauté de la main de son

roi était fait par le dieu Amon : les candidats à la couronne
défilaient devant la statue dont les bras articulés saisissaient
le prince agréable aux prêtres qui disposaient de l'élection.
Avec cette déformation, l'importance de la « royale montée »
du Pharaon au temple n'est que plus expressive : même avant
la toute-puissance dans l'État de la classe sacerdotale, le
Pharaon n'était reconnu roi d'Égypte qu'après avoir reçu
les couronnes et les chartes d'avènement de la main des
dieux [1].

VII. Jusqu'ici le Roi n'a fait que recevoir ; il lui reste à
rendre aux dieux les bienfaits dont il a été comblé. Les faveurs
divines n'étaient prodiguées qu'à condition de réciprocité.

père »
(l. 10 ; cf. *grec*, l. 46 παρέλαβεν τὴν βασιλείαν παρὰ τοῦ πατρὸς). Mêmes expressions au décret de Canope, *texte hier.*, l. 3-4 ; *texte grec*, l. 6) ; sur le
sens précis de la formule « de la main de son père » voir Révillout, *Revue
Égyptologique*, III, p. 1 sqq...) ; j'y vois une allusion à la cérémonie de
l' « embrassement » tel qu'il est représenté à Deir el Bahari. — « L'embrassement » par le dieu était encore le procédé de consécration usité à
l'époque ptolémaïque : la stèle de Mendès appelle « embrassement »
                la consécration et l'intronisation par Ptolémée III du bélier de
Mendès (l. 8) et l'on rend les mêmes honneurs royaux et divins à Arsinoé,
première femme du Pharaon (l. 12 ; — Brugsch, *Thesaurus*, p. 630). Le
voyage d'Alexandre à l'oasis d'Amon pour voir son père et recevoir de
lui la couronne, n'est qu'un développement de la cérémonie traditionnelle
de la « royale montée au temple » (cf. Maspero, *Comment Alexandre devint dieu en Égypte*, ap. Annuaire de l'École des Hautes-Études, 1897). —
Polybe mentionne l'apposition des couronnes aux enfants royaux mineurs
(*Frag. Hist. græc.*, II, p. xxvii), avant même le moment où l'on pouvait
célébrer l'intronisation Ἀνακλητήρια (Polybe, XXVIII, 10, 8 et XVIII, 38,
3). On trouvera la « royale montée » d'Auguste dans *L. D.*, IV, 71 *a*.
    1. Le témoignage de Diodore (III, 5) sur ce procédé d'intronisation des
rois éthiopiens est confirmé par les monuments des rois éthiopiens, *stèle
de l'intronisation*, *stèle de Nastosenen* étudiées par Maspero (*Études de
Mythologie et d'Archéologie*, III, p. 135 sqq., p. 260 sqq.) et rapprochées
par lui (*ibid.* I, p. 86) du curieux récit fait par Synésius, dans son pam-
phlet *sur l'Égyptien*, écrit vers la fin du ive siècle de notre ère.

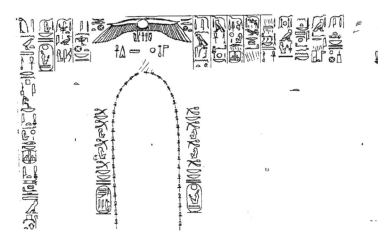

LE ROI SÉTI I PURIFIÉ ET C[...]

Dit par (*Sit*) *d'Ombos*, maître de la terre du Sud : « Mon fils chéri, maître des deux terres *Men-Mâ-Ri*, je t'ai purifié avec la vie et la force, pour que tu rajeunisses comme ton père Râ et que tu réalises des fêtes *sed* comme Toum, te levant (en roi) comme un chef magnanime ».

Le dieu bon *Men-Mâ-Ri*, qui donne la vie.

(A droite et à gauche du roi, Horus et Sit disent) : « Ta purification (est) ma purification ; ma purification (est) ta purification, maître des deux terres, *Men-Mâ-Ri Séti Meri-n-Amon* ».

Dit par *Horus* : « Je t'ai purifié avec la vie et la force pour que ta durée soit la durée de Râ et que tu réalises des fêtes *sed* très nombreuses, te levant (en roi)..... »

Dit par *Toum*, maître this : « Viens vers le Râ, pour qu'il te don[deux terres, et pour q[la vie et la force ».

Le dieu bon, fils d'A[*Men-Mâ-Ri*, maître d[*Amon*, qui donne la vi[

(Devant *Khonsou*). [vers le temple du (di[fasse (au roi) le don d[

Dit par *Khonsou* da[temple pour voir ton [

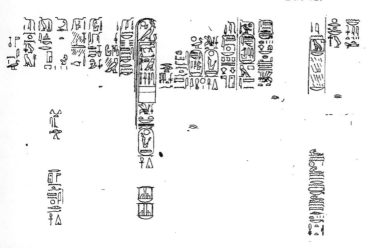

NÉ (Karnak, *L. D.*, III, 124 *d*).

NTÉE

ux terres et d'Hermon-
de ton (père) Amon-
ernité comme roi des
brasse) tes chairs avec

aître des deux terres,
ronnes, *Séti Meri-n-*
e Râ.

venir, royale montée
e Amon-Râ, pour qu'il

bes : « Passe vers le
maître des dieux ».

EMBRASSEMENT ET COURONNEMENT PAR AMON.

Dit par (*Thot*) le maître d'Hermopolis : « Je t'établis ton nom comme Roi dans mes livres; (j'écris)
moi-même que tu as réuni le lotus au papyrus (et
que le sceptre) est en ton poing ».

(Thot suppute les années et écrit le *grand nom
royal*) : « L'Horus Râ, *Taureau vaillant qui se lève
dans Thèbes et agrandit les deux terres*, le roi du
Sud et du Nord, maître des deux terres, *Men-Mâ-Ri*,
qui donne la vie, maître de millions de fêtes *sed*.

(Au-dessus du roi, légende royale de Séti) qui
donne la vie comme Râ, quand son père Amon le fait
se lever (en roi) pour réaliser sa royauté.

Dit par *Amon-Râ* maître de Karnak résidant dans
le temple *Khou Séti Meri-n-Amon* à Thèbes : « J'établis tes couronnes sur ta tête pour que tu te lèves
en roi du Sud et du Nord ».
Dit par *Hâthor* : « ..... vers ton père, qui t'a décrété
les royautés de Toum.
« Comme le soleil existe, ton nom existe; comme le
ciel existe, tes actions (seront) également ».

Pharaon disposait des offrandes humaines « dont vivaient les
dieux » ; aussi dès le moment de sa naissance était-il prédestiné à combler les temples de largesses en échange de la protection divine qui lui était assurée. Le jour du couronnement
étant celui où la faveur des dieux se manifestait pour leur
fils de la façon la plus tangible, devait être aussi le jour où
les donations aux sanctuaires attestaient le plus hautement
la reconnaissance du Pharaon.

Le couronnement était en effet suivi de « fêtes »
hebou où la satisfaction du clergé, des dignitaires, des courtisans, et l'allégresse plus bruyante du peuple étaient provo-
quées par les largesses royales. Les plus favorisés étaient
naturellement les dieux : leurs temples étaient remis à neuf
et agrandis ; les prêtres recevaient, pour la table divine, des
dotations nouvelles ; il est à croire aussi qu'on posait de suite
les fondations du temple où chaque souverain représentait à
la fois pour sa propre gloire et celle des dieux ses pères, sa
naissance divine et son avènement (cf. chap. VIII). Fêtes
et largesses n'étaient d'ailleurs pas limitées à la capitale ; le
roi les répartissait généreusement aux villes de son double
royaume et souvent commençait une visite générale des
sanctuaires. Nous avons vu qu'à la scène finale du couronnement assistaient « les dieux maîtres des sanctuaires du Sud
et du Nord » ; dans la pratique, si l'on se rapporte à ce
qui se passait en des circonstances analogues (fêtes *sed*),
ces dieux étaient représentés par des prêtres, venus de la
Haute et de la Basse-Égypte avec une statuette de leurs maîtres divins [1]. Il faut penser que cette représentation suffisante
pour assurer la participation de tous les dieux d'Égypte au
couronnement ne l'était pas toujours pour le partage des
largesses royales, car il arrive que, de sa propre personne, le
roi aille rendre aux dieux la visite qu'il a reçue.

---

1. Ces délégations de prêtres figurent, comme nous le verrons plus loin,
aux fêtes *sed* de l'époque classique et de l'époque grecque.

On ne sait si la visite du roi aux dieux des grands sanctuaires nécessitait toujours un voyage réel, ou si l'on se contentait de conduire Pharaon dans les chapelles que les diverses divinités possédaient dans les temples thébains[1] ; en tout cas, le texte de Deir el Bahari s'exprime comme si le voyage avait été exécuté. « Lorsque Sa Majesté s'en fut au pays du Nord, à la suite de son père Thoutmès Ier, elle alla vers sa mère Hathor qui préside à Thèbes, vers Ouazit, maîtresse de Bouto, vers Amon, maître de Karnak, vers Toum, maître d'Héliopolis, vers Montou, maître de la Thébaïde, vers Khnoumou, maître de la cataracte, vers le Chef de tous les dieux qui sont dans la Thébaïde, vers tous les dieux du Sud et du Nord. Charmés par elle, ils la guidèrent sur les bons chemins, ils vinrent en lui apportant toute vie, toute force dont ils disposent, et ils lancèrent leur fluide magique derrière elle, se devançant l'un l'autre, en tournant derrière elle chaque jour. Et ils lui dirent : « Viens, viens, fille d'Amon-Râ ; nous voyons les ordonnances dans le pays que tu possèdes ; tu raffermis ce qui allait à sa ruine, tu réalises des fondations dans les temples, tu approvisionnes les tables d'offrandes de qui t'a engendrée[2]... » Des bas-reliefs, malheureusement très mutilés, commentaient ces paroles significatives ; on distingue encore la reine conduite par la main des dieux, dans la position rituelle de la « royale montée » (𓄿𓏏𓊽𓂻) vers les sanctuaires ; elle visite ainsi Toum d'Héliopolis qui lui confirme « les années d'Horus, les portions d'Horus et de Sit, la direction de toutes les terres d'Égypte et de l'étranger[3]. »

1. M. Naville croit à un voyage réel ; M. Maspero suppose une visite aux chapelles des temples thébains (*J. des Savants*, 1899, p. 407) ; l'incohérence de l'énumération géographique des sanctuaires ferait plutôt admettre l'opinion de M. Maspero, mais l'inscription d'Horemheb, citée plus loin, prouve que le voyage réel était fort possible.

2. *Deir el-Bahari*, III, pl. LVII.

3. *Deir el-Bahari*, III, pl. LVIII. — M. Maspero estime (*J. des Savants*,

Les fêtes qui suivent le couronnement d'Horemheb ont le même caractère. « Le ciel est en fête, la terre se réjouit, le cycle des dieux de l'Égypte a la joie au cœur ; et pour ce qui concerne les hommes, ils sont dans les réjouissances, ils s'enivrent (de crier) jusqu'au ciel, grands et petits y prennent leur plaisir ; la terre entière acclame avec allégresse [1]. » Les dieux, en consentant à l'intronisation du roi, lui avaient rappelé que son devoir était de rehausser l'éclat des temples de Karnak, d'Héliopolis et de Memphis [2] ; aussi la fête thébaine n'absorba-t-elle pas toute la générosité royale. « Quand fut achevée cette fête au maître de Louxor, Amon le roi des dieux, on s'en alla heureusement dans la Thébaïde, et Sa Majesté fit voyager en aval et en amont le dieu Horus (son protecteur). — Et dès que le roi eut pris possession de cette terre, il la réorganisa telle qu'elle se trouvait au temps du dieu Râ. Il restaura les temples des dieux depuis les marais d'Adehou (dans le Delta) jusqu'à la Nubie ; il refit toutes leurs statues divines plus nombreuses qu'elles n'étaient auparavant, en plus des embellissements qu'il leur apporta. Râ en poussa des acclamations quand il les vit. Ce que le roi trouva de ruiné d'auparavant, il le remit en place ; il fit cent statues de grandeur naturelle en pierre de prix. Il parcourut les cités où les dieux avaient des édifices dans toute cette terre, et il

1899, p. 407) que la visite aux dieux et les donations que mentionne l'inscription, ont lieu avant l'intronisation, de suite après les purifications initiales, parce que l'inscription du voyage est intercalée entre ces purifications et les parties en lacune qui précèdent les tableaux d'intronisation. — M. Naville au contraire, se demande si le sculpteur a suivi ici l'ordre des faits, et pense que le voyage n'a dû avoir lieu qu'après l'association d'Hâtshopsitou au trône (*Recueil de travaux*, XVIII, p. 94-95). Je partage cette opinion. La reine se présente devant Toum (III, pl. LVIII) avec des noms royaux complets et couronne en tête ; l'intronisation a donc eu lieu. Le texte d'Horemheb, que je cite confirme aussi cette interprétation.

1. Brugsch, *Thesaurus*, p. 1077, l. 20-21.
2. *Ib.*, l. 18.

les dota telles qu'elles l'avaient été au temps de la première
Ennéade, et il leur constitua toutes les offrandes journalières
et tous les ustensiles nécessaires à leurs édifices, travaillés en
or et en argent ; il les munit de prêtres, d'officiants, de soldats d'élite ; il leur fit donation écrite de champs, de bestiaux
et les munit de tout ce qu'il convient d'avoir pour adorer Râ
à l'aurore chaque jour [1]. »

On voit quelles compensations les dieux attendaient du roi
en échange (*r tebou* ⌣ Ⱥ ⌡ ⌒ ⚊ [2]) de leur patrimoine
quand ils le laissaient en héritage à Pharaon. Les dieux
avaient désigné d'avance le mortel qui serait roi, ils l'avaient
procréé, fait naître, élevé, couronné ; aussi leur élu devait-il
avoir véritablement pour eux les soins qu'a un fils pour ses
pères. La nativité, l'intronisation faisaient entrer un mortel
dans la famille divine : mais c'était pour celui-ci, autant qu'un
honneur, une charge dont il avait parfaitement conscience.
A la fin du décret de Phtah Totunen, Ramsès II et Ramsès III
répondent ainsi au dieu qui a rappelé que ses fils lui doivent
leur naissance et leur intronisation : « Tu m'as placé sur ton
trône, tu m'as donné par décret ta royauté... tu m'as transmis ce que tu as créé... Pour moi, je renouvellerai tout ce
qui est agréable à ton cœur » [3]. — Quelles sont ces obligations

1. Brugsch, *Thesaurus*, p. 1077, l. 24-26.
2. *Tebou* est un des termes techniques qui désignent les taxes payées
au trésor royal pour droits de mutation quand le roi constitue un domaine à un de ses sujets (Stèle de Karnak, publiée par Legrain-Erman,
Ä. Z., XXXV, p. 14, l. 5 ; cf. Ä. Z., XXXIX, p. 31). Dans l'inscription de l'intronisation (*Deir el Bahari*, III, pl. LXII, l. 32) on dit de même que Pharaon
« indemnise » Ⱥ ⌡ tous les dieux du *sam taouï* (c'est-à-dire qui président à son couronnement) chacun selon sa bienveillance (cf. Maspero,
J. des Savants, 1899, p. 411, n. 1). Après avoir reçu le patrimoine des
dieux, le roi paie les taxes de mutation par ses largesses. Sur le sens
de *tebou* voir Brugsch, *Revue égyptologique*, I, p. 23.
3. Ed. Naville, *Trans.*, S. B. A., VII, p. 126, l. 30.

qui incombent au fils des dieux — telle est la question à laquelle il nous faut maintenant répondre.

DEUXIÈME PARTIE

LE ROI PRÊTRE DES DIEUX ET DES MORTS

CHAPITRE IV

Le roi constructeur des temples.

I. Les obligations religieuses du roi envers les dieux sont celles d'un fils vis-à-vis de son père dans la société égyptienne. — II. Identité du personnel dans le culte divin et le culte funéraire. — III. Identité des temples et des tombeaux. Comparaison des noms des temples et des tombeaux. — IV. Comparaison de la disposition générale des temples et des tombeaux : origine commune, la maison humaine. — V. Rites pour la fondation et la consécration des temples. — VI. Rites analogues pour la fondation et la consécration des tombeaux et des maisons humaines. — VII. Conclusion : dédicaces communes des temples et des tombeaux.

I. L'étude des titres portés par les Pharaons, l'examen des cérémonies qui accompagnent leur naissance et leur couronnement nous ont permis de dire que le roi en Égypte était, à tous égards, vis-à-vis des dieux, dans la condition d'un fils par rapport à ses pères. Si nous voulons définir les devoirs qui incombaient à ce fils dans la famille divine, nous pourrons chercher des points de comparaison dans les obligations auxquelles était soumis le fils dans la famille humaine. Chez tous les peuples la société d'en haut n'est que la société d'en bas idéalisée ; c'est en effet le tableau idéal des devoirs d'un bon fils que les Égyptiens ont retracé en définissant les obligations officielles de leur roi vis-à-vis des dieux.

Ces obligations se résument en le culte des dieux, de même que les devoirs du fils se résument en le culte des ancêtres. Le roi et le fils sont par excellence ceux qui « exécutent les rites sacrés[1] », et leurs fondations pieuses couvrent encore le sol de l'Égypte. De tous les monuments construits dans la vallée du Nil il ne nous est resté, sauf rares exceptions, que des temples et des tombeaux ; cela tient sans doute à ce que les générations modernes ont délaissé ou respecté les emplacements occupés par les nécropoles et les sanctuaires antiques ; mais c'est aussi parce que les matériaux de choix, les prodigalités, les soins pieux étaient réservés à ces monuments. Rien n'était aussi important que leur fondation et leur entretien pour les membres de la famille royale-divine comme pour les membres des familles humaines. Dans le papyrus connu sous le nom de « Maximes d'Ani », on donne ce conseil au fils de chaque famille : « Ah ! fais la libation funéraire à ton père et à ta mère qui sont dans la vallée funéraire. Celui

---

1. La formule « faire les rites » est si caractéristique qu'elle apparaît maintes fois intercalée, comme titre supplémentaire, dans le protocole officiel des Pharaons : c'est ar khetou « faire les choses » « res facere », c'est-à-dire faire les sacrifices. Voir par exemple A. Gayet, Louxor, pl. XXVII, fig. 86. La même formule caractérise l'action des prêtres du culte funéraire (par ex. R. I. H., pl. IX). Le titre du rituel du culte divin (voir mon étude sur ce sujet, p. 7) est ainsi conçu « commencement des chapitres des rites divins » nouter-khetou. — Une autre formule analogue, àr khou, ou sekhou « faire les choses utiles, célébrer le service sacré », caractérise le rôle du roi dans le culte divin, et celui du fils dans le ulte funéraire (par ex. L. D., II, pl. 25, 30, 35, 71, etc.).

qui fait cela, certes, son fils le lui fera aussi, pareillement[1]. »
Cette perpétuité du culte, le roi la promettait aussi aux dieux.
Ceux-ci lui ont donné la vie et la force : « en échange, je célébrerai les rites en tous lieux, véritablement, en toute stabilité et durée, à toujours et à jamais ; tant qu'ils (les dieux)
seront sur terre, je les leur célébrerai, moi, le fils du soleil...[2] »

Ainsi, dans les tombeaux, les ancêtres de chaque homme
recevaient le culte funéraire de la main de leur fils ; dans les
temples les dieux attendaient le culte divin de la main du roi,
leur fils aussi. Si cette analogie de principe entre le culte
d'état célébré par le Pharaon et le culte de famille célébré
par le fils, est confirmée par le détail des cérémonies, nous
aurons une indication de première valeur sur l'importance
sociale de la filiation qui relie le Pharaon aux dieux.

II. Le personnel qui célèbre le culte funéraire est à comparer tout d'abord avec celui qui officie dans les temples pour
le culte divin.

Sur les murs des tombeaux, sur le champ des stèles, sur les
feuillets des papyrus, partout où les scènes ritualistiques du
culte funéraire rendu aux ancêtres sont représentées, un personnage est mis en évidence qui, le vase à libations, l'encensoir ou l'offrande en main, prononce les formules efficaces
devant l'image du père. Ce personnage, pour nous servir de

1. Amélineau, *La morale égyptienne*, p. 40

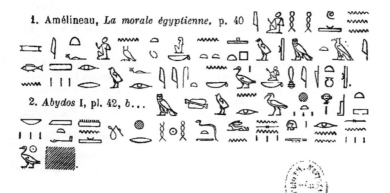

2. *Abydos* I, pl. 42, b...

mots répétés mille fois sur tous les monuments funéraires,
est, vis-à-vis du défunt, « son fils aîné, son fils chéri, (né)
vraiment de son ventre, celui qui est en son cœur et au siège
de son cœur, l'aimé de son père, le favori de sa mère, l'aimé
de ses frères et sœurs, celui qui a mis au cercueil son père... »

...)[1]. L'épithète « fils chéri »

sa mir-f a ici un sens précis ; de simple terme de tendresse
qu'elle était au début, elle devint un titre sacerdotal que
portait le fils chargé du culte ou le prêtre de carrière qui remplaça peu à peu le fils dans la célébration des offices. Ainsi
s'affirme le caractère officiel du culte filial dans la religion
des ancêtres.

Les rituels du culte funéraire et les tableaux des tombeaux
nous montrent que le fils est entouré des membres subsistants
de la famille pour le service sacré. Au premier rang sa femme
(qui est généralement sa sœur), puis ses frères et sœurs et,
quand elle vit, la mère, l'épouse du père défunt. Quand les
membres de la famille ne célébrèrent plus effectivement les
offices, les prêtres et prêtresses de carrière, qui les rempla-
çaient, prirent leurs noms et leurs titres de parenté, de même
que l'un d'eux assume, le cas échéant, le rôle de « fils chéri ».

Parmi les membres de la famille[3], sont des « amis »

---

1. Inscription de Zaou, VIe dynastie, *Recueil de travaux*, XIII, p. 66-67.
Les exemples de ces titres sont innombrables et de toutes les époques.
2. Sur le sens du titre *sa mir-f* voir Maspero, *Études de mythol.*, I,
p. 290, n. 2. — Le groupe   peut se lire *sa our* ou

sa samsou ; dans les deux cas, le sens est « fils aîné » (cf. Maspero,
Études égyptiennes, II, p. 22). Voir aussi *Rituel du culte divin*, p. 132, n. 3.
3. Les textes seront cités au chapitre V, quand je parlerai de la famille

⚱ 🦅 ‖ [1] *smerou*, des « alliés » 🦅 🦅 ⌒ ⦙⦙⦙ *samitou*, puis des clients, des « attachés » ⦗ ⟋ 🦅 🦅 [2] *àmakhou*. Joignons-leur les prêtres de profession, « officiants », 🦅 ⟁ ⟋‖ [3] *kher hebou*, qui, le rouleau de papyrus en main, récitent les formules et indiquent à chacun le geste à faire, la place à prendre; puis des comparses, le ⦗ 🦅 *sam* « domestique » ou le ⦗ ⌒ 🦅 *sotem* « auditeur ». Enfin, les funérailles accomplies, des « prêtres du double » ⦗⦙⦘ *hon ka* [4] étaient chargés de l'entretien de la tombe et du service régulier du culte funéraire.

De la famille humaine, passons à la famille royale : nous

---

osirienne, à qui s'identifie par le culte, toute famille humaine ou royale. — Cf. Maspero, *Études de mythol.*, I, p. 290-292, d'après le rituel des funérailles.

1. Le fils porte fréquemment le titre ⦗⟋⌒ *semer n tef* « ami » de son père (*L. D.* II, 12, 15, 34, 42, etc.).

2. Les fils, aînés ou non, sont les « attachés de leur père ». — Voir à ce sujet mon étude sur *La condition des féaux* (*Recueil*, XIX, p. 118).

3. Le fils peut être aussi fréquemment le 🦅 ⟁ ⟋ de son père (voir les nombreux exemples cités par Schiaparelli, *Libro dei funerali*, I, p. 29) — presque toujours le même fils est *semer* de son père. Ces exemples sont généralement empruntés à la famille royale ; mais le roi mort redevient un homme soumis aux conditions de tous les hommes (voir ch. VIII); à ce titre le culte familial qu'on lui rend est le même que celui célébré dans toute famille du commun.

4. Sur les prêtres de double, voir Maspero, *J. Asiatique*, 1890, p. 300. On distingue trois degrés dans leur hiérarchie : 1° les inspecteurs de prêtres de double ⦗⦗⦙⦘ ; 2° les prêtres de double ⦗⦙⦘ ; 3° les suivants des prêtres de double 🦅 ⟋⌒⦗⦙⦘. — A l'époque archaïque des tombeaux d'Abydos et de Négadah, on voit figurer des ⦗🦅⦘

retrouvons les mêmes personnages, sous les mêmes noms, avec les mêmes rôles. Au premier plan est le fils des dieux, le Pharaon ; sur les murs de tous les temples d'Égypte comme dans les rituels sacrés, il nous apparaît célébrant le culte de ses pères, occupant la première place pour l'exécution de tous les rites religieux. Lui aussi est appelé « fils chéri » [image] [1],

lui aussi s'intitule l' « officiant » [image] [2] ou le « domesti-

que » [image] [3] de son père, le dieu possesseur du temple. Tous les actes du culte, en principe, sont exécutés par le « roi lui-

même » [image] [4] (*souton zes-f*), et, en fait, les rites essentiels, ceux qui comportent la mise en présence du prêtre et du dieu, ne peuvent être accomplis que par lui [5]. Mais,

---

ka khou « ceux qui font les rites (*khou*) du double », qui me semblent les précurseurs des prêtres de double ; ce titre disparaît quand apparaît au contraire le [image] . (De Morgan, *Recherches*, II, p. 239-240).

1. De même que dans le culte funéraire, le titre « fils chéri » désigne pour le culte divin, le nom d'un prêtre de carrière qui remplace le roi, par ex. dans le nome héracléopolitain (Maspero, *Études de myth.*, I, p. 290, n. 2). Ainsi, sur une stèle du musée de Boulaq (XIIe dyn.) un personnage se vante « d'avoir fait le Fils chéri dans les cérémonies de la Salle d'or pour les mystères du maître d'Abydos (Osiris) ». (Maspero, *Études de mythologie*, IV, p. 140-141).

2. Par ex. à *Abydos*, I, pl. 39, a et 40 a, le roi Séti I est [image] « l'officiant de son père » Sokaris.

3. Par ex. à *Abydos*, I, pl. 36 a, le roi Séti I est [image] « domestique » du dieu Seb.

4. La formule est employée par ex. à Abydos pour Séti I qui lace le taureau du sacrifice (I, pl. 53), apporte le plateau chargé d'offrandes (I, pl. 47, a), dispose les offrandes sur la table (pl. 47 b), prononce la formule du *souton di hotpou* (pl. 44-45). Dans les tableaux des temples, nul personnage autre que le roi n'est représenté célébrant les rites du service divin. Comme pour le *sa mir-ef*, l'expression *souton zes-f* a servi à désigner un prêtre de carrière (cf. *Dendérah*, I, pl. 76).

5. Voir à ce sujet mon étude sur le *Rituel du culte divin*, p. 8 et 43.

comme, pratiquement, Pharaon ne peut officier dans tous les
sanctuaires à la fois, il délègue son pouvoir à un prêtre de
carrière ⟨⟩ *noutir hon*, le « prêtre du dieu », titre symétrique à ⟨⟩ *hon ka* le « prêtre du double ». Le prêtre n'agit point
alors pour son propre compte, il s'incarne dans le roi. De
même que les prêtres du culte funéraire deviennent le « fils
chéri », le « prêtre du dieu » déclare qu'il est le Pharaon, ou
que « Pharaon l'a expressément envoyé » pour le culte[1] : nul
en effet ne peut paraître devant le dieu, excepté Pharaon ou le
prêtre à qui le roi donne sa personnalité.

Aux côtés du roi, pour les cérémonies extérieures, c'est le
même personnel de parents et de clients qu'autour du fils dans
le tombeau. La reine assiste le roi[2] en tant qu'épouse du dieu;
le fils aîné du roi a le rôle de servant[3]; les autres enfants[4],
les frères, les parents du roi, les « amis », les « attachés » et
toute la classe sacerdotale se partagent, autour du chef de la
famille divine, les soins de l'entretien du temple et de l'exécution des liturgies. Ainsi, le culte rendu par le roi à ses pères
utilisait le même personnel de prêtres que celui qui figurait
aux tombeaux des familles du commun; dans l'un et l'autre cas
le dieu, ou le mort, était honoré par ses enfants et ses clients.

1. *Rituel du culte divin journalier*, p. 43.
2. Le rôle religieux de la reine a été parfaitement défini par Maspero,
Histoire, I, p. 271-273 et *Journal des Savants*, 1899, p. 347.
3. Le fils aîné porte alors, comme dans le culte funéraire, le nom de
samsou ⟨⟩ « l'aîné »; chez les dieux, le titre était porté
par Thot, le servant d'Horus dans les rites osiriens, à tel point que certains rituels (*Pap. Rhind*) transcrivent par *samsou* le nom du prêtre
qui joue le rôle de Thot (Brugsch, *Wört*, p. 1233. — *Die Aegyptologie*,
p. 189 sqq.). — De bons exemples du fils royal aîné « servant » de son
père dans le culte, sont donnés pour Ramsès II assistant Séti I, dans
Abydos, I, pl. 43, 44, 46, 53.
4. Cf. Maspero, *Histoire*, I, p. 273. Les enfants de Ramsès II et de
Ramsès III figurent à plusieurs cérémonies (*L. D.*, III, 168, 214).

III. Comparons maintenant les édifices où le roi et le fils adorent leurs pères; dans le choix des noms que l'on donne aux temples et aux tombeaux, nous trouverons d'abord quelques indications utiles.

Les inscriptions dédicatoires des temples et les documents officiels nous apprennent que le nom le plus général du temple était ⌐⌐ *pa* « la chambre ou la maison » de tel ou tel dieu. Plus spécial déjà est le nom qui s'écrit par le plan abrégé d'une enceinte rectangulaire avec porte ▯⌐ *hâït* « l'édifice, la demeure »[1]; on pouvait inscrire à l'intérieur le nom du dieu ⌐ propriétaire ⌐⌐, et à cet égard le signe ▯ est encore comparable au ▦ *srekh* où l'on insère le nom de double du Pharaon. On qualifiait souvent le mot « demeure » d'une épithète ⌐ « divine », ⌐ pure, ⌐ ou ⌐ « grande », ⌐ « sublime »[2]. On désignait

---

1. Cf. Maspero, Sur le sens des mots Nouït et Hâït (*P. S. B. A.*, XII, p. 236 sq. et *Études de mythol.*, IV, p. 351 sqq.). L'auteur traduit *hâït* par « château » et y voit le plan d'une enceinte fortifiée. Évidemment le temple était la forteresse du dieu, comme la cathédrale au moyen âge; mais le mot « forteresse » existe en égyptien ⌐⌐ « la maison forte » et le sens de ▯⌐ est plus général. J'y vois le plan cavalier d'un édifice dont la façade est représentée par le signe ▯ ou par le cadre *srekh* ▦, ▦. A Béni-Hasan les princes de la gazelle se disent « préposés à la demeure de Seb » ⌐⌐ (*L. D.*, II, 135 *h*), et dans cette formule le signe ▯ échange avec le ▦ orné des deux yeux magiques (*L. D.*, II, 129).

2. Voir les différents noms du temple de Séti I à Abydos, d'après les dédicaces de la salle D (*Abydos*, I, 14 *a*, 19 *c*, 20 *d*). — Cf. Gayet, *Louxor*,

aussi parfois le temple entier par le sanctuaire, le tout par la partie; le nom ordinaire du sanctuaire était ⌐ àsit « le siège, la place » accompagné aussi d'épithètes ⌐ « grand », ⌐ «pur »[1]. Il existe encore d'autres noms qui caractérisent soit une disposition matérielle du sanctuaire, soit une intention spirituelle : par exemple ⌐ àsit « syringe »[2],

⌐ ⌐[3] « escalier » (qui donne accès au naos placé dans le sanctuaire), ⌐[4] « siège du cœur », ⌐ ⌐[5] « adytum ».

Ces noms de la demeure des dieux sont ceux que les hommes donnaient à leurs tombeaux de famille où pères, mères, enfants, maîtres et clients se réunissaient un jour. Le terme le plus général était aussi celui de « maison » ⌐ pa,

p. 24, 26, 29, dédicaces des architraves de la salle hypostyle. — Les inscriptions de Siout, de la XIIᵉ dyn. (Griffith, *Siut*, pl. V, l. 244) parlent d'un administrateur de la « demeure divine dans la place sublime »

⌐ ⌐ ⌐ ⌐ ⌐ ⌐ ⌐ .

1. Voir les dédicaces des six salles voûtées à Abydos (I, pl. 18 et 19 *a*).
2. *Deir el Bahari*, III, pl. LX, l. 3 et 10, la salle du roi y est appelée

⌐ ⌐ ⌐ ⌐ ⌐ « sa demeure dans la syringe (sanctuaire ou tem-

ple) » ; le même mot ⌐ ⌐ désigne à Bubastis le naos ou sanctuaire, dans lequel le roi Osorkon II repose pour être adoré (Ed. Naville, *The Festival-Hall*, pl. X, n° 3); Naville (texte, p. 25) a judicieusement montré l'intérêt de ce terme.

3. *Abydos*, I, 19 *a*. L' « escalier du dieu grand à Abydos » était un des noms connus du temple d'Osiris; cf. Loret, *Sphinx*, V, p. 43, et *R. I. H.,* pl. CCC.

4. P. ex. Brugsch, *Thesaurus*, p. 1286, l. 26; cf. ⌐ ⌐ ⌐ *Abydos*, I,

pl. 14 *a*, ⌐ ⌐ ⌐ ⌐ I, 19 *e*.

5. Voir *Rituel du culte divin*, p. 93.

avec une épithète qui la distinguait des habitations éphémères
de la vie, la « maison éternelle », c'est-à-dire fondée, concédée
à perpétuité ⌐⌐ ⌐⌐ *pa zet*[1]. Le nom de « demeure »
🔲 *hâït* est également très fréquent[2]; à l'époque ancienne
on inscrivait à l'intérieur le nom du propriétaire, quand
celui-ci était un pharaon; dans ce cas la « demeure » est très
souvent une maison d'habitation dans un domaine et non un
tombeau[3]. Ceci montre le sens très général de ces mots, qui ne
désignent le temple ou le tombeau qu'avec le sens vague « demeure du dieu, demeure du mort[4] ». Quand 🔲 est un
tombeau, on y ajoute souvent le nom du double 🔲
Hâït ka « la demeure du double[5] »; on sait que le temple de
Phtah à Memphis portait cette même dénomination 🔲
🔲 *Hâït ka Phtah* « la demeure du double de Phtah ».
Pour désigner les parties du tombeau, on use de la même ter-
minologie que pour les temples; sans distinction de temps

1. Maspero, *Études de myth.*, IV, p. 352.
2. Maspero, *ibid.*, p. 366 sqq.
3. Maspero, *ibid.*, p. 370. C'est ainsi que les domaines affectés à l'entretien des tombes royales ou humaines prennent souvent le nom de 🔲
sous l'Ancien Empire. Dans ce sens-là, le mot ⊗ *nouït* « domaine
rural, villa, ville » est aussi très souvent employé, tant pour le compte
des dieux que pour le compte des hommes (Maspero, *ibid.*, p. 369-370).
4. Ce sens vague apparaît, par ex., dans le rescrit de Pépi II à Hirkouf
(VIe dynastie) où le roi indique que le convoi d'Hirkouf touchera des
vivres « dans toutes les demeures (*hâït*) de l'intendance royale et dans
toutes les demeures divines » (🔲
Études de myth., II, p. 432). Ici le mot *hâït* désigne indifféremment les
magasins royaux de subsistance et la demeure du dieu.
5. Nombreux exemples dans Maspero, *Études de myth.*, IV, p. 367-
369.

ni de formes, la tombe est appelée une « syringe » ⟨hiero⟩
àsi, asit[1], une « place » ⟨hiero⟩ *àsit*, ou avec l'épithète déjà
donnée au temple, ⟨hiero⟩[2] *àsit àb* « la place du cœur ».
Comme dans les temples, il était besoin d'un escalier pour
monter jusqu'à la statue du mort, debout dans la fausse porte
de la chambre terminale du tombeau : cet escalier ⟨hiero⟩
red[3] est une particularité notable qui peut fournir, au besoin,
un nom au tombeau. Toutes ces formules sont parfois grou-
pées dans les phrases des stèles funéraires : tel défunt parle
de « sa place (*às*) dans l'Amenti, de sa syringe (*àsit*) à l'intérieur de sa demeure[4] » (*hàït*); tel autre se vante d'avoir élevé
une haute « syringe » (*àsit*) un large escalier (*red*) dans sa
bonne « maison »[5] (*pa*). On ne désignerait pas autrement
les parties d'un temple.

1. La syringe peut être aussi bien un mastaba (Mariette, *Les mastabas*,
p. 201-205) qu'un hypogée comme à Siout (Griffith, *Siut*, pl. XV, l. 20;
XIV, l. 67) ou à Assouan (De Morgan, *Catalogue*, I, p. 152, 164).

2. Le mot ⟨hiero⟩ est extrêmement fréquent pour désigner la tombe ;
le groupe ⟨hiero⟩ est commun aussi : par ex. De Morgan, *Catalogue*, I,
p. 174, p. 197, où des prêtres du culte funéraire sont préposés à « la
place du cœur de leur maître », le propriétaire de la tombe.

3. Par ex. *Siut*, pl. XIV, l. 67; pl. XV, l. 20. Un bon exemple de l'escalier devant la statue du mort se trouve dans la tombe de *Mera*, de
l'Ancien Empire (cf. Maspero, *Histoire*, I, p. 253).

4. *Tomb. d'Assouan* (De Morgan, *Catal.*, I, p. 177) ⟨hiero⟩
⟨hiero⟩

5. *Siut*, pl. XV, l. 20 ⟨hiero⟩
⟨hiero⟩ — Cf., pl. VIII, l. 308, il est question de « l'escalier attenant à la syringe » ⟨hiero⟩ en haut duquel
est la statue du défunt.

IV. La disposition générale des édifices divins ou funéraires présentait en effet les plus grandes analogies ; les uns et les autres s'inspiraient d'un modèle commun qui était tout simplement la maison humaine du type usuel. Le site de Kahun, déblayé par M. Petrie, nous en a conservé des modèles dans une ville de la XIIe dynastie ; M. Borchardt, un égyptologue qui est aussi un architecte, a étudié ces maisons et les a comparées aux plans des palais de la XVIIIe dynastie

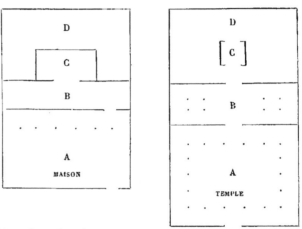

Fig. 24. — La maison humaine (figure schématique) et le temple (d'après Steindorff, Ä. Z., XXXIV, p. 109). A cour ; B hypostyle large ; C chambre centrale ou sanctuaire ; D dépendances.

dessinés dans les hypogées d'El-Amarna. Maisons et palais se réduisent à un plan général unique[1] : un mur d'enceinte, puis une cour à ciel ouvert, pourvue au fond d'une « colonnade » ⳩ *ouakha* ; une salle peu profonde mais « large » ⳩ *ouskhit* ; enfin une salle profonde et « centrale » ⳩ (*out* chambre du milieu) ; tout au-

1. G. Steindorff, *Haus und Tempel* (Ä. Z. XXXIV, p. 107).

tour les salles des femmes, des enfants, des domestiques, les cuisines, magasins, resserres, disposées sans ordre apparent[1]. M. Steindorff a comparé très heureusement ce plan général à la disposition des temples du type classique[2] : le mur d'enceinte franchi par la « grande porte » ou pylône, on trouve là aussi une cour à ciel ouvert, appelée ⟨hiéroglyphes⟩ *kkonit* (« la partie antérieure »), dont une « colonnade » couvre les ailes latérales et le fond. De là on pénètre dans une salle hypostyle, plus large que longue, appelée « salle large » *ouskhit* ⟨hiéroglyphes⟩ ; puis le sanctuaire[3], plus long que large, noyé au centre des bâtiments, correspond à la salle profonde et centrale de la maison. Les chambres particulières des dieux parèdres, les magasins, les greniers, les cryptes étaient disposés tout autour du sanctuaire comme les dépendances des maisons privées. Ce plan pouvait subir des modifications, par dédoublement de la cour, de l'hypostyle, du sanctuaire, et par multiplication des magasins, des chapelles et des cryptes[4]; mais l'économie générale restait la même (fig. 24).

1. Voir le plan reproduit par Steindorff d'après Petrie, *Illahun*, pl. XIV.

2. M. Steindorff a choisi comme exemple le temple de Khousou à Thèbes.

3. Le nom ordinaire du sanctuaire est ⟨hiéroglyphes⟩ *pa our* à l'époque classique, puis ⟨hiéroglyphes⟩ et quantité d'autres noms (*Abydos*, I, 14 *a*, 19 *c*, 20 *d*). On trouve aussi pour le temple comme pour la maison le nom ⟨hiéroglyphes⟩ *Hàït outout* « chambre du milieu » (Brugsch, *Wört. Supp.*, p. 364).

4. A Abydos (XIXᵉ dyn.) le temple de Séti I a deux cours, deux hypostyles, sept sanctuaires. A Thèbes, le Rameseéum a deux cours, une grande hypostyle et deux petites, un sanctuaire. Les grands temples gréco-romains modifient la colonnade de la cour en unissant par un mur les colonnes du premier rang; on obtient ainsi un « pronaos » ; — l'hypostyle est réduite en largeur par la création de chapelles ou magasins sur ses flancs (p. ex. à Dendérah ; cette disposition existe déjà à

On retrouve celle-ci dans les tombeaux, quel qu'en soit le type, pyramide, mastaba, hypogée[1] : une « salle avancée », formant cour, appelée aussi ⌂ *khonit*[2] ; une salle large soutenue par des piliers 𓄿𓏲𓎡𓄿 *oukha* « salle à colonnes[3] » ; une chambre intérieure nommée parfois *outout*[4], parfois portant d'autres noms ; là se dressait la

l'époque classique dans certains temples, celui de Séti I à Gournah, de Ramsès III à Medinet Habou) ; — le sanctuaire n'est plus ouvert dans le fond. — Dendérah a une cour, trois salles *ouskhit* un sanctuaire ; Edfou a une cour, un pronaos, trois salles *ouskhit*, un sanctuaire ; Ombos a une cour, un pronaos, quatre salles *ouskhit*, un sanctuaire double. Malgré la multiplication des parties, le plan général est respecté. (Pour les plans, cf. Baedeker, *Égypte*.)

1. Steindorff cite comme exemples parfaits de tombeaux, celui d'*Ameni* à Beni Hasan, et les hypogées d'Assouan. (Cf. Newberry, *Beni Hasan*, I, pl. IV.)

2. Le rituel funéraire fait intervenir des officiants appelés ⸗ ⌂ c'est-à-dire « celui qui se tient dans la *khonit* », ce qui montre l'existence de cette salle dans tout tombeau complet. (Schiaparelli, *Libro dei funerali*, I, p. 57 ; cf. Maspero, *Etudes de myth.*, I, p. 291, n. 2.) — Dans la *khonit* (cour) des temples, il y a aussi des prêtres appelés ⸗ ⌂.

3. Le prince de Beni Hasan, Khnoumhotpou appelle 𓄿𓏲𓎡𓄿 *oukha* « salle à colonnes » cette pièce (Maspero, *Études de mythol.*, IV, p. 159 sqq.) et donne des détails sur l'édification des piliers et des portes ; c'était là un lieu commun des inscriptions funéraires (cf. inscr. d'Hirkouf à Assouan, De Morgan, *Catalogue*, I, p. 164 ; inscr. des princes d'Hermonthis publiées par Lange (*Ä. Z.* XXXIV, p. 27, l. 11 sqq., p. 33, l. 8) ; Piehl, *Inscr. hiérogl.*, 3e série, pl. 10, I. — La pièce correspond évidemment à l'*ouskhit* des temples.

4. L'inscription de Khnoumhotpou à Beni Hasan (Maspero, *Études de myth.*, IV, p. 160) mentionne dans la tombe une salle *outout* qui ne peut être que l'équivalent de la chambre du milieu de la maison et des temples. Le nom habituel de la chambre funéraire est ⬚ *hâit noub* « chambre d'or », donné aussi aux sanctuaires des temples.

stèle et la statue du défunt. Plus loin, dans l'intérieur du bâtiment, les magasins d'offrandes, les couloirs (*serdab*) conduisant au caveau de la momie. La multiplication des salles et le développement de telle ou telle partie du tombeau, suivant les époques, n'altèrent que superficiellement le plan général [1].

La tombe contenait parfois, quand elle était de grandes dimensions, des chambres spécialisées à certains rites : « chambres d'adoration » ⬡ [2] *pa douaït*, « chambre des libations », ⬡ *ouàbit* [3] « chambre du feu », ⬡ [4] *pa teka* « chambre d'or » ⬡, ⬡ [5] *haït, pa noub*. Toutes ces subdivisions se retrouvent, avec les mêmes noms, dans les temples.

Enfin les tombes riches sont entourées d'arbres formant bois sacré, d'un petit lac ou bassin ⬡; bois sacré et lac font aussi partie intégrante du temple; de même toute habitation humaine aisée les comprenait dans son enceinte [6].

1. Par ex. dans les tombeaux royaux de Thèbes ou le tombeau de Patuamenap (*Ä. Z.*, 1883, pl. II).

2. Par exemple au tombeau de Patuamenap, publié par Dümichen *Der Grabpalast*, I, pl. V, l. 1. Sur le *pa douaït* des temples, cf. ch. VII.

3. Sous la forme ⬡ ⬡ ⬡ elle existe dans les temples ptolémaïques d'Edfou et de Dendérah.

4. Par exemple au tombeau de Patuamenap (Dümichen, *Ä. Z.*, 1883, p. 14, et *Ä. Z.*, XXI, pl. I). La chambre du feu ⬡ ⬡ ⬡ fait pendant à la chambre des libations à Edfou et Dendérah.

5. La salle d'or existe théoriquement dans tous les tombeaux, d'après le *Livre des funérailles*. Cf. Schiaparelli, I, p. 50.

6. C'est sur ces arbres et sur les bords du bassin que l'âme du défunt vient prendre le frais (*Louvre, stèle C* 55, l. 5-6). Voir les représentations des arbres et du bassin au tombeau d'Anna (Maspero, *Histoire*, I, p. 201). — Souvent les inscriptions funéraires relatent la plantation des arbres, le creusement du bassin (inscr. de Khnoumhotpou, dans Maspero, *Études de mythologie*, IV, p. 160 ; *Inscr. d'Hirkouf* à Assouan dans De Morgan,

A. MORET. 9

Ainsi rien ne distingue la maison du dieu de la demeure habitée par les hommes de leur vivant et après leur mort. Partout, il y avait une partie de la demeure ouverte à tout venant (la cour), une salle de réception d'accès plus réservé (hypostyle) enfin la chambre intérieure où la famille entrait seule (chambre nuptiale, sanctuaire, salle funéraire). Les dieux d'Égypte vivaient dans leurs temples à la mode des mortels, et Pharaon n'avait rien innové en construisant les maisons destinées à sa famille divine. Des salles de dimensions inusitées, un luxe proportionné à la dignité suprême des dieux, voilà ce qu'on trouvait dans les temples en plus de ce qu'il y avait dans toute demeure humaine.

V. C'est dans la fondation, et la consécration des demeures des dieux ses pères que le roi se révèle tout d'abord comme prêtre de la famille divine. Les temples nous ont conservé le rituel observé en ces occasions.

La fondation d'un temple était conçue par le roi avec la collaboration de ses pères les dieux[1]. A l'époque où ceux-ci régnaient en Égypte, un « livre de fondation des temples pour les dieux de la première ennéade » ( ) avait été rédigé par le dieu Imhotpou, « officiant en chef » (*kher heb her tep*) du culte de son père Phtah. Ce livre avait été emporté au ciel lorsque les dieux s'étaient retirés de la terre, mais Imhotpou « l'avait laissé tomber du ciel au nord de Memphis » ( )

Catalogue, I, p. 164). — Sur le bois sacré et le lac des temples cf. Mariette, *Dendérah*, texte p. 87-90. Voir un jardin et un bassin d'une habitation d'hommes vivants dans Maspero, *Histoire*, I, p. 340.

1. Tout ce qui est relatif à « la construction et à la protection des édifices » divins ou humains en Égypte, a été fort bien exposé par M. Lefébure, *Publications de l'École des Lettres d'Alger*, IV, *Rites Égyptiens*. C'est à cet ouvrage que j'emprunte la plupart de mes citations.

⚬⚬ ⚬) sans doute quand un des rois humains avait voulu élever un temple; c'était suivant les prescriptions de ce livre qu'on avait arrêté « le plan général » (∼∼∼) *senti our*) du temple ptolémaïque d'Edfou[1]. Même origine divine était relatée pour le plan du temple de Dendérah; les bâtiments furent réédifiés sous les Ptolémées suivant « un plan général écrit en écritures anciennes sur peau de chèvre au temps des serviteurs d'Horus (époque de la lutte d'Horus contre Sit); il fut trouvé dans l'intérieur d'un mur de briques de la maison royale au temps du roi Miri-Rî Pépi (VIe dynastie) »; un autre texte attribue la trouvaille « au temps du roi Chéops (IVe dyn.) »[2]. D'après un manuscrit sur cuir de la XIIe dynastie, le roi Ousirtasen Ier n'avait pas procédé autrement pour fonder ou renouveler les fondations du temple de Râ à Héliopolis : là aussi un « officiant » était muni du « livre divin » ( ) pour dresser le plan de l'édifice[3]. Nous pouvons admettre semblable origine divine pour les plans de tous les temples égyptiens : le roi ne construisait la maison de ses pères que d'après des « projets » établis par ceux-ci en personne, au temps où ils vivaient et régnaient dans la vallée du Nil.

Avant d'appliquer sur le terrain les indications des livres sacrés, le roi tenait conseil. Le manuscrit qui relate la fondation d'Héliopolis nous montre le roi Ousirtasen assis dans la salle du trône et délibérant avec ceux de son entourage, les Amis et les Grands. Dans un discours pompeux, composé de formules qui revenaient invariables en pareille occurrence, le roi rappelle que tout ce qu'il possède, royauté, vie, gloire

---

1. Brugsch, *Bau und maasse des Tempels von Edfu* (*Ä. Z.*, 1872, p. 3-4).
2. Mariette, *Dendérah*, III, 78, *a* et *k*.
3. Stern, *Urkunde über den Bau des Sonnentempels zu On* (*A. Z.*, 1874, p. 85 sqq.).

lui vient de son père Râ; aussi doit-il lui fonder un temple et lui présenter des offrandes divines. Les « Amis » répondent par des paroles de circonstance, dont le développement était réglé d'avance, où l'adoration du dieu s'unit à la louange du roi. Le roi reprend la parole et décrète que les travaux commenceront de suite; puis « il se lève, orné du bandeau royal et des deux plumes, tous les courtisans sont derrière lui; Sa Majesté et l'officiant en chef (munis) du livre saint se mettent à tendre le cordeau et à planter le pieu en terre »[1].

Alors s'exécute le rituel de fondation des temples. Il nous a été décrit en détail par des textes et des tableaux de toutes les époques, dont les plus développés sont dans les grands sanctuaires reconstruits à l'époque ptolémaïque ou romaine, Edfou, Dendérah, Esneh. Le roi (un Ptolémée ou un César) officie, assisté par les dieux, dont les rôles étaient tenus par des prêtres. Les opérations commençaient de nuit, pour que le roi puisse orienter l'axe du temple suivant les rites en se réglant sur la position de la Grande Ourse; muni de quatre pieux et d'un cordeau d'arpentage, il établissait les quatre angles et le pourtour de l'enceinte : « J'ai pris le pieu, dit le roi à Edfou, et le maillet par le manche, j'ai empoigné la corde avec la déesse Safkhit; mon regard a suivi la course des étoiles, mon œil s'est tourné vers la Grande Ourse, j'ai mesuré le temps et compté (l'heure) à la clepsydre, alors j'ai établi les quatre angles de ton temple »[2]. Le rôle des dieux est plus apparent encore dans un récit de la fondation du

1. Stern, A. Z., 1874, p. 86-90. — M. Lefébure remarque justement que parfois « la délibération du roi est tout intérieure » et se réduit à un monologue, comme lorsque la reine Hâtshopsitou eut l'idée d'ériger deux obélisques (Rites Égyptiens, p. 31).

2. Brugsch, Bau und Maasse des Tempels von Edfu (Ä. Z., 1870, p. 154 et 155). — Cf. Lefébure, Rites Égyptiens, p. 31. La déesse Safkhit « qui préside à la maison des livres divins » est aussi celle « qui préside au rituel de la fondation des temples », parce qu'elle détient les formules à cet usage.

temple de Séti Ier à Abydos. « Je l'ai fondé avec Sokaris, dit
la déesse Safkhit; j'ai tendu le cordeau sur l'emplacement
de ses murs; tandis que ma bouche récitait les grandes incantations, Thot était là avec ses livres.... pour établir l'enceinte de ses murs, Phtah-Totounen mesurait le sol et Toum
était là... Le maillet, dans ma main, était en or, je frappais
avec lui sur le pieu, et toi (le roi) tu étais avec moi sous la
forme de Hounnou (le dieu géomètre), tes deux bras tenaient

Fig. 25. — Le roi et la déesse Safkhit tendent le
cordeau et enfoncent les pieux (*L. D.*, III, pl. 148 *a*).

Fig. 26. — Le roi pioche le sol du
temple (*Dendérah*, I, pl. 20).

le hoyau : ainsi furent établis les quatre angles aussi solidement que les quatre piliers du ciel. Ce fut Neith qui prononça
les charmes magiques (*sa*) et les formules protectrices du
temple; et Selkit mit la main à ces travaux faits pour l'éternité » (fig. 25) [1].

1. *Abydos*, I, pl. 50 *b*, l. 10-15. — Cf. un texte rectifié dans Brugsch,
Thesaurus, p. 1268-1269. Tout le début de la VIIe partie du *Thesaurus*
est consacré à des *Bautexte* de toute époque. On trouvera une traduction
du texte d'Abydos dans le *Thesaurus*, loc. cit., et dans Maspero, *Du genre
épistolaire*, p. 91-93.

Les tableaux des temples ptolémaïques nous montrent la mise en pratique de ces récits[1]. On y voit le Pharaon faire de ses propres mains tout le détail des opérations ritualistiques. Sorti en grand appareil de son palais, le roi marche vers l'emplacement du temple précédé des enseignes divines. Aidé de la déesse Safkhit « il tend le cordeau autour du temple dans l'intérieur des pieux »[2] ; ceux-ci sont plantés aux angles ; le roi et la déesse, maillets en main, les consolident. — Puis (fig. 26) le roi armé d'un hoyau « pioche la terre pour fixer les limites » du temple, par une tranchée où l'eau vient du sous-sol[3]. Dans cette tranchée, le roi verse ensuite du sable ; « il munit de sable le tracé du plan, pour le niveler et consolider le travail du sanctuaire »[4]. La construction est en effet ébauchée

---

1. L'ordre de ces scènes à Edfou n'est pas absolument le même dans les diverses publications qui en ont été faites (Mariette, *Dendérah*, texte, p. 133; Brugsch, *Thesaurus*, p. 1263 sqq. ; Rochemonteix-Chassinat, II, p. 29-33, et p. 59-62). Cela tient à ce que les tableaux sont reproduits à plusieurs reprises dans le temple et ce n'est pas toujours la même série qui est reproduite. J'adopte ici l'ordre de la publication de Rochemonteix-Chassinat, en faisant alterner les tableaux de la partie droite de la salle hypostyle avec ceux de la partie gauche. A mon sens, on obtient ainsi un ordre logique pour les différentes opérations décrites.

2. Rochemonteix-Chassinat, *Edfou*, II, p. 31 : Dans la bouche du roi est placé ici le texte cité p. 71 d'après Brugsch, *A. Z.*, 1870, p. 154-155).

3. *Edfou*, II, p. 60 : ; une autre légende d'une scène analogue à Edfou, citée par Mariette et Brugsch, donne « piocher la place jusqu'à l'endroit de l'eau pour parfaire le temple ». Avec l'eau et le sable on va mouler des briques.

4. *Edfou*, II, p. 31 : Une autre légende est donnée par Mariette, *Dendérah*, texte,

par le roi : « il moule une brique pour les quatre angles du temple ». La brique de terre humide symbolise « l'union de la terre et de l'eau » pour élever la maison divine[1] (fig. 27).

A ces matériaux vulgaires, le roi ajoute l'or et les pierres

Fig. 27. — Le roi dispose la brique qu'il a moulée (*Dendérah*, I, pl. 21).

Fig. 28. — Le roi apporte les lingots et les pierres précieuses (*Dendérah*, I, pl. 22).

précieuses dont le temple doit être pétri tout comme le corps des dieux : « il donne des lingots (litt. briques) d'or et de

p. 133, et Brugsch, *Thesaurus*, p. 1267. Elle commence par les mots 𓅜 𓏤𓏤𓏤 𓅜 𓈖𓎡 ⬚ « verser le sable » qui se retrouvent comme titre du chapitre 58 du Rituel du culte divin, « chapitre de verser le sable » ⬚ ℮ 𓏤𓏤𓏤 𓅜 𓃀 𓈖𓎡 ⬚ 𓏤𓏤𓏤 . Voir à ce sujet mon étude sur le *Rituel du culte divin journalier*, p. 200.

1. *Edfou*, II, p. 60 : 𓊖 𓅜 ⬚ 𓏤𓏤𓏤 𓁿 𓈖𓎡 ⬚ 𓎟 𓂺 ⬚ ; l'union de la terre et de l'eau est indiquée dans une variante reproduite par Mariette, *loc. cit.*, p. 133 � 𓈖 ⬚ 〰〰〰 « j'associe la terre et l'eau. »

pierres précieuses pour les quatre angles du temple » [1].
Enfin le roi « pose la première pierre du sanctuaire qui

sera d'un travail achevé et
éternel » : pour cela, il pousse
avec un levier un bloc de
« belle pierre blanche et
dure » dans les fondations
(fig. 29).

Les derniers tableaux d'Edfou nous font passer sans
transition aux scènes d'inauguration du temple, une fois
les travaux finis. Tout d'abord
le roi debout devant un
édicule ⬚ qui représente le
temple entier, lance tout autour de lui des grains d'une
substance, analogue à l'en-

Fig. 29. — Le roi met en place la
première pierre (Dendérah, I, pl. 21).

cens, appelée *besen*. L'acte est défini : « faire rayonner le *besen*

1. *Edfou*, II, p. 32 : [hieroglyphs]
[hieroglyphs]   Mariette écrivait au sujet de cette formule : « On dépose aujour-
d'hui des médailles dans les fondations des édifices publics. Peut-être les
Égyptiens déposaient-ils des objets faits de matière précieuse dans les fondations des quatre angles de leurs temples... » (*Dendérah*, texte, p. 134-
135). — Mariette n'avait pas eu l'occasion de trouver *in situ* la preuve de
cet usage. Mais en 1885 « on mit au jour (à Alexandrie) les ruines d'un
temple gréco-égyptien et, sous une des pierres d'angle, quatre plaques
en or, en argent, en bronze, en porcelaine verdâtre » avec inscriptions.
La plaque d'or seule est bien conservée et porte une dédicace bilingue,
grecque et hiéroglyphique, à Sérapis, Isis et aux dieux Soter et Philo-
pator, Ptolémée II et Arsinoé. » (Maspero, *Sur une plaque d'or portant la
dédicace d'un temple, Recueil de trav.*, VII, p. 140-141.) D'autre part, il y
a au musée du Caire un vase d'albâtre, une herminette, un moule (?) en
bois, des poinçons de bronze qui portent des légendes au nom de
Thoutmès III (XVIIIe dyn.) « quand il a tendu le cordeau pour Amon

dans la demeure de Râ[1]; entourer la demeure d'Horus avec l'encens». Le résultat attendu est de purifier le temple par l'encens
enflammé (fig. 30)[2]. Puis le roi, ayant en main une longue canne
et la massue blanche ⸮, lève le bras droit au dessus de

Fig. 30. — Le roi lance autour du temple
les grains d'encens (*Ombos*, I, p. 74, 196).

Fig. 31. — Le roi donne le temple au
dieu (*Ombos*, I, p. 195).

l'édicule, dans un geste de consécration : c'est le moment

Zosir-Khout ». La même inscription se trouve sur quatre pièces analogues actuellement au musée de Leyde. Ce sont, à n'en pas douter, des
outils d'apparat (tels que nos truelles d'argent) dont s'est servi
Thoutmès III pour la fondation d'un temple d'Amon et qu'on avait placés
dans les fondations (Brugsch, *Thesaurus*, p. 1298).

1. *Edfou*, II, p. 61 :
La variante est donnée par Mariette, *loc. cit.*, p. 133.

2. *Edfou*, II, p. 32 : scène et lé-
gende symétrique, p. 61. L'effet purificateur est indiqué dans la phrase
placée dans la bouche du roi. Cf. Brugsch, *Thesaurus*, p. 1276. — Le *Rituel
du culte divin* (voir mon étude, p. 15), indique à quels moments on puri-

où « l'on donne la maison à son maître », et la légende indique que l'on « donne le sanctuaire » (fig. 34) à Râ[1]. Enfin, les deux bras levés au-dessus de l'édicule dans la pose ritualistique, le roi « adore le sanctuaire de Râ » pour « imprégner de fluide magique le sol » (⟨⟩ sa ta) où vivront les dieux[2].

Tels sont les rites sous leur forme la plus résumée; nous possédons parfois des exemples du développement de ces rites. Le temple de Soleb nous a conservé des tableaux (fig. 32) où l'on voit Aménophis III, la massue blanche en main frapper douze fois la porte du sanctuaire pour la consacrer par

fiait le sanctuaire par l'encens dans le service journalier. Le geste du roi symbolise sans doute une promenade, encensoir en main, autour du mur du temple, car certains textes ajoutent : [glyphes] « tourner derrière » (*Thesaurus*, p. 1276 et fig. 29).

1. *Edfou*, p. 33 [glyphes] , cf. p. 62. — La formule ancienne est [glyphes] « donner la maison à son maître » (Griffith, *Siut*, pl. VII, l. 298. — XIIᵉ dynastie); sous cette forme on la trouve aussi à Edfou [glyphes] (Mariette, *Dendérah*, texte, p. 135. — Une autre formule donne [glyphes] « transmettre la maison à son maître » (Brugsch, *Thesaurus*, p. 1277-1278). D'après l'inscription de Siout citée plus haut, la cérémonie de « la remise de la maison à son maître » était renouvelée le premier jour de chaque année. (Cf. ch. V). Le roi tient en mains la massue *out* [glyph] et le casse-tête *kherp* [glyph], d'après des textes où le nom est donné en entier (Brugsch, *Thesaurus*, p. 1276. Sur l'importance de ces insignes divins et royaux, voir ch. IX.

2. *Edfou*, p. 34 : [glyphes] ; cf. p. 63. La formule récitée par le roi, p. 34, se termine par : « adoration, adoration, ô siège de Râ, pour que la terre (reçoive) le *sa* » [glyphes] . Pour le *sa ta* dans les tombeaux, voir p. 144.

le contact de l'instrument divin[1]. Puis le roi assisté de la
reine, de l'officiant en chef et de prêtres secondaires, apporte
le feu au temple et purifie un naos, où reposent les statues
des dieux, en l'éclairant par quatre fois avec une lampe allu-
mée au feu sacré[2] (fig. 33). C'est l'amplification du rite qui
consiste à projeter des grains d'encens allumé autour de

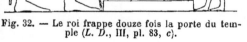

Fig. 32. — Le roi frappe douze fois la porte du temple (*L. D.*, III, pl. 83, *c*).

Fig. 33. — Le roi consacre le naos
par le feu (*L. D.*, III, pl. 84, *b*).

l'édicule. Ailleurs, à Edfou, on a retrouvé le texte du discours
d'adoration que prononce le roi (ici Ptolémée XI) pour consacrer le temple et « assurer sa garde magique et celle du

---

1. *L. D.*, III, 83, *b* et *c*. La scène a été traduite et commentée par Lefébure, *Rites Égyptiens*, p. 39-40. La massue dont se sert le roi est
la même que celle qu'il tient en main dans les tableaux ptolémaïques
pour « donner la maison à son maître ».

2. *L. D.*, III, 84, *a* et *b*; Lefébure, *Rites Égyptiens*, p. 40-41. Cf. mon
étude sur le *Rituel du culte divin journalier*, p. 12.

dieu » : le roi rappelle qu'il a consacré par le feu la demeure nouvelle, qu'il a distribué partout des phylactères, et que tous les dieux unissent leurs efforts aux siens pour assurer une protection magique éternelle au temple[1].

La consécration du temple pouvait encore être symbolisée par deux tableaux caractéristiques, qui reproduisent des rites analogues aux précédents, quoique un peu différents d'expression. Dans l'un de ces tableaux le roi court autour de l'aire du temple ou du sanctuaire, tenant d'une main une

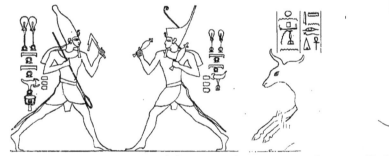

Fig. 34. — Le roi exécute la « course de la rame » et la « course des vases » (L. D., III, 185 c).

Fig. 35. — « La course d'Apis » (L. L III, pl. 143, d).

massue renversée en forme d'aviron, et de l'autre un objet ⩙ qui échange parfois avec le fouet ⩙, insignes doués

1. L. D., IV, 46 ; le texte a été traduit et commenté par Lefébure, Rites Égyptiens, p. 43-44. Le catalogue de la bibliothèque du temple d'Edfou cite un livre de la « protection magique du temple » (De Rougé, Edfou, pl. CXXI), qui est sans doute celui récité dans cette cérémonie.

de vertus magiques dont l'importance sera expliquée au chap. IX [1]. L'autre tableau représente le roi exécutant la même course, mais avec deux vases à libation dans les mains [2]. La « course de la rame » et la « course des vases » ont lieu par devant le dieu auquel le temple est dédié : elles symbolisent la purification par l'eau des vases et par le feu des insignes solaires, des deux parties du temple, le Sud et le Nord où le dieu viendra habiter (fig. 34). Parfois le taureau sacré Apis se joint à la course du roi [2] (fig. 35).

Toutes ces scènes [3] auxquelles le roi préside et où il peut seul jouer le rôle principal, bien qu'elles nous soient parvenues détaillées seulement sur des temples récents, appartiennent au fond le plus antique de la religion et de l'histoire égyptiennes. Les monuments archaïques d'Hiéraconpolis et d'Abydos, attribuables à la IIe ou à la IIIe dynastie nous

1. *Edfou*, II, p. 49 ⟨signs⟩ « amener la rame *hopit* » à tel dieu ; l'insigne ⟨sign⟩ comme la rame ⟨sign⟩ se lisent également *hopit*. D'excellents exemples de ce rite se trouvent à Koptos (*Petrie*, pl. IX, Amenemhâït, I, XIIe dyn.), à Deir el Bahari (Ed. Naville, I, pl. XIX, Hâtshopsitou, XVIIIe dyn.), à Louxor (Gayet, pl. LXXII et LVIII; à la place de ⟨sign⟩ le roi Aménophis III tient le fouet ⟨sign⟩).

2. *Edfou*, II, p. 77 ⟨signs⟩ « consacrer la libation » à tel dieu (var. ⟨signs⟩, par ex. *Deir el Bahari*, pl. XXII). — Autres exemples : Stèle de Pépi I (VIe dyn.) (*L. D.*, II, 116 *a*); *Deir el Bahari*, *loc. cit.*; *Louxor* (Gayet, pl. LVIII et LXXI, avec le fouet ⟨sign⟩); *Dendérah* I, 65. La course du taureau amène une allitération entre le nom du dieu *Hâpi* et celui des insignes *hopit*.

3. Il y a toujours dans ces tableaux trois signes (fig. 34) derrière le roi, indiquant que la course délimite le territoire sacré attaché au temple; souvent la légende ⟨signs⟩ « donner le terrain, par quatre fois », précise cette idée et indique que le roi courait aux quatre coins du terrain (p. ex. Stèle de l'Ouady Magharah, *L. D.*, II, 116 *a*, et *Louxor*, pl. LXXI). Souvent, enfin, devant le dieu qui assiste à la course, une

mettent déjà en présence du roi creusant la terre de son hoyau, versant le sable [1] ou poussant du levier la première pierre des fondations d'un temple [2]. La pierre de Palerme mentionne pour le compte des rois archaïques les rites du cordeau, la course d'Apis, et l'on en a des représentations dès la Vᵉ· dynastie au temple d'Abousir, ou du temps de Pépi I (VIᵉ dyn.) [3]. Les Ptolémées et les Césars [4] n'ont pas négligé de se faire représenter dans les mêmes attitudes qui attestaient le soin pieux, l'attention diligente que mettait le fils des dieux à construire pour ses pères une maison sainte et purifiée.

déesse de la partie Sud et de la partie Nord du temple, *Mirit*, s'adresse au roi pour lui dire : « Va et viens, apporte ! » [hiéroglyphes] (*Abydos*, I, 30.) — A Edfou, p. 78 [hiéroglyphes] « viens et apporte vers cette salle d'or (sanctuaire) ». Il semble que le mot « apporte » [hiéroglyphe] désigne l'objet que le roi tient en mains, la rame.

1. Quibell, *Hierakonpolis*, I, pl. XXVI, *c*, nᵒ 4 : le roi dit « Scorpion », précédé de flabellifères et des enseignes divines, tient en main le hoyau, tandis qu'un servant verse le sable.

2. Petrie, *Royal Tombs*, I, pl. XIII, 5.

3. Cf. l'article de Naville, dans le *Recueil*, XXI, p. 115-116. Pour Abousir voir *Ä. Z.*, XXXVIII, pl. V et pour Pépi I, *L. D.*, II. 116. Il semble qu'on puisse reconnaître la figure du roi exécutant la « course de la rame » au second registre d'une tablette d'Abydos (Petrie, *Royal Tombs*, I, pl. XVI, 16) au nom du roi archaïque Den, qui sera reproduite au chap. VIII).

4. Le rituel de fondation devait être représenté dans tous les temples ; mais soit par la destruction des édifices, soit par manque de publication, on ne peut guère citer, pour la période classique, en plus des références précédentes, que les tableaux de Médinet Habou où Thoutmès III place les pieux, tire le cordeau, creuse le sillon avec le hoyau, moule des briques (temple de la XVIIIᵉ dynastie, Daressy, *Notice explicative des ruines de Medinet Habou*, p. 17). — A l'époque ptolémaïque et romaine, outre les tableaux d'Edfou, il faut citer ceux de Dendérah (*Mariette*, I, pl. 20-22), ceux d'Esneh (Brugsch, *Thesaurus*, p. 1271) et d'Ombos (de Morgan). Brugsch a réuni une série d'inscriptions de l'époque classique, d'après lesquelles Thoutmès III, Thoutmès IV exécutent les rites de fondation (*Thesaurus*, p. 1279-1299). Dans la stèle de Pithom, Ptolémée II rappelle qu'il a bâti le temple de la ville d'Arsinoé « en y exécutant tous les rites de la fondation » (*Ä. Z.*, XXXII, p. 84. *M.*).

VI. Les mêmes cérémonies de fondation, d'inauguration, de purification, étaient-elles pratiquées par les familles humaines pour le compte de leurs ancêtres dans les tombeaux? Étant donnée la similitude de nom et de disposition intérieure que nous avons constatée pour la tombe et le temple, nous pouvons supposer *a priori* que les rites de fondation devaient leur être communs aussi. En fait, si l'on ne trouve pas dans les tombeaux des hommes une exposition aussi détaillée de ces rites que dans les temples, on est suffisamment renseigné pour en admettre l'existence.

Tout d'abord il y avait des recueils de formules à réciter « pour bâtir la demeure qui est dans la terre [1] » ; un chapitre du Livre des Morts nous en a gardé un spécimen ; comme pour les temples les dieux coopèrent à la construction de l'édifice[2]. Les formules des stèles nous apprennent que l'emplacement d'un tombeau devait être « consacré par les rites ».  *s-khouti*[3]. Ces rites n'ont pu être encore définis complètement ; mais nous savons que dès l'époque des Pyramides, on délimitait l'emplacement d'une tombe au hoyau , comme celui des temples [4], et la scène est souvent représentée dans les tombes thébaines[5]. D'autre part l'orientation des quatre angles de la tombe était assurée comme dans les

1. *Todtenbuch*, ch. CLII 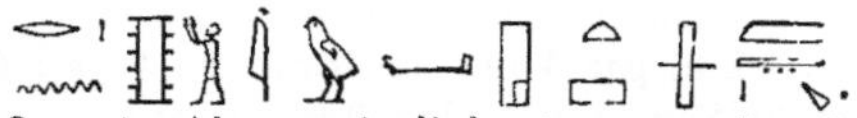.

2. *Todt.*, ch. CLII, l. 2-3. « Anubis construit la demeure; le plan (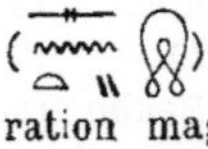) est celui (conservé) dans Héliopolis; Thot en établit la décoration magique; l'eau du tombeau sort de Tafnouit, et le sycomore y personnifie la déesse Nout » (l. 7-8).

3. Stèle de Boulaq, publiée et traduite par Maspero (*Études de Mythol.*, IV, p. 139).

4. Rite du  *Pépi I*, l. 331; *Mirinri*, l. 633.

5. Ph. Virey, *Tombeau de Rekhmara*, pl. XXVI; Maspero, *Tombeau de Montou hi Khopshouf*, p. 450 (*Mission du Caire*, t. V).

temples ; mais on se contentait de mouler quatre briques, de les établir dans une niche ménagée dans chacun des quatre murs de la chambre sépulcrale et de déposer sur elles des phy-lactères, à l'occident un ⬚ osirien, à l'orient un chacal ⬚ image d'Anubis, au nord une statuette d'homme, au sud une torche[1]. L'inauguration des tombeaux se faisait aussi au moyen des purifications par la flamme et en versant des liba-tions autour d'un édicule ⬚ semblable à celui employé pour les temples[2]. Le jour du nouvel an était celui où l'on renou-velait pour les morts comme pour les dieux la procession du feu, et où l'on « donnait la maison à son maître[3] » ; enfin le sol du tombeau comme celui du temple recevait la consécra-tion du fluide de vie *sa ta*[4], et il y avait à cet usage des livres de protéger le tombeau[5].

Les rites exécutés pour la demeure des dieux et celle des morts existaient d'ailleurs, d'une façon très abrégée, pour la simple maison humaine. Le calendrier des jours fastes et néfastes indiquait comme jour propice à la fondation d'une maison celui-là même où l'on peut consulter « les arcanes et les amulettes des temples[6] ». Dans la bibliothèque du temple d'Edfou le « livre du charme magique de la maison »

1. Ed. Naville, *Les quatre stèles orientées du musée de Marseille;* voir les renseignements complémentaires donnés par Lefébure, *Rites Égyptiens*, p. 27-29, et par Virey, la *Tombe des Vignes* (*Recueil de Travaux*, XXI, p. 145). Voir aussi Budge, *The book of the dead*, p. 303, ch. 137. Cette orientation est peut-être ce que les textes des Pyramides appellent « les quatre rites nécessaires à la demeure prospère » (*Ounas*, l. 222).

2. Budge, *The book of the dead*, ch. 137 *a* et *b*. Au tombeau de Rekhmarâ (Virey, pl. XXVI) un « domestique » et un « ami » lancent des libations autour d'un naos double du Sud et du Nord de même qu'à Edfou le roi projette le *besen* autour de l'édicule figurant le temple.

3. Griffith, *Siut*, pl. VI, l. 278-279.

4. Schiaparelli, *Libro dei funerali*, II, p. 211.

5. De Rougé, *Edfou*, pl. CXXI; cf. *Ä. Z.*, 1871, p. 43-45.

6. Chabas, *Le calendrier des jours fastes et néfastes*, p. 44.

se trouve en effet cité à côté de ceux destinés aux tombeaux et aux temples[1].

VII. A tous les points de vue, dénomination, structure générale, rites de fondation et d'inauguration, il y a donc identité véritable entre la maison élevée par le fils, dans chaque famille, à ses ancêtres et le temple que le roi fonde pour ses pères les dieux. Au fronton des temples comme des tombeaux se lisait la même dédicace : ⟨hiéroglyphes⟩ N « Il (le fils ou le roi) a élevé (cet édifice) en monument de lui-même à son père N...[2] » Nous devons demander maintenant à l'étude des rituels si dans ces édifices identiques, le culte rendu par le fils aux morts, par le roi aux dieux, a des caractères communs.

1. Brugsch, *Bau und Maasse des Tempels von Edfu*, A. Z., 1871, p. 44. — Sur les amulettes qui protègent la maison humaine, cf. Lefébure, *Rites Égyptiens*, p. 3-15.

2. La formule est donnée déjà par la pierre de Palerme (Cf. Naville, *Recueil*, XXI, p. 113). Pour les rites funéraires, voir le tombeau des princes de Sheïkh-Saïd (VIe dynastie : ⟨hiéroglyphes⟩ ⟨hiéroglyphes⟩ (*L. D.*, II, 112, 113, *b* et *c*; — *Beni Hasan*, I, pl. XXV, l. 4) cf. temple de Louxor : ⟨hiéroglyphes⟩ (Gayet, *Louxor*, p. 10). Aménophis III dit qu'il a élevé ces constructions « comme un fils qui fait les rites (*khou*) à son père Amon » (⟨hiéroglyphes⟩); de même tel simple particulier dira : « J'ai élevé un tombeau au père de mon père..., car je suis un ami (*smer*) qui fait les rites (*s-khou*) à ses pères dans la nécropole » (⟨hiéroglyphes⟩; (*Louvre*, stèle n° 251, Gayet, pl. LX).

CHAPITRE V

—

Le culte filial dans les temples et les tombeaux.

—

I. Le culte des dieux, comme celui des morts, est fondé sur les rites osiriens. — II. Le roi reconstitue le corps des dieux. — III. Le roi rend au corps divin son âme et le fluide de vie. — IV. Le roi fait la toilette du dieu. — V. Le roi assure la nourriture des dieux et des morts osiriens. — VI. Développement que prennent les rites journaliers dans les grandes fêtes que le roi célèbre pour les dieux et les morts.

1. Le temple égyptien est en apparence le tombeau des dieux où officie le roi, descendant de la famille divine : les rites qu'on y célèbre sont-ils analogues au culte que dans chaque tombe le fils rend à ses parents défunts ? La réponse à cette question offre un intérêt très grand et très général. Au point de vue du sujet traité dans ce livre, s'il y a identité entre le culte divin célébré par le roi et le culte familial célébré par le fils, la situation du Pharaon vis-à-vis des dieux sera déterminée dans ses caractères les plus essentiels. D'autre part, il serait très important, au point de vue de l'histoire des religions, d'établir si les Égyptiens, représentants de la plus ancienne civilisation connue, adoraient de la même façon les dieux et les morts.

Suivant la tradition égyptienne, la doctrine religieuse aussi bien que les rites extérieurs du culte, « les règles des sanctuaires et les plans des temples » (

▭ᗡ)[1], aurait été révélée aux hommes par Osiris, le dieu des morts. Les écrivains grecs affirment aussi qu'Osiris « avait enseigné aux hommes l'art d'adorer les dieux (θεοὺς τιμᾶν)[2], de leur élever statues et sanctuaires (ἀγάλματά τε καὶ χρυσοῦς ναοὺς)[3]; il avait été aidé en cela par Thot-Hermès qui, grâce à l'invention de l'écriture, avait pu fixer « le rituel du culte et des sacrifices divins » (τὰ περὶ τὰς τῶν θεῶν τιμὰς καὶ θυσίας)[4].

Les textes religieux confirment cette tradition, mais nous apprennent aussi à l'interpréter. Nous dirons qu'Osiris a le premier subi les rites divins plutôt qu'il ne les a institués : ce privilège il le doit à ce que, le premier d'entre les dieux, il a connu la mort. Les dieux-rois prédécesseurs d'Osiris dans la première dynastie, Râ, Shou, Seb, s'étaient retirés au ciel, vieillis, déchus, mais encore vivants[5]. Osiris, assassiné et démembré par Sit, pénétra le premier dans l'inconnu de l' « autre terre » : la mort fit de lui un être qui savait le grand secret[6]. La famille d'Osiris, Horus son fils, Isis sa

1. Mariette, *Dendérah*, IV, pl. 65.

2. *De Iside et Osiride*, 13.

3. Diodore, I, 15 ; Kaibel, *Epigrammata græca*, p. xxi-xxii, hymne trouvé dans l'île d'Ios, ἐγὼ ἀγάλματα ἱστᾶν ἐδίδαξα, ἐγὼ τεμένη θεῶν εἰδρυσάμην. Cf. Maspero, *Histoire*, I, p. 174.

4. Diodore, I, 16.

5. La vieillesse de Râ et sa retraite au ciel nous sont connues par des inscriptions des tombeaux royaux de Thèbes (Séti Ier et Ramsès III) publiées par Ed. Naville, *La destruction des hommes par les dieux*, dans les *Transactions* S. B. A., t. IV, p. 1-19 ; VIII, p. 412-420. — Le successeur de Râ, Shou quitta la terre et monta au ciel dans une tempête (inscription du naos d'El Arish, publiée par Griffith, *The antiquities of Tell el Yahûdiyeh*, pl. XXV, l. 7-8); on ne sait rien sur la fin du règne de Seb. Un texte de la pyramide de *Pépi I* (l. 664) fait allusion aux premiers temps du monde « où il n'y avait pas encore de mort ».

6. « Goûter la crainte de l'autre terre » est une expression de la Stèle C 26 du Louvre (l. 2); Osiris est souvent appelé le « maître de la terre mystérieuse » ; le temple et la tombe sont le « lieu du secret » ▭ ᗧ ✕ / ⸺ ▭ (voir *Les litanies de Sokaris*, publiées par Budge, *Archæologia*, t. LII, p. 492, et cf. *Rituel du culte divin*, p. 123 n. 2).

femme, Nephthys sa sœur, Thot et Anubis ses amis et ses
alliés, les enfants d'Horus ses petits-fils, trouvèrent alors les
« rites utiles » (khou [1]) qui rendirent au dieu passé
dans l'autre monde la vie du corps et de l'âme telle qu'il en
avait usé durant son existence terrestre. Par la mort et par
les rites funéraires Osiris le premier de tous les êtres, connut
les mystères et la vie nouvelle : cette science et cette vie
furent désormais le privilège des êtres qu'on disait divins.
C'est à ce point de vue qu'Osiris passait pour avoir initié les
dieux et les hommes aux rites sacrés : lui-même avait le
premier fait l'expérience de la mort et du culte ; il avait montré aux êtres du ciel et de la terre comment on devient dieu.

Dès lors le culte rendu à tout être, dieu ou mort, consista
à mettre celui-ci dans les conditions où s'était trouvé Osiris.
Les formules ritualistiques que j'analyserai plus loin nous
montrent qu'au début du service sacré l'être adoré était censé
avoir été tué, démembré, privé de son âme par Sit, tout
comme Osiris. Le roi, qui renouvelle au bénéfice du dieu ces
mêmes rites inventés par la famille osirienne, prend à cette
occasion les noms d'Horus, de Thot et d'Anubis [2] et répète
purement et simplement les gestes et les formules dont ces
dieux avaient usé lors des funérailles d'Osiris.

On conçoit que ces rites du culte divin qui ont pour point
de départ la mort du dieu se soient confondus avec ceux du
culte funéraire célébré pour les morts dans chaque famille
humaine : à dire vrai, c'est la mort qui éveilla chez les
Égyptiens l'idée du divin et l'on appliqua aux dieux le culte
des ancêtres [3]. Aussi chaque homme défunt, tué et démembré

---

1. « Célébrer les rites » pour Osiris et les autres dieux ou les morts, se
dit ⌐ (voir les *Lamentations d'Isis et Nephthys*,
éd. de Horrack, pl. I, l. 1 ; V, l. 11 ; et *Rituel du culte divin*, p. 125 n. 2.
2. *Rituel du culte divin*, p. 16, 21, 84.
3. *Rituel du culte divin*, conclusion, p. 219 sqq.

comme Osiris, est-il identifié à ce dieu et porte-t-il son nom.
Le culte des morts, comme le culte des dieux, n'était qu'une
« représentation du mystère divin qui s'était accompli autrefois autour d'Osiris quand son fils, ses sœurs, ses amis s'é-
taient réunis autour de ses restes mutilés et avaient réussi
par leurs incantations et leurs manœuvres à en faire la première momie, puis avaient ranimé cette momie et lui avaient
fourni les moyens de reprendre une vie particulière au delà
du tombeau [1]. » De même que le Pharaon, fils des dieux,
prend au moment du service divin les noms d'Horus, Thot,
Anubis, de même le fils aîné, dans chaque famille, vénère
« son père l'Osiris » en assumant le nom et la personnalité
d'Horus ; la femme du défunt et sa sœur s'appellent Isis et
Nephthys, et des « amis » jouent les rôles d'Anubis et de
Thot et des enfants d'Horus [2]. Quand des prêtres de carrière
remplacent dans l'exercice du culte les parents du mort inex-
périmentés, on n'oublie pas de les désigner eux aussi avec
les propres noms des membres de la famille osirienne.

Les rites osiriens se trouvent donc à la base du culte d'état
célébré par le roi et du culte privé offert par chaque particulier dans le tombeau de famille : le Pharaon étant fils des
dieux, c'est aussi le culte des ancêtres qu'il célèbre dans les
temples.

II. Les rites osiriens exécutés par le roi dans les temples,
par les hommes dans les tombeaux pour le compte des dieux
et des morts, nous sont connus par des *Rituels*. Jusqu'à présent celui du culte funéraire avait été seul traduit et commenté ; j'ai publié comme introduction au présent travail
une traduction du *Rituel du culte divin journalier en Égypte* [3],
d'après les papyrus de Berlin et les textes du temple de

1. Maspero, *Études de Mythologie*, I, p. 291-292.
2. C'est ce qui apparaît au *Livre des funérailles* édité par Schiaparelli
et aux textes des pyramides de la VIe dynastie, édités par Maspero.
3. *Annales du Musée Guimet* (série de la *Bibliothèque d'Étude*).

Séti Ier à Abydos. On me permettra de renvoyer à cette publication pour le détail des faits que je ne puis que résumer ici.

Qu'ils s'adressent aux dieux ou aux hommes défunts, les rites osiriens ont pour but : 1° de leur reconstituer un corps viable ; 2° de douer ce corps du fluide de vie et de lui rendre son âme ; 3° d'assurer la nourriture du corps et de l'âme de la même manière que pendant l'existence terrestre.

Les procédés employés pour reconstituer le corps des êtres osiriens varièrent avec les époques, selon qu'on démembrait ou qu'on momifiait les cadavres assimilés à Osiris,

Le corps d'Osiris avait été démembré et coupé en morceaux par Sit comme celui d'un taureau de sacrifice[1] : c'est en cet état qu'Isis, Horus, Anubis et Thot avaient tout d'abord vénéré le cadavre divin[2]. A vrai dire, quand le roi entrait au sanctuaire pour « voir son père le dieu », il se trouvait en présence non d'un corps démembré, mais d'une statue complète ; cependant la légende du dépécement n'était pas spéciale au seul dieu Osiris. Tous les dieux avaient connu la mort ; on possédait leurs tombeaux ; dieux et déesses d'après les formules du rituel, avaient eu le corps démembré et la tête détachée du tronc[3]. Le culte des dieux consistait donc, au début, à répéter pour eux la mort osirienne et à leur donner chaque jour cet état de grâce qui suivait l'immolation.

Faut-il en conclure qu'avant le sacrifice, le roi était censé mettre le corps de ses pères les dieux dans l'état de démembrement et de mutilation où Sit avait mis le cadavre d'Osiris ? En fait, aucun tableau des temples ne nous représente cette scène réalisée, mais les nécropoles humaines des épo-

---

1. Le *Conte des deux frères*, où le mythe osirien transparaît, nous montre Bitiou-Osisis dépecé sous la forme d'un taureau sacré (*Papyrus d'Orbiney*, pl. XIV à XVII ; Maspero, *Les contes populaires*, p. 25-28).

2. *De Iside et Osiride*, 18 ; *Hymne à Osiris* de la Bibliothèque Nationale (Chabas, *Œuvres*, I).

3. Voir les textes dans *Rituel du culte divin*, p. 75, 175, 206, 213, 220.

ques archaïques nous apprennent qu'à l'origine pour les morts les gestes répondaient aux formules : on y trouve des cadavres qui ont la tête tranchée, le squelette disloqué, les chairs lacérées, dans l'état, en un mot, où se trouvait, d'après les rituels, le corps d'Osiris et de tous les dieux ou les hommes qu'on adorait d'après les rites osiriens [1].

On sait d'ailleurs par les rituels des cultes funéraires et divins qu'avant chaque service sacré, la famille osirienne renouvelait la scène du meurtre : Isis, Nephthys, Horus venaient « frapper » Osiris [2] — et tout dieu assimilé à Osiris — et par ce « coup » (𓀀𓁐𓃀𓆱 hou) le cadavre était « consacré » (𓀀𓏤 hou), de même que le roi consacrait les offrandes en levant sur elles la massue (fig. 36). Concluons qu'au début des temps, le roi dans les temples et le fils dans les tombeaux « frappaient leurs pères » pour en faire des victimes divines.

---

1. *Rituel du culte divin*, p. 74. Cf. le mémoire de Wiedemann, *Les modes d'ensevelissement dans la nécropole de Négadeh* (ap. de Morgan, *Recherches sur les origines de l'Égypte*, II, p. 203 sqq.) ; pour la description des nécropoles archaïques, voir le résumé donné par J. Capart, *Notes sur les origines de l'Égypte*.

2. C'est la formule du rituel funéraire « Sa mère l'a frappé en pleurant, ses alliés l'ont frappé » (𓀀𓃀𓅱𓏤 𓁹𓃀𓅱𓀀𓏤 . Schiaparelli, *Libro dei funerali*, I, p. 99 et 158) qui a déjà son expression dans les textes des pyramides où Horus dit à son père : « Je t'ai frappé en te frappant (𓀀𓀀𓅱 *Mirinri*, l. 331, 448, *Pépi II*, l. 867). — Dans les temples où est représentée la « passion d'Osiris », on voit, à la 8ᵉ heure du jour, Isis et Nephthys « frapper les chairs » d'Osiris (𓀀𓏤𓃀 Bénédite, *Philæ*, I, p. 139), ce qui les « consacre » et les munit du fluide de vie (Mariette, *Dendérah*, IV, pl. 54). La formule même du rituel funéraire « Sa mère l'a frappé en pleurant » est appliquée à Sokaris-Osiris dans les textes d'Edfou (Rochemonteix-Chassinat, *Edfou*, I).

Une fois que le dieu et le mort étaient démembrés comme Osiris, le roi et le fils s'ingéniaient à reconstituer leur corps. Lors des funérailles d'Osiris, Isis avait rassemblé les 14 ou 16 lambeaux du cadavre [1], et pour les fêtes commémoratives, célébrées au mois de Choïak jusqu'à la fin de la période romaine, on moulait une statuette d'Osiris, en pâte de farine, dans laquelle les membres épars du dieu étaient rassemblés et remis en place [2]. On fit de même pour tous les dieux jusqu'à la fin de la civilisation égyptienne; chaque jour, au début du service sacré, le roi était censé apporter au dieu sa statue, image de son corps reconstitué : « Ta statue est à tes côtés [3] », lui disait-il (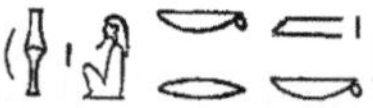), et à l'occasion le roi insiste sur cette idée : « Tu as réuni tes chairs, tu as fait le compte de tes membres..., on t'a donné ta tête, on t'a donné tes os, on a établi solidement ta tête sur tes os par devant Seb [4] » Aussi un des titres les plus fréquents du Pharaon est-il celui-ci : « Horus qui modèle son père » (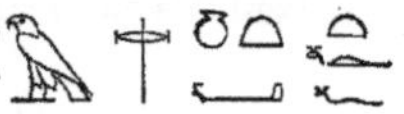) [5].

1. D'après le *De Iside et Osiride*, 18, Osiris aurait été découpé en 16 morceaux ; d'après un texte de Dendérah, en 14 morceaux (cf. l'article de Loret, ap. *Recueil*, III, p. 47). La recherche du corps d'Osiris est décrite dans le *De Iside et Osiride* et dans l'*Hymne à Osiris* (l. 16). Wiedemann a montré que la reconstitution du corps démembré d'Osiris « était un événement fêté dans toute l'Égypte par la solennité de l'érection du symbole du *tat*  l'épine dorsale du dieu. A Busiris, on attachait à cette fête qui se célébrait le 30 choïak, la plus grande importance, et dans toute l'Égypte elle était considérée comme un des principaux épisodes de la résurrection du dieu. Brugsch a cité dans son *Thesaurus* (p. 1190-1193) des scènes de l'érection du *tat* exécutées sous Aménophis III « par le roi lui-même » (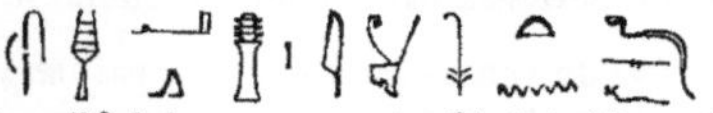).

2. Loret, *Les fêtes d'Osiris au mois de Choïak* (*Recueil*, III-V) ; le texte est à Dendérah (Mariette, *Dendérah*, IV, pl. 35-39).

3. *Rituel du culte divin*, p. 94.

4. *Rituel du culte divin*, p. 75, 175, 206, 213.

5. J'adopte pour la traduction de cette expression généralement rendue par « Horus vengeur de son père », le sens proposé par Ed. Naville,

Tous ces rites et toutes ces formules supposent un démembrement préalable du corps des dieux et des morts ; les textes trouvés dans les tombeaux ajoutent souvent des détails plus précis : « C'est moi ton fils Horus, dit le fils à son père ; je suis venu vers toi pour te faire revivre ; j'ai pris à pleins bras tes os, j'ai resserré ton squelette, j'ai pris à pleins bras tes morceaux, car je suis Horus qui modèle son père » [1]. Dans les nécropoles archaïques on a souvent retrouvé les os des squelettes soigneusement entassés les uns sur les autres, la tête au sommet [2] : peut-être essayait-on de reconstituer ainsi le cadavre, tout en présentant la statue modelée, image du corps vivant.

Mais les rites qui supposent le dépècement réel du corps des dieux et des morts osiriens ont été abandonnés au début

La litanie du Soleil, p. 82 et 23, 25. M. Naville a montré que ⨁ est souvent mis en parallélisme avec ⬡ créer, ⧘ façonner, enfanter ; l'expression « créer le corps d'Osiris » (⨁ 𓃒) revient plusieurs fois dans la Litanie (p. 25 et 82). A ces exemples j'ajouterai celui-ci tiré de la grande inscription d'Abydos (Mariette, _Abydos_, I, pl. VI, l. 21), où Ramsès II dit de lui-même : « Je suis un fils qui modèle la tête de son père, tel qu'Horus qui modèle Osiris, qui façonne celui qui l'a façonné, qui enfante celui qui l'a enfanté, qui fait vivre le nom de celui qui l'a engendré » (𓄿𓏏𓊖𓀁𓊹𓈖𓏏𓀭𓃒𓀀). Le déterminatif 𓀁 est sur l'original l'homme qui modèle sur un tour à potier. L'expression « modeler la tête » ⨁𓁹 a aussi le sens dérivé de rendre hommage, « saluer », ce qui semble correspondre aux frictions de la face ou du nez que se font encore entre eux certains sauvages en guise de salut (cf. Maspero, _P. S. B. A._, XX).

1. Pyr. de _Mirinri_, l. 446-447 ; cf. _Pépi I_, l. 195 ; _Mirinri_, l. 369 ; _Pépi II_, l. 926.

2. Voir ce que dit à ce sujet Wiedemann (_loc. cit._ ap. de Morgan, _Recherches..._, II, p. 207, 210).

des temps historiques. On remplaça alors le sacrifice *du* dieu
par le sacrifice *au* dieu ou au mort : l'être adoré ne reçut plus
le « coup » consécrateur qui faisait de lui une victime divine ;
ce fut l'auteur de la mort des dieux et des hommes, Sit et ses
substituts les animaux typhoniens, qu'on immola dans le
service sacré[1]. Dès lors on n'avait plus à reconstituer des
corps qu'on ne s'inquiétait plus de démembrer : on les pré-
para mieux à une nouvelle vie en les maintenant dans leur
intégrité primitive par les rites de la momification, inventés
aussi par Thot et Anubis[2] au bénéfice d'Osiris et des dieux
osiriens. Le souvenir du démembrement primitif ne s'effaça
point cependant : les formules archaïques qui supposent le
dépécement réel des cadavres subsistèrent dans les rituels ;
mais on y introduisit d'autres formules contradictoires qui
interdisaient de trancher la tête ou de frapper les cadavres des
dieux et des morts[3]. Ces contradictions, parfois embarras-
santes, sont cependant utiles en ce qu'elles nous indiquent
les étapes du culte divin et funéraire en Égypte.

Conformément à ces nouveaux rites osiriens, les dieux et
les morts reçurent des mains de leurs fils, rois ou gens du
commun, les huiles, les fards, les bandelettes nécessaires à
la préparation des corps momifiés. On conserva dans les
temples l'image momiforme des dieux et dans les tombeaux
les corps emmaillotés des défunts. Et jusqu'à la fin de la
civilisation égyptienne les rois fils des dieux et les fils des
hommes honorèrent leurs ancêtres avec les mêmes formules

---

1. Cette évolution est un cas particulier d'une loi très générale, dont
on trouvera l'exposé dans Hubert-Mauss, *Du Sacrifice...*, p. 128.

2. *Rituel du culte divin*, p. 17.

3. Wiedemann, *loc. cit.* (De Morgan, *Recherches...*, II, p. 209-210) donne
des exemples caractéristiques. M. J. Baillet a soutenu l'idée que le dépècement des cadavres était un rite préparatoire à la momification, destiné
aussi à préserver les corps de la putréfaction (*Recueil*, XXII, p. 180 sqq.).
— Je vois au contraire dans le démembrement et la momification deux
rites opposés et successifs, l'un impliquant le sacrifice du mort ou du
dieu, l'autre sa conservation.

et les mêmes gestes, d'après les anciens ou les nouveaux rites osiriens.

III. Mis en présence du corps reconstitué de son père, le roi ou le fils doit le rappeler à la vie et lui rendre son âme. L'entrée du roi au sanctuaire se faisait suivant les règles d'un cérémonial précis : purifications du roi, ouverture des portes du naos, prosternements, adorations. Chacun des gestes du roi était prévu et s'accompagnait de formules appropriées : pour le détail, je renvoie à mon étude sur le *Rituel du culte divin* et je ne rappellerai ici que les rites essentiels, ceux qui rendent l'âme au corps du dieu[1].

Qu'était devenue l'âme d'Osiris après la mort? Tandis que le cadavre mutilé du dieu gisait à terre, son âme s'était envolée au ciel, où elle avait trouvé refuge dans un des Yeux d'Horus (la face céleste), le Soleil ou la Lune[2]. Mais Sit poursuivait jusque dans le ciel sa victime; sous la forme d'un porc, d'un hippopotame, d'un crocodile, de quelque animal cornu, taureau ou gazelle, ou bien volant comme un oiseau, nageant comme un poisson, l'esprit du mal s'embusquait sur le Nil céleste où voguaient les barques du Soleil et de la Lune, et il guettait le moment favorable pour dévorer l'Œil d'Horus et l'âme d'Osiris qui y était cachée[3]. Les éclipses du Soleil et la décroissance mensuelle de la Lune correspondaient à des attaques heureuses de Sit contre l'Œil d'Horus[4];

---

1. Il y avait deux entrées du roi au sanctuaire, et deux sacrifices au dieu, pour le Sud et pour le Nord suivant la double division de tous les rites égyptiens. Pour simplifier mon exposé, je supposerai ici qu'il n'y a qu'une série de cérémonies.

2. *Rituel du culte divin*, p. 33, 39, 83, 112. On trouvera, à ce sujet, des indications précises dans les *Lamentations d'Isis et Nephthys* (éd. De Horrack, p. 8-9) dans les *Litanies de Sokaris* (éd. Budge, p. 494, ou *Livre des Respirations* (éd. de Horrack, pl. I, l. 2-4) et dans des textes de Dendérah cités par Brugsch, *Wörtb. Suppl.*, p. 672-73.

3. Lefébure, *Le mythe osirien*, p. 62 sqq.

4. *Rituel du culte divin*, p. 97, 112.

chaque soir, d'ailleurs, le Soleil mourait et cédait la place
aux puissances mauvaises. Osiris, ainsi que les dieux et les
hommes adorés suivant les rites osiriens, étaient donc
soumis à la nécessité d'une mort quotidienne. Il appartint
au fils d'Osiris Horus et à son « allié » Thot de rappeler
chaque jour Osiris à la vie; ce fut aussi le rôle du Pharaon,
vis-à-vis des dieux, et du fils dans les familles humaines.

Chaque jour avant le service sacré, le Pharaon et le fils du
mort étaient censés partir à la recherche de l'Œil d'Horus et
de l'âme du dieu, démembré comme l'avait été Osiris. On re-
trouvait parfois l'Œil en détresse, tombé au fleuve céleste
et non encore dévoré[1]; le plus souvent Sit et ses suppôts
avaient déjà réalisé leur œuvre néfaste; il fallait alors capturer

Fig. 36. — Le roi consacre (*hout*) au dieu quatre veaux, noir, blanc, rouge,
tacheté (*Louxor*, pl. IX).

les taureaux, les gazelles, les oies, le porc ou l'âne pour les
immoler aux pieds (fig. 36) du dieu ou du mort : le roi ou
le fils étaient censés s'acquitter eux-mêmes de cette tâche, et

---

1. *Rituel du culte divin*, p. 40, 77. Sur le rôle d'Horus et de Thot (c'est-
à-dire du Pharaon ou du fils) dans la recherche de l'œil, voir p. 83-86 du
même ouvrage.

prenaient au laço les animaux typhoniens[1] (fig. 37). « Je te les

Fig. 37. — Le roi lace le taureau du Sud (*Abydos*, I, pl. 53).

ai empoignés, disait-on alors au dieu osirien, je t'ai amené

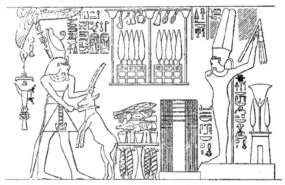

Fig. 38. — Le roi sacrifie au dieu la gazelle typhonienne (*Louxor*, pl. XVI).

tes ennemis[2] »; les animaux dépecés (fig. 38), on trouvait

1. Au temple de Séti Ier à Abydos, on voit le roi prendre lui-même au laço le taureau de sacrifice. Dans les tombeaux, les innombrables tableaux de chasse (marais ou désert) aux animaux typhoniens semblent représenter des scènes analogues, qu'on retrouve dans les temples, par ex. à Abousir (*Ä. Z.*, XXXVIII, pl. V, V[e] dyn.) et à Ombos (De Morgan, p. 50, époque grecque).

2. Schiaparelli, *Libro dei funerali*, I, p. 88-89.

dans leur gueule, dans leur ventre ou dans leurs membres l'Œil d'Horus intact, et Horus s'écriait : « J'ai délivré mon œil de sa bouche »[1]. A ce moment du service sacré, le boucher donnait la cuisse de l'animal à l' « officiant », le cœur à l' « ami », et l'on déposait ces « pièces choisies » devant le dieu (fig. 39) en lui disant : « Je te présente la cuisse, je t'ai apporté le cœur de ton ennemi[2] ». Parfois on revêtait la statue

Fig. 39. — Dépeçage du veau et défilé des pièces de choix, portées par les officiants, vers la statue du dieu (*Abydos*, I, pl. 48).

du dieu ou du mort de la peau de la bête sacrifiée comme d'un linceul : c'était « le bon ensevelissement dans la peau de Sit l'adversaire[3] », grâce auquel le dieu osirien victorieux, revêtait la force de son ennemi.

Une formule du rituel du culte divin résume ainsi ces différents rites : « Je suis Thot, dit le Pharaon au dieu, je m'approche de toi à la double époque de chercher l'Œil sacré pour son maître; je suis allé, j'ai trouvé l'Œil sacré, je l'ai

1. Schiaparelli, I, p. 83.
2. La scène est figurée au temple de Séti Ier à Abydos (I, pl. 48, cf. notre fig. 39); pour le texte, voir Schiaparelli, I, p. 90. A la 8e heure de la veillée d'Osiris, Horus compte à Osiris le cœur de ses ennemis (*Philæ*, I, p. 141).
3. L'expression est au Rituel de l'embaumement publié par Maspero, *Mémoire sur quelques papyrus du Louvre*, p. 40; cf. *Rituel du culte divin*, p. 44. Sur le rapport de ce rite avec le sacrifice d'une victime humaine liée dans une peau de bête (*tikanou*) voir Lefébure, *P. S. B. A.*, XV, p. 433 et *Rituel du culte divin*, p. 44 sqq.

compté à son maître[1] ». De même dans le rituel du culte
funéraire, l'officiant disait au mort : « J'ai découpé (dans la
victime) ton œil : ton âme est dedans[2] » (fig. 41).

L'âme retrouvée, le roi la rendait au dieu de diverses façons.
On mettait sur le sein de la momie ou de la statue une
amulette en forme de cœur en disant : « Je t'ai apporté ton
cœur dans ton ventre pour le mettre à sa place, de même
Horus a apporté son cœur à sa mère, de même Isis a apporté
son cœur à son fils[3] ». Dans le cœur l'âme résidait : une statue pourvue de cœur reprenait déjà conscience d'elle-même[4].

Mais le véritable rite pour rendre son âme à la statue mo-
mifiée nous est défini par cette phrase que dans le rituel funéraire le fils adresse à son père : « Je suis venu pour t'em-

Fig. 40. — Le roi vient embrasser
le dieu (*Abydos*, I, pl. 40 *b*).

brasser, moi Horus ! Je presse ta
bouche, moi ton fils chéri (*sa
mir-f*). Ta bouche qui restait fer-
mée je la remets en équilibre ainsi
que tes dents ; j'ouvre ta bouche
avec la cuisse[5] ». Cette formule
s'applique à deux opérations distinctes : l'embrassement du père
par le fils, l'ouverture de la
bouche.

L'embrassement du père par
le fils s'exécutait au naturel.
Le roi enlaçait ses bras aux bras
articulés de la statue divine
pour la consacrer (*khou*) et lui communiquer son

1. *Rituel du culte divin*, p. 81 ; sur l'emploi des expressions *chercher*,
trouver, *compter l'œil*, voir p. 21, n. 1, et 83 du même ouvrage.
2. Schiaparelli, I, p. 83.
3. *Rituel*, p. 63-65. Les dieux se rendent un culte réciproque.
4. *Rituel du culte divin*, p. 63, n. 2.
5. Schiaparelli, I, p. 98-100.

fluide de vie ($\underset{\times}{\varphi}\,\underset{\uparrow}{}$). Cette scène, souvent répétée dans les tableaux des temples, était un des points culminants du drame de la résurrection du dieu. Muni du fluide de vie, le dieu ou le mort recouvrait la vie divine et se levait en roi ($\overset{\frown}{}$ khâ) comme le soleil. Lors des funérailles d'Osiris, le soleil lui-même, Râ, avait pris dans ses bras le cadavre d'Osiris, pour lui rendre son âme et lui infuser le fluide de ses rayons; en commémoration de ce rite le roi ou le fils transmettait par le même geste la vie et l'âme à la statue adorée. Rappelons-nous qu'un pharaon était lui-même sacré roi par l'embrassement du roi régnant et du dieu de la capitale et que l'expression « embrasser » ($\overset{\longrightarrow}{\underset{\sigma}{\bullet}}$) skhenou (voir ce qui a été dit p. 101)

Fig. 41. — Le roi embrasse le
dieu (*Louxor*, pl. VIII).

Fig. 42. — Le roi et le dieu
échangent l'embrasse-
ment (*Louxor*, pl. VIII).

était devenue en égyptien synonyme de « consacrer »[1] (fig. 40, 41, 42).

L'embrassement faisait du dieu et du mort un roi. A ce moment, le roi ou le fils coiffait la statue de la grande cou-

1. Je résume ici les idées éparses aux chapitres XXI-XXIV du rituel conservé au papyrus de Berlin, et je renvoie au commentaire détaillé que j'en ai donné dans le *Rituel du culte divin*, p. 79-102.

A. MORET.   11

ronne royale [hieroglyphs] *ourrit*, et, comme au Pharaon, on faisait exécuter à l'image du dieu ou du mort « la course » ([hieroglyph]) autour des demeures d'Horus et de Sit, en signe de prise de possession des deux parties de l'univers, où désormais il pouvait circuler tel que Râ. Le roi prononçait alors la formule qui résume ces idées : « Viens à moi pour cet embrassement ([hieroglyphs]) dont tu sors ce jour où tu te lèves en roi ([hieroglyphs]) où tu te lèves pour moi dans le ciel, où tu tournes toi-même autour de moi » ([hieroglyphs])[1]. Dans le rituel funéraire le fils adresse à son père des paroles encore plus précises : « Tu t'es assis sur le trône d'Osiris, sceptre en main... tu fais le tour des demeures d'Horus, tu fais le tour des demeures de Sit[2] ».

L'embrassement s'accompagnait de l'ouverture de la bouche de la statue. Dans le culte funéraire ce rite avait pris une importance exceptionnelle, à tel point que l'on désignait l'ensemble des opérations destinées à ranimer la momie du nom d' « ouverture de la bouche » [hieroglyphs] *àp ro*[3]. Pour cette cérémonie on approchait de la bouche du mort la cuisse et le cœur de la victime[4]; tous les autres aliments solides ou liquides[5] (fig. 43), les huiles[6], les bandelettes qu'on présentait à la statue, pouvaient servir également à l'*àp ro*. On usait aussi,

1. *Rituel du culte divin*, p. 81.

2. Pyramides d'*Ounas*, l. 208; voir à ce sujet ce qui a été dit plus haut, p. 97; cf. *Téti*, l. 275; *Pépi I*, l. 28, 96; *Mirinri*, l. 38, 68; *Pépi II*, l. 68.

3. C'est le titre général des textes édités par Schiaparelli sous le nom de *Libro dei funerali* (I, p. 22).

4. Schiaparelli, I, p. 98-100. Voir au chap. VIII, l'*àp ro* de Séti I.

5. Voir le détail dans Maspero, *La table d'offrandes*, p. 15-19, mêmes textes pour la table d'offrandes des dieux (*Abydos*, I, pl. 38 b et 39 a).

6. Aussi les appelle-t-on les « fards de l'ouverture de la bouche » (*Rituel du culte divin*, p. 196).

d'une herminette en fer 〰 rappelant la forme de la cuisse
de bœuf 〰, un ciseau de fer ⌀, un doigt en vermeil ⎸[1]; on
en touchait la bouche et les yeux de la statue pour les ouvrir,
et l'on disait que ces instru-
ments étaient ceux-là mêmes
dont s'étaient servis Horus et
Anubis pour ouvrir la bouche
d'Osiris[2]. Une dernière application était faite avec une baguette magique en forme de serpent, terminée par une tête de
bélier que coiffait une uraeus :
c'était en quelque sorte l'uraeus
de la couronne divine et royale
détachée du diadème; elle s'appelait aussi, comme la couronne,
la « grande incantatrice »

Fig. 43. — Le roi fait au dieu les libations qui donnent l'*äp ro* et le « fluide de vie » (*Abydos*, I, pl. 38 *b*; cf. *L. D.*, III, pl. 4 *c*).

ourrit hiqaou[3].

L'effet attendu de ces attouchements était multiple. Le dieu ou
la momie recouvrait l'usage de sa bouche, de ses yeux, de ses
oreilles, et ses mouvements redevenaient libres, malgré l'appareil des bandelettes qui comprimait le cadavre de toutes
parts[4]. De plus la « grande incantatrice » apportait au mort ou

1. Schiaparelli, I, p. 106-109. Cf. Brugsch, *Thesaurus*, p. 949.
2. Schiaparelli, I, p. 106, 160, et *Todtenbuch*, ch. XXIII.
3. Schiaparelli, I, p. 111-113.
4. C'est ce que résume la formule des stèles funéraires : « On t'a donné
tes deux yeux pour voir, tes deux oreilles pour entendre, ce que dit ta
bouche comme paroles, tes deux jambes pour marcher, tu fais mouvoir tes
deux mains et tes deux bras...

au dieu la double couronne (*ourrit hiqaou*), faisait de lui un roi du Sud et du Nord muni du fluide de vie[1]. Enfin dans la bouche ouverte de la statue la parole pouvait s'articuler : « Tu as ouvert ta bouche, tes paroles sont en elle[2] », dit le roi au dieu; « il parle, il réalise toutes les incantations, toutes les paroles que dit Osiris »[3] dit-on du mort. Or les Égyptiens attachaient à la voix des dieux la puissance créatrice. Le démiurge avait « parlé l'Univers » au jour de la création : aussi un des indices de la puissance suprême était-il la faculté d'émettre le verbe créateur, d'être celui qui « réalise la parole » celui qui « possède la voix créatrice » ⸺⸺ *mâ khrôou*[4]. Comme l'embrassement, l' « ouverture de la bouche » faisait du dieu et du mort un dieu-roi.

Les rites de l' « ouverture de la bouche » étaient pratiqués sur les statues des dieux comme sur les momies humaines, mais le roi réservait pour les grandes fêtes le cérémonial compliqué que les rituels funéraires nous décrivent si complètement[5]. Dans le service divin journalier on mentionnait simplement l'*àp ro* lors de la présentation des huiles et des bandelettes[6], et au lieu d' « ouvrir la bouche » selon les rites, on « dévoilait la face » du dieu (⸺⸺ *oun her*) au début du service[7]. Tout le développement était reporté sur les rites de l'em-

---

⸺⸺⸺⸺ . (Tylor, *The tomb of Paheri*, pl. IX, l. 7 et *Rituel du culte divin*, p. 160).

1. Voir *Rituel du culte divin*, p. 126, n. 1 où est cité le texte des rituels funéraires qui décrit les pouvoirs conférés au dieu osirien par l'*ourrit hiqaou*.

2. *Rituel du culte divin*, p. 160 sqq.

3. *Todtenbuch*, ch. XXIII (chapitre d'ouvrir la bouche au défunt).

4. J'ai consacré à cette interprétation nouvelle de la formule *mâ khrôou* un long commentaire dans le *Rituel du culte divin*, p. 152 sqq.

5. Voir les textes cités dans le *Rituel du culte divin*, p. 53-54.

6. *Rituel du culte divin*, p. 208.

7. *Rituel du culte divin*, p. 40 et 52.

brassement, tandis que le culte funéraire donnait surtout de l'importance à l'*àp ro*. L'ouverture complète de la bouche et des yeux faisait néanmoins partie obligatoire du culte aux jours de grandes fêtes et si dans les rites journaliers l'on abrégeait la cérémonie, on en sous-entendait tous les effets[1].

Par l'embrassement et l'ouverture de la bouche, le roi et le fils ont rendu à leurs pères la jouissance de leurs corps revivifiés et de leurs âmes divinisées : aussi disait-on au dieu et au mort, à ce moment du service sacré : « Sois en paix, sois en paix, âme divine et vivante... Voici que ton âme divine est avec toi, ta statue divine est à ton côté, car je t'ai amené ton fils (le Pharaon) qui t'embrasse »[2].

IV. Au point où nous en sommes arrivés, il ne restait plus qu'à alimenter le dieu ou le mort en lui présentant sur la table d'offrandes, le repas qui symbolise souvent à lui tout seul le culte entier. Mais auparavant[3] le dieu devait revêtir un costume d'apparat, subir des onctions et des ablutions, recevoir les marques extérieures de sa dignité de la main du roi ; au rituel funéraire nous retrouvons les mêmes détails et les mêmes rites pour la toilette du mort devenu dieu[4].

On offrait d'abord des étoffes en pièce et des bandelettes, - costume approprié à des divinités osiriennes représentées souvent sous forme de momies. C'était le voile *nemes*[5] qui

1. D'après un passage du chap. XXXIX du papyrus de Berlin, « Amon-Râ ouvre la bouche aux dieux qui sont au ciel » (*Rituel du culte divin*, p. 132) ; on ne pouvait donc concevoir la vie céleste des dieux sans y rattacher la cérémonie de l'*àp ro*.

2. *Rituel du culte divin*, p. 93-95 ; j'ai combiné dans cette citation les données du texte de Berlin et du texte d'Abydos. — Cf. *Pépi I*, l. 3-5.

3. D'après les rituels du temple de Séti Ier à Abydos et les rituels funéraires, la toilette précède le repas ; d'après le papyrus de Berlin la toilette suit la présentation de l'offrande.

4. Pour les formules, voir *Rituel du culte divin*, p. 178-190; sur le costume des statues, cf. G. Foucart, *Revue hist. des Religions*, t. XLIII.

5. Schiaparelli, II, p. 9 ; *Rituel du culte divin*, appendice.

coiffe la tête à la mode égyptienne, puis les vêtements du
corps (fig. 44), les trois bandelettes[1] (*monkhit*) blanche, verte,
rouge et la « grande bandelette »[2]. Avec chacune de ces
parures on répétait les rites de l'*àp ro* en touchant la bouche
et les yeux de la statue; des formules, jouant sur le sens des
noms de bandelettes, promettaient au dieu la force, la jeunesse, la pureté, la puissance divine au fur et à mesure des
présentations. Enfin un large collier (*ousekh*) était passé au
cou de la statue comme talisman[3].

Fig. 44. — Le roi offre au dieu les
bandelettes (*Abydos*, 1, p. 52).

Fig. 45. — Le roi oint la
statue (*Abydos*, I, p. 41).

On présentait ensuite neuf à dix espèces de fards et d'huiles[4], dont « on emplissait la face et les yeux de la statue pour
les assainir » (fig. 45) et pour donner bon teint et bonne odeur
à la face du dieu; le fard consacrait aussi le front comme celui
d'un roi[5]. Ces fards et ces huiles sont appelés « huiles de
l'ouverture de la bouche[6] »; en oignant la statue on répétait
les rites qui avaient ranimé la vie et la divinité chez Osiris.

Enfin le roi mettait sur le front de la statue la double cou-

1. Pour l'époque grecque, cf. *Canope*, l. 30 = 59, *Rosette*, l. 7 = 40.
2. Schiaparelli, II, p. 14-36 ; *Rituel du culte divin*, p. 178-190.
3. Schiaparelli, II, p. 37 ; *Abydos*, I, pl. 21 *a*.
4. Schiaparelli, II, p. 46-61 ; *Rituel du culte divin*, p. 190-200.
5. Voir les remarques de Ed. Naville (*Ä. Z.*, 1875, p. 91).
6. Maspero, *Mémoires sur quelques papyrus*, p. 18, n. 5.

ronne et dans ses mains articulées les sceptres $\wedge$, $\curlywedge$, $\upharpoonright$, $\upharpoonright$, $\upharpoonright$,
ou d'autres bâtons de commandement[2]. Ils assuraient la puis-
sance effective de la royauté à celui qui les portait. La toilette
terminée, l'officiant tournait quatre fois autour de la statue
avec l'encensoir allumé à la main, puis il adressait une prière
à l'uræus[1] sacrée qui se dressait au front du dieu et du mort
divinisé; en même temps tous les dieux étaient suppliés de
lancer leur fluide magique sur l'uræus et de faire bon accueil
à son possesseur qui allait, nouveau venu, s'asseoir à leur
table : « Il est avec vous, ô dieux, soyez avec lui, il vit avec
vous, ô dieux, il vous aime, ô dieux, aimez-le! » C'est le moment où l'être divinisé pénètre auprès des immortels, reçoit
leurs embrassements, prend le sein d'Isis[3]; c'est alors qu'on
lui promet « qu'il n'aura plus ni mal ni faim à jamais »[4].
L'heure vient, en effet, de servir le repas sacré.

V. C'est le roi qui présentait aux dieux ce repas et qui en
faisait les frais. Les Égyptiens avaient trouvé comme définition la plus générale du service sacré, la formule suivante :
« Le roi donne l'offrande » $\underline{\underline{\smash{\downarrow \wedge}}}$ souton di hotpou. Ces mots
résument tout le sacrifice[5] et définissent complètement le
rôle qu'y peut jouer le roi. Le fils des dieux doit à ses pères
la nourriture de chaque jour. Tous les rites précédents, qui
ont rendu son âme au corps divin, seraient illusoires, si ce
corps n'avait pas la vie matérielle assurée par le roi.

La charge de pourvoir à la nourriture des dieux entraîna,

---

1. *Pyr. de Pépi II*, l. 291-95 et 383; Schiaparelli, **II**, p. 70-72; *Abydos*,
I, app. A, 13ᵉ et 14ᵉ tableaux. *Rituel du culte divin*, appendice.
  2. Schiaparelli, **II**, p. 87-96. Cf. Abydos, I, appendice A, 28ᵉ tableau.
  3. Comme le roi, lors de la « royale montée au temple » cf. p. 104.
  4. Schiaparelli, **II**, p. 148.
  5. *Rituel du culte divin*, p. 111. L'explication de la formule du *Souton
di hotpou* a été faite excellemment par Maspero, *La table d'offrandes*,
p. 39.

dans l'ordre pratique, toute une organisation matérielle qui
sera étudiée au chapitre suivant. Mais, au point de vue théo-
rique, le roi avait des ressources toujours prêtes pour satis-
faire les dieux. Assimilé à Horus le grand, dieu céleste,
aussi bien qu'à Horus fils d'Osiris, Pharaon est donc le maître
de l' « œil d'Horus »; il crée à volonté par cet œil, le Soleil,
tous les produits naturels de la terre, et peut les présenter
sur la table des dieux. Aussi voyons-nous Pharaon-Horus
offrir à ses pères l' « œil d'Horus » sous toutes ses formes :
aliments, liquides et solides, vêtements, parures, armes, etc.
etc. Pharaon possède encore l'autre pouvoir créateur des
démiurges : il crée par sa voix, comme il crée par son œil,
il est *mâ khróou* ☘️ « celui qui réalise la voix, celui
qui a la voix créatrice[1] » : prononce-t-il le nom d'une offrande? elle se manifeste incontinent sur la table devant
le dieu, et l'on dit qu'elle « sort à la voix quand on l'appelle[2] ». Pour rentrer dans le domaine des faits, ne savons-
nous pas que tous les êtres, tous les produits de la terre, et
la terre elle-même sont dans la main du Pharaon, et de lui
seul, l'héritier des dieux? Aussi lui seul peut-il « donner l'offrande » à ses pères les divins.

Cette théorie intéressait directement le culte funéraire, car
le fils dans chaque famille devait aussi assurer la nourriture
de ses ancêtres divinisés par les rites osiriens. Or d'une part,
le roi seul disposait des produits de l'Égypte, et par conséquent
des offrandes ; d'autre part, chaque défunt transformé en Osiris, entrait dans la famille divine et devenait un père pour le
Pharaon. D'où il résulta que la charge d'assurer aux hommes
morts la nourriture matérielle incomba aussi au Pharaon. A

---

1. Sur la création par l'Œil et par la Voix, cf. *Rituel du culte divin*,
p. 151 sqq.

2. D'où le nom de l'offrande ⬚ *pir khróou* « ce qui sort à la voix »
(Maspero, *La table d'offrandes*, p. 30. — Cf. *Rituel du culte divin*, p. 156).

ce moment du service sacré les rites du culte funéraire et du culte divin sont plus que jamais indissolublement unis. La seule formule qui permit d'assurer aux morts divinisés la nourriture d'outre-tombe fut donc aussi *souton di hotpou* « le roi donne l'offrande. » Mais il y a ici une sorte de gradation dans les obligations du roi vis-à-vis de ses pères les dieux et des hommes divinisés. Pharaon ne donne pas directement aux morts ce qu'il crée ou ce qu'il possède ; il dépose ces offrandes sur la table des dieux et ceux-ci les répartissent aux défunts osiriens. D'où la rédaction finale de la formule du

Fig. 46. — Le roi apporte les of-   Fig. 47. — Le roi consolide les offrandes
  frandes à son père Sokaris   de son père Amon (*Abydos*, I, pl. 42 *b*).
  (*Abydos*, I, pl. 36 *a*).

don des offrandes aux morts : « Le roi donne l'offrande à tel ou tel dieu, pour que ce dieu donne à son tour (*di f*) cette offrande au mort à qui s'adresse le culte[1] ». Malgré cette distinction, le roi ne se reconnaît pas moins obligé d'assurer le culte des morts comme le culte des dieux : il devient un prêtre dans chaque tombeau, comme il est le prêtre dans chaque temple. C'est une conséquence fort importante, au

1. Cf. Maspero, *La table d'offrandes*, p. 42.

point de vue pratique, de la parenté des rites divins et des rites funéraires et de la divinisation des morts : nous verrons aussi au chapitre suivant, quelle organisation sociale une pareille conception imposa à l'Égypte.

Le repas offert au dieu par le roi se composait en outre des pièces des victimes déjà immolées au moment de l'*àp ro*,

Fig. 48. — Le roi lave l'autel (*Abydos*, I, pl. 21).

Fig. 49. — Le roi fait brûler les offrandes sur l'autel (*Louxor*, pl. XXXVII).

de « toutes les choses bonnes et pures que le ciel donne, que la terre crée, que le Nil apporte de sa cachette [1] ». Dans

---

1. C'est la formule ordinaire des stèles funéraires, qu'on appelle le « proscynème ». [hieroglyphs] . « Le roi donne l'offrande à Amon-Râ..., à Osiris, pour qu'ils donnent ce qui sort à la voix, pains, liquides, têtes de bœuf et d'oie, bandelettes, milliers de toutes choses bonnes et pures... que le ciel donne, que la terre crée, que le Nil apporte de sa cachette. » Au registre inférieur des salles *ouskhit*, consacrées aux offrandes, on voit, dans les temples, les Nils apporter « de leur cachette » une infinité d'offrandes, ainsi que le dit la formule des proscynèmes, qui est parfois répétée au-dessus du cortège des porteurs (Gayet, *Louxor*, pl. II, fig. 6; cf. *Abydos*, I, pl. 23). Dans les tombeaux, les défilés de serviteurs chargés d'offrandes, remplacent les processions des Nils,

les tombeaux le repas du mort divinisé comprenait la même variété de mets, et les listes gravées sur les murs des tombes et des temples nous ont conservé le menu interminable que pouvait réclamer un dieu ou un mort (fig. 50).

Fig. 50. — Le menu d'un repas sacré offert par le roi (*Louxor*, pl. XXVI).

Les offrandes des temples étaient consacrées et purifiées par le roi dans une des salles *ouskhit* avant de paraître sur la table des dieux ; le roi procédait soit par des jets d'eau lustrale, soit par des fumigations d'encens [1], ou bien brandissait le casse-tête ⸙ dont le « coup » consacrait les offrandes [2]. Quant au repas du mort divinisé, le rituel dit expressément que « le domestique le faisait passer vers la salle

1. Dans le tombeau, Schiaparelli, II, p. 159 « chapitre de purifier les offrandes (ou la table) avec l'eau et l'encens » ; dans le temple *Louxor*, pl. XVII, fig. 65, 67, pl. XXXII, fig. 94-95.

2. Dans le tombeau 𓏙𓎛𓏏𓎛𓂝 « frapper (consacrer) les pièces choisies », Schiaparelli, II, p. 170 ; dans le temple, le roi lève le ⸙ sur toutes les offrandes à consacrer ; *Louxor*, pl. XLIV, fig. 123 ; XL, fig. 132 ; XIV, fig. 136 ; sur les huiles et fards, encens, bandelettes contenus dans des coffrets, *Louxor*, pl. XXXIX, fig. 130 ; LI, fig. 125 ; sur quatre taureaux, tacheté, rouge, blanc, noir, *Louxor*, pl. IX, cf. notre fig. 36.

ouskhit du temple pour le compte du défunt[1] » et on prononçait deux fois la formule : « Ah ! le roi a purifié toutes les
choses offertes à l'Osiris tel ou tel. » Puis l'officiant parlant
au nom du dieu proclamait : « Je te donne des milliers de
pains, des milliers de liquides, etc...[2] » Et les offrandes re-

Fig. 51. — « Le roi
donne l'offrande »
(*Abydos*, I, pl. 44).

Fig. 52. — Le roi offre Mâït au
maître de Mâït (*Ombos*, I, p. 98).

partaient, pour le tombeau, purifiées et consacrées comme
celles des dieux : on spécifiait en les présentant au mort

---

1. Schiaparelli, II, p. 150-60 N. « le
domestique fait passer les pains vers la salle *ouskhit* du temple de Râ pour
les provisions de l'Osiris N. » — Voir des renseignements complémentaires au chapitre suivant.

2. Schiaparelli, II, p. 157 et 160.

qu'elles venaient de la salle *ouskhit* du temple [1]. Directement ou indirectement c'est le roi qui nourrissait les dieux des tombeaux comme les dieux des temples.

Après la consécration des offrandes, on dressait la table dans le temple et dans le tombeau avec des rites analogues : ici le roi, là le « domestique » lavent l'autel (fig. 48) [2], avant d'opérer le « transport [3] », puis l' « arrangement [4] » des mets devant le dieu. On lit alors la liste des offrandes [5], c'est-

1. M. Maspero, qui a le premier attiré l'attention sur les « offrandes qui sont dans l'*ouskhit* » (*La table d'offrandes*, p. 33), estime que ce sont des offrandes reléguées dans le vestibule du tombeau (*ouskhit*). Le texte à la page 172, n. 1, et d'autres, commentés plus loin, au chapitre suivant, m'amènent à croire qu'il s'agit de la salle de même nom, des temples ; on appelait « offrandes qui sont dans l'*ouskhit* », celles qui y avaient séjourné pour les purifications et étaient tirées des tables d'offrandes des dieux.

2. Schiaparelli, II, p. 159 ; *Abydos*, I, pl. 21, *c*, « chapitre de laver la table d'offrandes ».

3. Le roi transporte lui-même les offrandes de l'*ouskhit* au sanctuaire (𓀀 𓂝 𓊩) *Abydos*, I, pl. 36, 38 *c*, 47 *a*. Cf. fig. 46.

4. Les termes employés sont « mettre en ordre les offrandes 𓈖 𓊖 » sur l'autel » (Schiaparelli, II, p. 174) ou « disposer les offrandes » 𓏤𓏤 𓊪 𓊩 (*Abydos*, I, pl. 40 *c*) ou « consolider, restaurer 𓂝 𓂋 𓏏 les offrandes » (*Abydos*, I, 47 *b*). Cf. fig. 47.

5. Il y a une petite et une grande liste d'offrandes. On en trouvera des exemples dans Schiaparelli, II, Appendices I et II ; M. Maspero a étudié par le détail le menu des tables d'offrandes dans son important mémoire *La table d'offrandes des tombeaux égyptiens*. — La proclamation du menu était faite à haute voix 𓈗 𓈖 𓂝 𓊪 𓏤 « appeler les offrandes » (Schiaparelli, II, p. 169), formule qui est fréquente sur les stèles funéraires ; on disait aussi 𓊪 𓂋 𓊩 « proclamer les offrandes » (Schiaparelli, II, p. 174 ; *Abydos*, I, pl. 44 et 46), formule qui accompagne souvent le 𓊩 𓊪 proprement dit. — Dans les temples, la table

à-dire le menu du repas, en disant au mort ou au dieu : « Approche-toi de ces pains qui sont à toi ». Puis la main droite levée, le roi ou le fils lancent la formule : « Le roi donne l'offrande ! » (fig. 51), en invitant à nouveau leur père « à manger, à s'approcher du pain, de la bière, des pièces choisies de viandes de bœuf et de volailles, qui sont là par millions de milliers de centaines », de sorte « qu'il n'aura plus faim jamais » [1].

Pendant le repas, le roi ou le fils chantait un hymne à la déesse Mâït ⌒ ⌣ [2], et offrait au dieu (fig. 52) une statuette de cette déesse qui symbolisait la création tout entière, devenant la nourriture du dieu son créateur [3]. Le tableau qui représente cette scène est gravé sur la paroi du fond de tous les sanctuaires; on peut croire que dans le service sacré journalier l'offrande immatérielle de Mâït suffisait à remplacer la plus grande partie des offrandes véritables; mais aux jours de fête le repas réellement servi réapparaissait au complet sur la table d'offrandes [4].

Le repas terminé, le roi purifiait une dernière fois le dieu,

---

d'offrandes et son menu se trouvent toujours : *Louxor*, pl. XXV, fig. 85 ; LXX, fig. 209 ; *Abydos*, I, pl. 39.

1. La formule où se détachent les mots essentiels ⌒ « viens, ô toi, vers ces pains qui sont à toi », ou ⌒ « entre vers ce pain qui est à toi », se trouve pour les dieux à *Abydos*, I, pl. 23 et 44-45, et, sous une forme plus développée, dans Schiaparelli, II, p. 178-189 pour les défunts ; dans l'un et l'autre cas elle accompagne le proscynème ⌒.

2. *Rituel du culte divin journalier*, p. 147.

3. Sur le caractère symbolique attribué à l'offrande de Mâït et celui qui me semble dériver réellement des textes, voir *Rituel du culte divin*, p. 148.

4. Les offrandes étaient brûlées sur l'autel à feu (*Louxor*, pl. LI, fig. 125 ; pl. XXXVII, fig. 128, c'est notre figure 49) et parvenaient au dieu

son naos et le sanctuaire par l'eau et l'encens, puis sortait
en scellant de son cachet, imprimé sur terre sigillaire, les
portes du naos [1]. Dans le tombeau, neuf « amis » (*smirou*)
prenaient la statue du mort (qu'ils appelaient « le dieu ») dans
leurs bras et la portaient vers un naos, où on la déposait parfois dans une barque semblable à celle des dieux [2]. En ouvrant
les portes du naos, on entonnait l'hymne « les portes du
ciel s'ouvrent, etc... » que chantait le roi quand il entrait au
sanctuaire divin [3]. On purifiait le sol, comme dans les temples (*sa ta* ⸺ ⸺)[4], pour le douer lui aussi de charmes
magiques, et « on laissait le dieu reposer dans sa demeure »
(⸺ 𓅱 𓊪 𓉐 ⸺)[5]. C'était la fin du service sacré. On
pouvait célébrer aussi ces rites pour les dieux, car on les
trouve mentionnés dans un rituel du culte d'Osiris-So-
karis [6].

Après cette étude rapide des rites du culte divin, on arrive
à une double conclusion. Celle-ci d'abord : le culte que le roi
doit à ses pères les dieux est le même que dans toutes
les familles du commun le fils rend à son père. — Cette
autre enfin : le roi, par le fait que le père dans chaque tombeau est élevé au rang de dieu, devient prêtre du culte familial au même titre que prêtre du culte divin ; en tant que dispensateur de tous les biens sur cette terre, le roi doit le repas

---

dans la fumée qu'il saisissait de ses deux mains (cf. *Rituel du culte divin*,
p. 119). On a retrouvé un grand autel à feu dans le temple de Deir el
Bahari. Mention de la combustion des offrandes est faite parfois dans les
calendriers des fêtes divines (Brugsch, *Drei Festkalender*, pl. II, l. 9). Pendant l'*âp ro*, la bouche du dieu goûtait déjà aux offrandes.

1. *Inscription de Piankhi*, l. 104-105 (éd. De Rougé, p. 60-61).
2. Schiaparelli, II, p. 210-215.
3. Schiaparelli, II, 217-218 ; *Rituel du culte divin*, p. 49.
4. Schiaparelli, II, p. 211. Voir ce qui a été dit plus haut, p. 138.
5. C'est une formule fréquemment employée pour les dieux à la fin des
cérémonies du culte.
6. Voir les *Litanies de Sokaris* (Budge, *Archæologia*, t. LII, p. 497, pl.
XX, l. 14-15).

funéraire à tout mort osirien, et de lui dépendent les destinées de l'âme de tout Égyptien après la mort. On conçoit
quelle inexprimable puissance morale cette situation confère
au roi qui réunit en ses mains l'autorité et les charges du
culte d'état et du culte familial.

VI. Telles étaient les obligations quotidiennes du roi
vis-à-vis des dieux; mais outre le propre de chaque jour il y
avait des fêtes solennelles fort nombreuses, où le roi tenait
aussi le rôle principal. Décrire ces fêtes par le détail me
ferait sortir hors des limites de ce travail, sans rien ajouter
d'essentiel aux conclusions tirées de l'étude du culte journalier. Les cérémonies des jours de fête ne sont que des
développements des rites quotidiens : au lieu d'un *àp ro*
abrégé, on pratique l'ouverture de la bouche et des yeux
dans tous leurs détails raffinés; au lieu de présenter une
statuette de Màït, on tue des hétacombes et l'on met sur les
autels des « milliers d'offrandes de toute espèce » ; au lieu
de faire une toilette sommaire de la statue divine, on
accumule étoffes précieuses, bijoux, couronnes, sceptres,
phylactères[1]. Au total les rites osiriens demeurent immuables, mais le côté extérieur du culte prend une plus grande
valeur.

Dans le culte de chaque jour, le roi officie seul dans le sanctuaire. Les jours de fêtes, tout le personnel du temple est sur
pied : le roi prend la tête d'un cortège de prêtres et d'officiants de tout rang, les uns portant des emblèmes sacrés, les
autres chargés des fonctions accessoires du culte, d'autres
répétant les gestes ritualistiques dont le roi donne le
signal[2].

1. Les rituels distinguent assez souvent les cérémonies réservées au
culte quotidien et celles, plus développées, des jours de fête (cf. *Rituel
du culte divin*, p. 108, 195).
2. Voir les processions de *Dendérah*, dans les escaliers du Sud et du
Nord, t. IV, 2 sqq. Cf. De Rougé, *Edfou*, p. 202.

La présence de ce personnel nécessite la sortie du sanctuaire exigu où le roi seul trouvait place; une fête consiste en effet essentiellement dans l' « exode » (⌂) du dieu[1]. Le thème général consiste à faire « lever », « paraître » (⌂ *khâ*) la barque du dieu, l'arche où réside la statue divine ; on se dirige vers une salle déterminée ou sur la terrasse du temple, ou bien l'on fait le tour de l'enceinte. Dans des cas plus rares le dieu est porté jusqu'à la ville, ou jusqu'à un autre temple, parfois on navigue sur le Nil pour aborder à une cité voisine[2]. Lorsque le cortège a atteint l'emplacement de la fête la barque du dieu est déposée (⌂ *hotep*) dans la salle du temple, dans un autre sanctuaire, ou dans la ville voisine : à ce moment ont lieu des sacrifices précédés de l'*âp ro*[3], et de

1. Le mot ⌂ « se lever comme le soleil » caractérise les apparitions en public des dieux et du roi; dans les fêtes des temples ⌂ indique le début et ⌂ « se poser » la fin, le retour au sanctuaire ou le repos dans une station d'attente (Cf. Mariette, *Dendérah*, texte, p. 101, n. 6). Le décret de Canope rend ⌂ par ἐξοδεία.

2. Par exemple Horus va à Edfou, Hâthor à Dendérah ; Amon de Karnak va au temple de Louxor par eau (Daressy, *Mission du Caire*, VIII, 3ᵉ fascicule) ; Hâthor visite Horus d'Edfou et va, par eau, de Dendérah à Edfou, et Horus lui rend sa visite. — Voir Brugsch, *Drei Festkalender des tempels von Apollinopolis magna*, où sont publiés et traduits les calendriers des fêtes d'Edfou, et traduits ceux d'Esneh et de Dendérah. Mariette (*Dendérah*, texte p. 100 sqq.) a traduit et commenté le calendrier de Dendérah ; M. Bouriant a publié le calendrier d'Ombos (*Recueil de trav.*, t. XV, p. 184). Voir aussi Brugsch, *Thesaurus*, p. 362 sqq.

3. L'*âp ro* « grand » ou ordinaire est mentionné aux *Drei Festkalender* de Brugsch, pl. VI, l. 13 ; pl. X, l. 3, 4, 9. — Cf. l'expression « frapper (consacrer) la bouche de son père » d'un calendrier d'Esneh, publié par Brugsch, *Matériaux pour servir à la reconstruction du calendrier des anciens Égyptiens*, pl. X, l. 2.

A. MORET.   12

prières avec ou sans accompagnement de musique et de danses. Suivant que l'on reste dans l'intérieur du temple ou que l'on quitte l'enceinte ou même la ville, ces cérémonies durent quelques heures ou plusieurs jours; parfois la moitié d'un mois y est consacrée. Puis la barque divine rentre au temple et le dieu « repose dans sa demeure » (⟨hiéroglyphes⟩) jusqu'à prochaine occasion qui ne se faisait pas longtemps attendre si l'on en croit le témoignage des calendriers de fêtes retrouvés à Médinet Habou, Edfou, Dendérah, Ombos et Esneh.

Les occasions qui faisaient naître ces fêtes étaient variables. C'était le début de l'année, grande fête pour Horus d'Edfou, Hâthor de Dendérah[1], Amon de Karnak[2] et en général pour tous les dieux : en ce jour on couronne solennellement les statues divines et parfois on les expose aux rayons du soleil levant, sur la terrasse du temple, pour recevoir un renouvellement du sa de vie dans l'embrassement de la lumière solaire[3].

A cette date aussi (solstice d'été) une goutte d'eau divine tombait du ciel dans le Nil, à Silsilis, et déterminait l'inondation, cette autre source de vie; le roi présidait une fête commémorative, en sacrifiant des hécatombes et en jetant au fleuve un ordre écrit prescrivant une crue abondante[4]. Plus souvent la vie individuelle des patrons des temples déterminait l'ordre des fêtes : la naissance, le couronnement du dieu, célébrés avec des rites analogues à ceux que nous avons vu observer pour le Pharaon[5], la mort et la résurrection du

1. A Dendérah comme à Edfou, il y a une « chapelle du nouvel an » où est représentée en détail la fête de ce moment de l'année.

2. C'est la fête d' « Amon dans les Apitou » représentée sous la grande colonnade de Louxor, publiée par Daressy (*Mission du Caire*, t. VIII; 3ᵉ fasc.).

3. Cf. Mariette, *Dendérah*, texte, p. 204 sqq.

4. Stèles de Silsilis (XIXᵉ dyn.) traduites par Stern, Ä. Z., 1873, p. 129.

5. Voir par exemple les panégyries de Sokaris, de Min, d'Amon au

dieu identifié à Osiris étaient les occasions des *exodes*. Enfin les rites osiriens, base de la religion, se célébraient en détail dans chaque sanctuaire : la passion d'Osiris, sa résurrection, les « veillées » de Sokaris, les fêtes symboliques du mois, du demi-mois, les anniversaires de combats contre Sit, les fêtes du feu protecteur, sont inscrits au calendrier de tous les temples.

Dans chacune de ces fêtes le rôle du roi reste le même que dans le service du culte journalier : toutes les cérémonies essentielles, il les exécute lui-même ou le grand-prêtre le fait en son nom. Quand le dieu « se pose » dans un naos d'une « station » divine, ou dans le sanctuaire d'un temple voisin, le roi seul y pénètre avec lui pour y accomplir les rites, qui doivent rester secrets, du culte filial[1] ; dans les cortèges, le roi se lève (🜨) avec son père le dieu et s'arrête (▭) avec lui ; pendant la marche il « suit » ou « accompagne » la barque divine (𓀀𓏏𓈐𓏲𓀀 suivre le dieu, fig. 53) ; au moment des sacrifices il tue lui-même les victimes humaines[2] ou animales, et consacre les offrandes innombrables. Quand le roi Piankhi nous décrit sa conquête de l'Égypte sur les rois rebelles, nous le voyons aller ainsi de temple en temple, célébrant tour à tour les fêtes solennelles et les rites journaliers. A Thèbes :

« Je disposerai des offrandes (𓀀 𓏲 𓀀) — dit-il — à mon père Amon, dans sa belle fête où il fait son beau lever (🜨

temple de Médinet Habou (*L. D.*, III, pl. 212; Daressy, *Notice*, p. 116-127).

1. Daressy, *La colonnade de Louxor* (*Mission du Caire*, t. VIII, 3ᵉ fasc.). Cf. Brugsch, *Festkalender*, pl. I, l. 6 : « Aucun homme ne doit voir ni entendre » ce qui se passe dans le sanctuaire.

2. C'est le tableau classique du roi assommant les prisonniers dont il tient la chevelure, qu'on trouve depuis les temps archaïques (tablette du roi Den, publiée par Spiegelberg, *Ä. Z.*, XXXV, p. 8) jusqu'aux derniers temps de la période gréco-romaine.

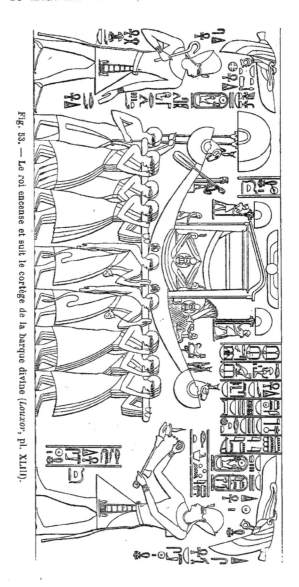

Fig. 53. — Le roi encense et suit le cortège de la barque divine (Louxor, pl. XLIII).

khâa) du début de l'année ; Amon m'enverra en paix pour le
voir dans sa belle fête des Apitou (Karnak) où je ferai lever
son image divine... [1] » Quand il arrive en basse Égypte, Piankhi « fait une offrande de bœufs, de veaux et d'oies » à Toum
et à ses dieux parèdres, puis « passant vers le temple de Râ,
à Héliopolis, il entre au temple en adorant par deux fois ; il
remplit les rites du *pa douaït*, il prend la couronne, se purifie par l'encens et l'eau, puis monte l'escalier qui mène au
naos divin pour voir le dieu Râ ; le roi, de sa personne, s'y
tient tout seul, il pousse le verrou, ouvre les portes, voit son
père Râ et vénère la barque de Râ et de Toum ; il tire les
portes, pose la terre sigillaire, y met le sceau du roi [2]. » De
là Piankhi entre au temple de Toum et il y fait les rites de
« suivre avec l'encens la statue de son père Toum-Khopri »

)[3]. A toutes les épo-
ques, tel se montrait Pharaon, célébrant de ville en ville,
suivant le temps et le lieu, les rites journaliers ou extraordi-
naires du culte divin [4] (fig. 53).

Dans ces fêtes solennelles le culte des morts tenait une
place, puisque Pharaon a aussi charge d'âmes vis-à-vis des
morts divinisés. Les « exodes » des statues divines sont parfois dirigés du côté des nécropoles où reposent les « âmes

1. *Stèle de Piankhi*, l. 25 (éd. de Rougé, p. 21-22).
2. *Stèle de Piankhi*, l. 100-105 (éd. de Rougé, p. 57-61).
3. *Stèle de Piankhi*, l. 105 (éd. de Rougé, p. 61). Cf. notre fig. 53.
4. La pierre de Palerme mentionne, pour le compte des rois des
dynasties archaïques, la célébration de plusieurs des fêtes qui figurent
aux calendriers des temples de l'époque classique ou gréco-romaine
(voir articles de Naville, *Recueil, de trav.*). Une de ces fêtes avec le sacrifice des prisonniers apparaît déjà sur la palette de Narmer, à Hiéraconpolis (cf. Capart, *La Fête de frapper les Anou*, ap. *Revue de l'Histoire des Religions*, t. XLIII). Les temples gréco-romains nous montrent
la célébration des fêtes par les Ptolémées et les Césars ; à Dendérah
on voit l'empereur Trajan danser devant les dieux (*L. D.*, IV, pl.
83 *b*).

vivantes » [1] des morts. On purifie le sol par des libations et l'on donne des offrandes aux morts ; parfois, comme à Edfou, un service sacré complet est consacré aux « âmes » des dé- funts.

Lors de la grande fête d'Horus, dès le début, le cor- tège divin s'arrêtait à une « première station ». « Là, on disposait des offrandes pour les âmes (𓀭 𓂝 𓅓 𓅿), à savoir une grande quantité de pains, de vin, de têtes de bœufs et d'oies, et de toutes bonnes choses ; on mettait sur le feu des autels et on présentait quantité d'offrandes. Les hiérogram- mates et les officiants lisaient les chapitres de « présenter les offrandes »..., et l'on chantait par quatre fois : « Voici venir celui qui crée par la voix (Horus)..., depuis qu'il a pris pos- session de sa dignité..., les âmes vivantes de cette demeure sont (solidement) établies sur leurs places car elles ont vu le maître des dieux ; les préposés à la nécropole sont dans la joie. Et les prophètes de la procession doivent exprimer par de nombreuses paroles la joie qui pénètre les âmes vivantes (des morts) [2]. » — Ces gratifications générales des nécropoles n'excluaient pas les faveurs particulières : on verra au cha- pitre suivant comment les favorisés d'entre les morts pou- vaient être associés à toutes les libéralités de Pharaon envers ses pères les dieux, aux mêmes dates et dans les mêmes fêtes.

C'est ainsi que les rituels des cultes divin et funéraire dé- finissent le principe des obligations filiales du roi envers les dieux ses pères et envers les morts que les rites osiriens font entrer dans la famille royale et divine. Par les cérémonies sacrées le roi rendait la vie aux uns et aux autres ; aussi disait- on de lui qu'il était « donneur de vie » (𓉐 𓋹 *di ankh*) et la formule accompagne sur les tableaux des temples chacune

---

1. *Dendérah*, I, pl. 62 *h*, l. 1, *i*, l. 2.
2. Brugsch, *Drei Festkalender*, p. 12-13 et pl. VII, l. 7-12.

des scène du culte : « Le roi fait telle chose pour qu'il fasse le don de vie » ().

Il me reste à exposer comment le roi s'acquittait matériellement envers les dieux et les morts pour achever de définir le rôle actif du Pharaon en tant que prêtre du culte filial.

CHAPITRE VI

Fondations royales pour les dieux et les morts.

I. Caractère perpétuel des fondations qui assurent le culte des dieux et des morts. — II. Comment s'opérait la constitution d'un terrain, la construction des édifices, l'établissement d'un service d'offrandes, pour un temple. — III. Dotation du personnel sacerdotal. — IV. Les revenus de la classe sacerdotale sous Ramsès III. — V. Participation effective des morts aux fondations faites aux dieux. Les « favorisés » et les « féaux ». — VI. Les favorisés représentés au temple par des statues et des stèles. — VII. Les favorisés reçoivent, à domicile, dans leurs tombeaux, les offrandes funéraires. Dates auxquelles le service sacré est célébré. Contrats avec les prêtres de double. — VIII. Conclusion. Force morale que vaut au Pharaon le service sacré des dieux et des morts; principe de faiblesse pour la monarchie dans l'accroissement des biens de la classe sacerdotale.

I. L'étude des rituels des cultes divin et funéraire nous a permis de définir le caractère précis des obligations que le Pharaon contracte vis-à-vis des dieux en prenant la couronne : le roi doit célébrer et entretenir leur culte; de plus, chacun des morts honoré des rites osiriens, devenant dieu et roi, réclame aussi un service d'offrandes funéraires du Pharaon. Telle est la théorie : dans quelle mesure est-elle entrée dans la pratique et comment le roi peut-il tenir ses engagements vis-à-vis des dieux et des morts?

Le point de départ est celui-ci : en tant qu'héritier des dieux, muni des titres légaux de succession et d'un testament (⸢ ⸣ *amit pou*) en bonne forme, le roi est seul propriétaire du sol de l'Égypte. En fait, la plus grande partie de la vallée du Nil constitue ce qu'on appelle les « champs du Pha-

12*

raon » [hieroglyphs] ; mais les textes mentionnent cependant des domaines détachés des terres royales par autorisation expresse. Parmi les propriétaires de ces terres, les plus favorisés appartiennent à la classe sacerdotale et gèrent des « biens divins » [hieroglyphs] *noutir hotpou* attribués par le roi aux temples ; d'autres, moins riches, mais plus nombreux encore, ont obtenu du Pharaon une parcelle de terre pour l'emplacement d'un tombeau ou des revenus qui alimentent le culte funéraire. Pour que le temple et le tombeau puissent subsister éternellement, pour que le service des offrandes aux dieux et aux morts fût assuré à jamais, suivant les prescriptions des rituels, il leur fallait une base territoriale permanente : aussi le roi a-t-il attribué aux dieux et aux morts, des domaines distraits de ses terres à titre de *concessions perpétuelles*. De là le nom donné aux temples : « horizons éternels » [hieroglyphs] où se pose à jamais le dieu solaire ; les tombeaux sont aussi des « maisons d'éternité » [hieroglyphs] .

On verra plus loin que ces donations royales remontent aux époques les plus lointaines. Il semble bien que les domaines consacrés à l'entretien du culte des dieux et des morts aient été les premières terres détachées par le roi de son patrimoine ; les « fiefs militaires », qui constituèrent par la suite une autre forme de donations perpétuelles, n'apparaissent qu'assez tard, vers la XVIIIᵉ dynastie ou peut-être dès la XIIᵉ dynastie, dans l'état actuel des textes [1]. D'où l'importance économique très grande de ces fondations royales, en dehors de l'intérêt qu'elles offrent pour caractériser les obligations religieuses du roi dans la société égyptienne.

II. Lors de la fondation d'un temple, la donation du terrain

---

1. Sur ce sujet, qui ne saurait être développé ici, voir Révillout, *Précis du droit égyptien*, en cours de publication depuis 1899.

s'accompagnait de rites religieux et de formalités administratives. Les rites religieux consistaient, comme nous l'avons
vu, dans la délimitation du péri-
mètre faite par le roi qui creusait
le sol, hoyau en main (*designare
sulco*) exécutait une « course » et
« donnait le champ » ⋀ 𝖑𝖑𝖑 [1] (fig.
54). Les formalités administratives
ne sont connues dans leur détail
que par des textes d'époque récente,
mais il y a tout lieu de croire qu'elles
étaient d'un usage très ancien.

On a retrouvé sur les murailles du
temple d'Edfou un extrait des archives donnant les titres de propriété du temple à l'époque de
Ptolémée XI[2]. La fondation royale
est désignée par le terme général
⌐_⌐ *honk* « donation », et les terres

Fig. 54. — Le roi donne le
champ à son père (*Ombos*,
I, p. 42).

attribuées formaient les « biens divins » ⏋▱ *noutir hotpou* ; la « somme totale de ces biens divins » (𓅡⚚ ○ ⊙ □
⏋▱) destinés « aux besoins journaliers » du dieu (⌐ ⎍⎍
≈ ⚙ ⊙), « l'exposé de tous les comptes et de toutes
les parcelles territoriales » (▱ ⚬ ○ ⏝ ≈ ≈ ≈);
depuis tel jour jusqu'à telle date, étaient donnés dans ce document d'après « les actes du bureau des écrits concernant

1. Voir p. 133 et 141, n. 3.
2. Texte publié, traduit, commenté par Brugsch, *Thesaurus*, p. 531-604,
« *Die Schenkungs-Urkunde von Edfu* ».
Le « don du champ » par le roi au dieu est un tableau fréquent dans
les temples (fig. 54).

les propriétés territoriales » ([hieroglyphs])[1].
Nous savons par d'autres textes plus anciens que ce bureau était celui des scribes royaux chargés du soin de tenir
au courant les cadastres ([hieroglyphs] *denitou* ou [hieroglyphs]
[hieroglyphs])[2], et de percevoir les droits du fisc sur toute
mutation de propriétés. Le document d'Edfou nous donne
en effet l'énumération de chaque parcelle de terres dépendant du temple, avec leur contenance et le nom des propriétés limitrophes au sud, au nord, à l'est, à l'ouest[3]. Quand
pareille inscription était faite sur les registres du cadastre
royal au profit de quelqu'un et reproduite sur les stèles
qui « faisaient titre », on disait que le bien concédé était
« établi à perpétuité » ([hieroglyphs]) au nom du bénéficiaire[4]. On se sert de la même expression pour caractériser

1. Brugsch, *Thesaurus*, p. 592 sqq. Dans la stèle de Ptolémée I (publiée
par Brugsch, *Ä. Z.*, 1871, p. 1 sqq.), le début de la donation au temple
de Bouto est ainsi conçu : « Qu'il soit fait un décret par écrit dans
le bureau des écrits par le scribe des comptes royaux, en ces termes :
Moi Ptolémée je donne ces biens à Horus... depuis ce jour à jamais »
[hieroglyphs]
[hieroglyphs]
[hieroglyphs] (p. 6).

2. Sur *denitou* voir mon étude « Un procès de famille sous la XIXᵉ dynastie »; *Ä. Z.*, XXXIX, p. 15. Sur le *senti*, voir Brugsch, *Thesaurus*, p. 604,
l. 18.

3. La délimitation du terrain concédé au dieu était assurée par des
stèles, qui servaient de bornes, sur lesquelles l'acte de donation était
transcrit. On possède trois des stèles par lesquelles Aménophis IV déli-
mita le territoire de Khoutnaton, le sanctuaire du disque solaire. (Daressy,
Tombeaux et stèles-limites de Hagi-Kandil dans le *Recueil de travaux*,
t. XV, p. 36-62.)

4. On trouve pour toutes les époques des stèles de donation. On
peut citer celle de Thoutmès III dans le temple de Phtah Thébain (Mas-

les droits de propriété d'un dieu sur ses « biens divins »[5] ;
parfois aussi le Pharaon déclare qu'il a rédigé un acte de donation en faveur des dieux : « J'ai fait un *àmit pou* de tous mes
biens pour qu'ils soient à jamais (établis) à ton nom », dit
Ramsès III à Amon dans le temple de Médinet Habou (

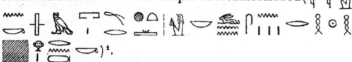

)[1].

Une fois la donation enregistrée, les travaux de construction commencent. Le roi convoque « des maçons, des sculp-
teurs, des graveurs de lettres et toutes les corporations de
gens de métiers pour fonder le sanctuaire de ses pères »[2] ; un
grand fonctionnaire, choisi spécialement par le roi, est mis
à leur tête[3]. Aussitôt on envoie chercher des blocs de calcaire
aux carrières de Tourah[4], et du Ouady Hammamât[5], des

pero, *Comptes rendus de l'Académie des Inscriptions*, 1900, p. 113), la stèle
d'Aménophis III, relatant des fondations dans les temples de Thèbes et de
Soleb (Spiegelberg, *Die Bauinschrift Amenophis III* (*Recueil de travaux*,
t. XX, p. 37 sqq.), la stèle de Nectanébo à Naukratis (Maspero, *Comptes
rendus de l'Académie des Inscriptions*, 1899 ; cf. Erman *Ä. Z.*, XXXVIII,
p. 133) ; la stèle de Ptolémée I à Bouto (Brugsch, *Ä. Z.*, 1871, p. 1 sqq.) ;
la stèle de Pithom (*Ä. Z.*, XXXII, p. 74 sqq.), les décrets de Canope et
Rosette, et la stèle de Séhel. — Dans tous les temples on retrouve aussi
des textes de donation. Voir le commentaire de Brugsch sur l'inscription
de Sehel (*Sieben Jahre der Hungersnoth*, p. 74 sqq.), où l'auteur cite de
nombreux textes de donations des Ptolémées VII, IX, X, d'Auguste et
de Tibère, en faveur du temple de Philæ.

1. Texte publié par Daressy, dans le *Recueil de travaux*, t. XIX p. 15.
De là les scènes de présentation de l'*àmit pou* au dieu par le roi, qui se
trouve dans les temples ptolémaïques.

2. Ce sont les expressions de la grande inscription d'Abydos (I, pl. VII,
l. 70 sqq. Cf. le mémoire de Maspero, p. 47-48).

3. *Abydos*, I pl. VII, l. 53 (cf. Maspero, p. 33).

4. Voir les inscriptions des carrières de Tourah, Lepsius, *Denkm.*, III,
3 ; cf. Brugsch, *Das Aegyptische Troja*, *Ä. Z.*, 1867, p. 92.

5. Voir les inscriptions du Ouady Hammamât publiées dans *L. D.*, II, 115
(VIe dyn.) et 149 (XIe-XIIe dyn.) et par Golenischeff, traduites par Maspero
(*Études de Mythol.*, IV p. 1 sqq.).

blocs de syénite à Éléphantine [1]. Les bois viennent de Syrie [2], l'or des mines de l'Etbaye [3], les oxydes de cuivre et les turquoises des gisements du Sinaï et du Sarbout el Khadim [4]. Ces fournitures exigent l'envoi de missions d'ouvriers spécialistes, escortés de miliciens [5] ; les chefs, qui ont parfois plusieurs milliers d'hommes sous leurs ordres, n'ont pas oublié de graver sur les parois des carrières les causes de l'expédition, le récit du voyage, les incidents de route et l'énumération des travaux parfois considérables, routes à établir, canaux à creuser [6], qu'il a fallu exécuter pour ame-jusqu'à la voie du Nil les blocs colossaux ou les pierres rares nécessaires à la construction des temples. Non seulement l'Égypte entière travaille aux préparatifs, mais les pays étrangers envoient, de gré ou de force, leur contribution en bois précieux, pierres rares, métaux bruts ou ouvragés [7].

L'édifice achevé, il restait à le munir des revenus nécessaires au service du culte. La table d'offrandes du dieu exigeait la présence de troupeaux considérables, de vergers et de jardins potagers extrêmement fertiles : aussi les textes de fon-

1. Inscription d'Ouni (VIe dyn.), l. 37-45. Voir Brugsch, *Sieben Jahre Hungersnoth*, p. 119.
2. Ainsi en témoignent les annales de Thoutmès III, et surtout le curieux papyrus publié par Golenischeff, *Recueil de travaux*, t. XXI, p. 74.
3. Cf. Maspero *Histoire*, II, p. 374-375 et 408.
4. Maspero, *Histoire*, I, p. 358 et 476.
5. Le détail nous est donné dans une inscription du Ouady Hammamât (*L. D.*, II, 149 *d*, Maspero, *loc. cit.*, p. 8-9; trois mille soldats convoient les ouvriers techniciens.
6. *Inscription d'Ouni* (VIe dyn.): cf. Maspero, *Recueil de travaux*, XIII, p. 203-204, travaux pour canaliser les rapides de la première cataracte et laisser la voie libre aux chalands chargés de matériaux de construction ; *Stèle de Kouban* (XIXe dyn.), creusement de citernes le long de la route des mines d'or. Cf. Maspero, *Histoire*, II, p. 408.
7. Voir *Annales de Thoutmès III*, citées par Maspero, *Histoire*, II, p. 262, n° 1; 267, n° 2, etc. Le défilé des porteurs d'offrandes asiatiques ou éthiopiens apparaît souvent sur les monuments (cf. Maspero, II, p. 260, 263, 269, 283, 285).

dation énumèrent-ils en général le nombre d'animaux de race
bovine, ovine, caprine etc. [1], les espèces d'arbres fruitiers qui
doivent fournir les offrandes vivantes ou frugales, solides
ou liquides ; parfois on détermine avec précision le nombre
de pains, de morceaux de viande, la quantité de fruits ou de
liquides variés qui seront servis à telle date pour telle fête [2].
Ces chiffres sont souvent élevés ; et si l'on considère d'une
part le nombre des sanctuaires en Égypte, d'autre part la
fréquence des jours de fête, on arrive à un total surprenant,
pour le chiffre d'offrandes que réclamait en une seule année
le service du culte [3]. On s'explique dès lors, que dans les
expéditions en Asie ou chez les peuples riverains du Haut-

1. Voir la stèle de Ptolémée I (*Ä. Z.*, 1871, p. 6, l. 14), et les énumé-
rations de Ramsès III dans le Pap. Harris IV, 7-8 (cité par Peuillet,
Recueil de travaux, XVIII, p. 174). Les exemples sont fréquents.

2. Par exemple, Stèle de Thoutmès III, publiée et traduite par Maspero (*Comptes rendus Acad. des Inscriptions*, 1900, p. 113 sqq.) : « C'est ma
Majesté qui fait faire tous les cahiers des charges du palais envers mon
père Phtah... pour le 1er mois de Shâït, le 26e jour auquel ma Majesté
lui institua une offrande de un taureau, une grande mesure de vin bien
pleine, quatre lots de nombreuses victuailles, quatre boisseaux de grains,
des céréales en quatre pains blancs coniques, deux couffes de légumes,
vingt cruchons et dix cruches de bière, cinq oies pour la table d'offrandes du sacrifice, deux cents pains assortis pour la table d'offrandes
du dieu, au temple d'Amon, quatre godets d'encens, du blé en vingt pains
blancs de Pharaon, le tout en redevance annuelle... ». — Il y avait un
service particulier de « scribes de la table des dieux » ; voir Maspero, *Manuel de Hiérarchie*, et Wiedemann,
Recueil de travaux, t. XVIII, p. 123 sqq.

De curieux détails sur l'aménagement des volières, des caves, des offices
de lampisterie, des ateliers de tisserands, des temples sont donnés sur
une statue du Louvre (A. 90, Pierret, *Recueil d'Inscriptions*, I, p. 23) de
l'époque d'Apriès. Voir aussi l'inscription de Montouemhâït traduite par
De Rougé (*Mélanges d'archéologie*, I, p. 17-19) où l'auteur, grand prêtre
d'Amon sous le règne de Taharka (XXVe dyn.), énumère les travaux d'entretien des sanctuaires.

3. Voir les chiffres cités p. 195 qui se répartissent sur une durée de 31
ans (Erman, *Aegypten*, p. 408).

Nil, les Pharaons aient exécuté des razzias colossales au profit des temples de leurs pères les dieux. Ils organisaient aussi
des expéditions commerciales autant que militaires pour se
procurer certains produits rares et indispensables que
l'Égypte ne produisait pas : le besoin journalier de l'encens
détermina plusieurs Pharaons à envoyer des vaisseaux aux
côtes du Pount, pour obtenir de gré ou de force des arbres
à encens et à résines aromatiques, afin d'installer des pépi-
nières dans l'enceinte des temples[1]. Il n'est pas exagéré de
dire que l'entretien de la table des dieux, la fourniture des
vases sacrés, des vêtements et parures nécessaires au culte
étaient une préoccupation de tous les jours pour le Pharaon ou
pour l'administration royale.

III. Les temples exigeaient aussi un personnel de prêtres et
de desservants, dont l'influence sociale était proportionnelle à
la richesse des biens qu'ils devaient administrer. Dans chaque
sanctuaire la classe sacerdotale comprenait, au bas de la hiérarchie, des « divins pères » (⌐𝟋 ☟ 𝔸), puis des « prophètes »
⌐𝟋 divisés en trois « classes » (⬥▦▦ *sa*[2]) ; au sommet de la
hiérarchie était « l'administrateur des prophètes » (𝔸 ⌐𝟋 ꞏ)
qui, suivant la ville, portait un titre caractéristique tel que
« prophète en chef d'Amon », à Thèbes, le « fils chéri » à
Héracléopolis, le « grand veilleur » à Héliopolis, le « grand
chef de l'œuvre » à Memphis, « celui qui ouvre la bouche » à

1. Sur les expéditions au pays de Pount de la XVIIIe et de la XIXe dynastie, voir Maspero, *Histoire,* II, p. 245 sqq., 350; 374 et, dans les *Contes
populaires,* le conte du naufragé, qui remonte à la XIIe dynastie.
2. Cf. Brugsch, *Die Aegyptologie* p. 275-278 ; il utilise l'inscription de
Bakenkhomon, grand prêtre d'Amon sous Ramsès II, qui a laissé un intéressant *cursus honorum* étudié en détail par Devéria (*Mémoires et Fragments,* I, p. 275 sqq.). — Le décret de Canope, texte hiér., l. 2-3 énumère
la hiérarchie sacerdotale dans cet ordre : « administrateurs des temples,
prophètes, chefs des mystères, stolistes, scribes des livres sacrés, magiciens, divins pères ».

Psochemnis, etc. ¹. Le grand prêtre était à la nomination du Pharaon, au moins aux époques de gouvernement royal bien établi²; on ne sait comment s'effectuaient les promotions aux grades inférieurs. Autour de ce corps sacerdotal bien organisé, on distingue dans les temples des « officiants » ⚖ (*kher-heb*) lecteurs des rituels sacrés, des « chefs des mystères » 𓏏 pour les différents rites du culte, des « scribes des livres sacrés » 𓏏 etc. Tout personnage de la classe sacerdotale avait droit au titre générique de « pur, prêtre » 𓏏; les officiants de service portaient l'épithète de « prêtres de jour » (𓏏) ou de « gens de l'heure » (𓏏)³. Enfin des prêtresses se trouvaient dans chaque temple; leurs supérieures portaient elles aussi des noms caractéristiques : « la divine mère » la « divine adoratrice », la « chérie », la « grande ». Hommes et femmes formaient des « conseils »³ 𓏏 *qonbitiou*⁴, qui veillaient aux intérêts de la communauté.

Au dessous et en dehors de la classe des prêtres, il y avait quantité d'emplois mi-laïcs mi-religieux, servants, musiciens, chanteurs, sacrificateurs, bouchers, jardiniers, cuisiniers, esclaves, souvent étrangers, dont le détail nous est connu par plusieurs listes retrouvées sur papyrus⁵. Des mili-

1. Brugsch, *Die Aegyptologie*, p. 278, 281. Cf. *Rituel du culte divin*, p. 8.
2. Cf. Maspero, *Histoire*, II, p. 560.
3. Brugsch, *loc. cit.*, p. 282-283.
4. Griffith, *Siut*, pl. VII, l. 295; Brugsch, *Die Aegyptologie*, p. 278; Erman, *Aegypten*, p. 395.
5. La plus importante est le Papyrus Hood, étudié en détail par Maspero, *Un manuel de Hiérarchie*, et d'après lui par Brugsch, *Die Aegypto-*

A. MORET.   13

ciens étaient préposés à la garde des domaines [1]. Les champs étaient souvent exploités par des fermiers (⟨hieroglyphs⟩, ⟨hieroglyphs⟩)[2], qui pouvaient posséder la terre à titre de tenure, la vendre, l'échanger, la léguer entre eux, mais qui fournissaient des redevances stipulées par contrat [3]. D'où il suit que chaque temple possédait des bureaux d'administration et des archives où les registres du cadastre étaient tenus à jour par des « inspecteurs » (⟨hieroglyphs⟩ roudou) [4].

Prêtres ou agents du culte, tous vivaient sur les revenus du temple, c'est-à-dire sur les libéralités de Pharaon. On ne sait trop comment était réglé le sort de la classe inférieure ; mais chaque membre de la confrérie sacerdotale avait un revenu inscrit à son nom et constituant son traitement [5], à toucher

logie, p. 212-221 ; Spiegelberg en a publié une plus courte et mutilée, où sont mentionnés les emplois inférieurs de l'office et de la cuisine des temples (Recueil de travaux, XIX, p. 92).

1. Erman, Aegypten, p. 411.

2. Voir à ce sujet mon étude « Un procès de famille sous la XIXe dynastie », Ä. Z., XXXIX, p. 28.

3. Spiegelberg a publié une liste de ces redevances dans le Recueil de travaux, XIX, p. 93-95.

4. Sur le rôle des roudou voir « Un procès de famille sous la XIXe dynastie », A. Z., XXXIX, p. 34. Sur l'administration des temples en général, voir Erman, Aegypten, p. 395-396.

5. Voir l'inscription d'Antef V (XIe dynastie) publiée par Petrie, Koptos, pl. VIII. Le roi vient au temple de Min à Koptos pour rayer des archives du temple le nom d'un prêtre infidèle ; on lui enlève « ses pains » et « son nom ne sera plus rappelé dans le temple » quand on fait l'appel pour la distribution des vivres qui constitue le traitement ; les « écrits » concernant ce prêtre (nous dirions son diplôme de nomination) sont détruits dans les archives du temple. — La révocation opérée, le roi Antef donne l'office vacant à un de ses fidèles, lui assure « ses pains et ses liturgies » et « établit la propriété de cet office dans les livres du temple pour lui, le fils de son fils, l'héritier de son héritier ».

Les inscriptions de fondation des temples mentionnent le plus souvent l'installation d'un personnel de prêtres, desservants, esclaves, qui vivent sur les revenus du temple. Voir par exemple : Stèle du temple de Ha-ka-k, Inscription d'Horemheb, à Turin (Brugsch, Thesaurus, p. 1078,

sur les biens du temple. C'était pour lui une propriété héréditaire et transmissible, sauf forfaiture; auquel cas, Pharaon
rayait le nom du coupable des livres du temple et inscrivait
celui d'un nouveau bénéficiaire à sa place.

IV. On conçoit à quelles dépenses accumulées les donations
territoriales, les frais de construction des temples, les expéditions en pays étranger, l'entretien des prêtres de tout
rang, devaient conduire Pharaon. Nous pouvons d'ailleurs
avoir une idée précise des frais qu'entraînait le culte des
dieux sous la XXe dynastie, à une époque de pleine prospérité des temples : le papyrus Harris nous a conservé une liste
des donations établies pour le compte des dieux au temps de
Ramsès III, par ce roi et ses prédécesseurs [1]. Les temples possédaient le territoire de 169 villes, dont neuf en Syrie et en
Éthiopie, avec 113.433 esclaves, 1.071.780 aroures de terrains,
514 vignobles et vergers, 88 barques et navires; les objets précieux, statues divines, vases sacrés, lingots, etc., équivalaient
à 1.015 kilog. d'or, 2.993 kilog. d'argent, 13.059 kilog. de
bronze, plus 7 kilog. de pierres précieuses. Le service des offrandes et des traitements avait en réserve 514.968 têtes de
gros bétail, 680.714 oies, 494.800 poissons séchés; deux
millions et demi de sacs de fruits; près de 6 millions de sacs
de blé; près de 7 millions de pains; 256.460 cruches de vin;
466.303 cruches de bière ; plus de deux millions de sacs ou
de vases de miel, huiles, fards, encens. Ces richesses et ces

---

1. 22-25); Maspero, *La grande inscription d'Abydos*, p. 48-49 ; *Pap. Harris*,
IV, 5, cité par Peuillet, *Recueil de travaux*, XVIII p. 173 ; *Stèle de Ptolémée I* (Ä. Z., 1871, p. 6, l. 13 sqq.); *Stèle de Pithom* (Ä. Z., XXXII, p. 85).
   Les revenus d'un temple consistent parfois dans l'abandon au profit du
dieu et de son clergé, d'une taxe publique, telle que la *dime* sur les im-
portations venues de tel pays (Stèle de Nectanébo à Naukratis ; Erman et
Wilcken, *Die Naukratis Stele*, Ä. Z., XXXVIII, p. 130-131 et 133-175).
   1. Le grand papyrus Harris a été utilisé à ce point de vue par Erman,
Aegypten, p. 405-410 ; Brugsch, *Die Aegyptologie*, p. 271-274 ; Maspero,
Histoire, II, p. 558. Je cite les chiffres donnés par Erman.

revenus allèrent toujours en augmentant, par cet accroissement mécanique des biens de main morte : si bien que la tradition grecque[1] qui attribue la possession du tiers de l'Égypte à la classe sacerdotale ne semble pas exagérée.

Il nous apparaît clairement que l'entretien du culte des dieux absorbait la majeure partie des forces vives du pays. On peut juger de la prospérité d'un règne d'après l'importance des constructions religieuses entreprises par le Pharaon : toute la politique intérieure s'orientait vers cette tâche colossale d'entretenir et d'approvisionner les édifices sacrés. La politique extérieure même des Pharaons n'a pas d'autre fin apparente : si nous en croyons les documents officiels, les guerres asiatiques, entreprises par les Pharaons des XVIIIe et XIXe dynasties, étaient des conquêtes d'Amon. Les récits de campagnes se trouvent sur les murs des temples[2] et tout ce qui y est raconté se rapporte au but suprême poursuivi : montrer comment la puissance d'Amon s'est manifestée à l'étranger, et ce qui en est résulté de profitable, butin et prises de guerre, pour le culte d'Amon et des autres dieux d'Égypte. Quand donc les textes égyptiens nous parlent de l'activité infatigable de tous les Pharaons dans le culte sacré, quand ils énumèrent à satiété les constructions nouvelles, les restaurations, les fêtes célébrées, les dons d'offrandes, les gratifications aux prêtres, il n'y faut point voir une répétition sans valeur de phrases stéréotypées : c'était bien pour Pharaon la préoccupation essentielle, le devoir sans cesse présent. « J'ai déposé pour toi les offrandes divines dans ton temple, — dit Ramsès III à l'Amon du temple de Médinet Habou — j'ai fêté tous les jours le maître des deux terres, avec des pains, de la bière, des taureaux, des gazelles des montagnes pour les sacrifices... J'ai multiplié les

---

1. Diodore, I, 21 et 73.
2. Par exemple les *Annales* de Thoutmès III ou le *Poème de Pentaour* sous Ramsès II. Voir à ce sujet Maspero, *Histoire*, II.

divines offrandes suivant les prescriptions du livre des offrandes des dieux, aussi nombreuses qu'elles doivent être,
en vins, figues, encens, libations par devant toi. J'ai fondu
pour toi des vases d'argent et d'or ; je t'ai fait des libations
avec l'eau du bassin. J'ai divisé les prophètes en classes et
aussi les divins pères pour qu'ils sacrifient à ton double et
que tu te reposes en eux. — Tous les jours de fête du temple
et de la nécropole je les ai établis dans ton temple, à jamais,
suivant les écrits. — Je donne ce temple et ses biens à mon
père auguste, je suis le gardien (scrupuleux) des offrandes
(comme il est prescrit) dans les écrits ; j'ai déposé les bandelettes dans ta main ; j'ai fait pour toi un acte de donation
(*àmit pou*) de tous mes biens, pour qu'ils soient à jamais établis à ton nom ; je te consacre les deux terres en leurs moitiés
divines, pour toi, comme tu me les as données depuis ma
naissance[1]. »

Ainsi la qualité de fils et de prêtre des dieux oblige le roi
à ce rôle de bienfaiteur des temples. De même que ses pères
lui ont donné la vie, il leur rend cette vie par les pratiques du
culte ($\bigwedge$ $\female$) ; de même que ses pères lui ont donné par testament (*àmit pou*) leur héritage, il leur rend cet héritage par donation authentique (*àmit pou*). Pharaon a tout reçu des dieux ;
mais son devoir filial consiste à tout leur rendre, et c'est aussi
le plus important de ses devoirs de roi.

V. Vis-à-vis des morts divinisés, Pharaon a encore la
même obligation. Le principe en est posé dans les rituels funéraires par la formule « le roi donne l'offrande », et j'ai montré précédemment que le rituel des temples prévoit, les jours
de fête, une participation des morts au culte offert aux dieux.
Comment se réalisait, dans la pratique, cette intervention du
roi dans le culte des morts?

1. Texte publié par Daressy dans le *Recueil de travaux*, XIX, p. 15,
l. 7 sqq.

La réponse nous est donnée par les formules des stèles funéraires. Elles nous attestent que le mort divinisé devait
prendre réellement dans les temples, sa part des repas servis aux frais du roi sur les tables d'offrandes des dieux. Voici
une formule de rédaction très courte, mais significative :
« Le roi donne l'offrande à Osiris et aux dieux de la nécropole
— pour qu'ils donnent tout ce qui apparaît sur leur table
d'offrandes, toutes les offrandes véritables qui sont sur leurs
autels à toute fête du ciel et de la terre... dans leur temple —
au double de N. » [1]. Les détails les plus précis apparaissent
dans des rédactions plus développées : on indique en quelles
parties du temple le mort trouvera ses aliments, de quelle nature seront ceux-ci, comment on préviendra le défunt du moment favorable pour les prendre : « Puisse-tu voir, dit-on à
un défunt, Amon dans sa belle fête de la nécropole, et le
« suivre » dans ses temples ; que ton nom soit appelé devant
la table d'offrandes où se fait le compte des approvisionne-
ments ; que ton âme soit entendue et qu'elle ne soit pas écartée
du sanctuaire ; puisses-tu manger les provisions qui apparaissent devant (le dieu) ; puisses-tu boire l'eau sur la rive, et
avoir de l'encens sur le feu tous les jours. Toutes les offrandes
qui sont comptées pour les provisions du dieu, puisses-tu t'en
emplir et en disposer à ton gré par devant les offrandes du
dieu [2]. » Dans cette autre formule les termes mêmes des rituels
funéraires sont développés : « Quand tu viendras sur les deux
bras (c'est-à-dire quand la statue sera portée sur les deux bras

1. Pierret, *Inscriptions inédites du Louvre*, II, p. 132 : [hieroglyphs]

[hieroglyphs]

[hieroglyphs]

[hieroglyphs] etc.

2. V. Loret, *La tombe de l'am-khent Amenhotep* (*Mission du Caire*, t. I.
p. 53, l. 23-27).

du prêtre), que ton nom soit proclamé, que ton bras s'étende
sur les offrandes et les provisions, que le repas funéraire ap-
paraisse quand (ton nom) sera appelé. Qu'il prenne l'eau sur
les deux bras du prêtre de double, qu'il s'empare de ses pains,
qu'il s'empare de sa bière sur la table d'offrandes au gré de son
double ; qu'il mange les pains sur l'autel du Nib-er-zer (Osiris) sur la table d'offrandes des seigneurs de l'éternité ; qu'il
lui soit donné ses portions purifiées dans l'abondance (qui
est celle) d'Osiris[1]. » Voici encore une variante des mêmes
idées : « Puissé-je apparaître, dit le défunt, chargé de vases
et de pains (provenant) des pains des seigneurs de l'éternité ;
puissé-je prendre mes provisions comme un « riche en
viandes » sur l'autel du dieu grand[2]. »

Mais il importe d'établir ici une distinction entre ce que
nous affirment les formules et ce que révèle l'étude des faits.
En principe tous les Égyptiens défunts, honorés des rites
osiriens, ont droit à un service d'offrandes servi par le roi,
puisque pour tous est prononcée la formule « le roi donne
l'offrande » ; en fait, il n'en est pas était ainsi. Les offrandes
réelles n'étaient données qu'à ceux que les textes appellent
les « favorisés du roi » [hieroglyphs] (hosiou n
kher souton) ou d'un terme plus précis « les attachés, les féaux
du roi [hieroglyphs] àmakhou kher souton[3].
A vrai dire, la formule souton di hotpou avait à elle seule une
force magique suffisante pour assurer aux défunts osiriens le
service idéal d'offrandes dans l'autre monde ; mais les Égyptiens ont toujours préféré les réalités tangibles aux spécula-

1. L. D., III, 114, i. l. 10-14. Cf. Budge. Transactions S. B. A., t. VIII,
p. 316.
2. Louvre, stèle C 55. Pierret, Inscriptions inédites, II, p. 90 ; Budge,
loc. cit., p. 309. Cf. Loret, loc. cit., p. 54, l. 36.
3. J'ai consacré aux « attachés » un mémoire spécial, La condition
des féaux en Égypte (Recueil de travaux, XIX, p. 112-148, où sont réunis la plupart des textes sur les favorisés du roi et des dieux.

tions, et tous ceux d'entre eux qui par leur naissance ou leurs services approchaient du roi, s'efforçaient d'obtenir de lui une participation effective aux revenus des temples destinés au culte des dieux et des morts[1].

La répartition des offrandes réelles a pu d'ailleurs, dans une certaine mesure, être réservée aux dieux eux-mêmes, c'est-à-dire à la classe sacerdotale qui interprétait la volonté des dieux. Les formules anciennes du proscynème « *souton di hotpou* » stipulent parfois — ainsi que l'a démontré M. Maspero — l'intervention du dieu : « Le roi donne l'offrande, Osiris donne l'offrande, Anubis donne l'offrande » à tel ou tel; plus tard on a dit simplement : « Le roi donne l'offrande à tels ou tels dieux pour qu'ils la donnent » à tel ou tel homme. Aussi à côté des « favorisés » et des attachés » du roi, trouvons-nous des « favorisés » et des « attachés » vis-à-vis des dieux, bénéficiant des mêmes offrandes tangibles dans les temples[2]. En principe tous les défunts osiriens devaient être également favorisés de leurs frères les dieux; en fait, il fallait être connu et apprécié du roi ou des prêtres pour bénéficier de grâces spéciales et personnelles.

VI. Pour percevoir les « offrandes réelles » auxquels ils avaient droit, les favorisés et les attachés du roi et des dieux, employaient plusieurs procédés, dont le premier consistait à établir dans le temple une statue d'eux-mêmes ou une stèle à leur nom.

Les nombreuses statues de particuliers qui nous sont parvenues de toutes les époques portent en général la mention 𓊽𓃒𓅱𓎛𓏏𓊪𓈖𓈖𓀭[3] « donné par faveur du roi ».

---

1. Voir mon étude *La condition des féaux en Égypte, loc. cit.*, p. 126.

2. Ce sont en général les prêtres du dieu, et ceux qui avaient affirmé par des services rendus, leur dévotion à tel ou tel patron de sanctuaire (*La condition des féaux, loc. cit.*, p. 136).

3. Cette formule a été élucidée par Maspero dans ses articles *De quel-*

Une série remarquable de ces monuments a été trouvée par Mariette à Karnak dans le chemin de ronde du temple de la XII⁰ dynastie[1] ; d'où il faut conclure que les « favorisés » dont nous possédons les statues les avaient fait modeler pour les consacrer dans un temple par autorisation spéciale. Or les statues sont déposées au temple pour participer aux offrandes divines ; on s'en rendra compte par l'examen des inscriptions qu'elles portent. En voici quelques exemples, de toutes les époques, d'après les statues du Louvre. La formule porte d'abord que « le roi donne à Amon Râ l'offrande consistant en toutes les choses « qu'on offre au dieu ici », c'est-à-dire dans le temple ; mais l'offrande est réversible sur la statue du défunt et chacun des « prophètes, officiants, prêtres, prêtres de double qui voient cette statue » dans le temple, doivent assurer la participation du mort au service sacré[2]. Une variante plus explicite de cette formule dit expressément : « O tous prophètes, prêtres, officiants, scribes, qui entrez dans ce temple et voyez cette statue, récitez ces formules »[3], c'est-à-dire le proscynème qui assure au propriétaire du monument « tout ce qui sort sur les autels »[4] du dieu. Tantôt c'est le défunt qui souhaite « que sa statue soit bien établie dans le temple pour prendre les provisions chaque jour »[5], ou bien il atteste « qu'il a fait placer sa statue (dans le temple), que son nom y restera stable et qu'il ne sera point détruit dans le temple »[6]. Les inscriptions de la statue faisaient titre, en effet, comme un acte enregistré sur les livres

---

ques documents relatifs aux statues des morts (Études de myth., I, p. 61) et Le Double et les statues prophétiques (ibid., p. 81).

1. Mariette, Karnak, pl. VIII et p. 42.
2. Pierret, Inscriptions inédites, II, p. 24, statue accroupie, donnée par M. Maunier.
3. Pierret, II, p. 36-37 (A, 117).
4. Pierret, I, p. 33 (A, 116).
5. Pierret I, p. 11 (A. 74) et II, p. 53 (A. 110).
6. Pierret, I, p. 24 (A. 90)

sacerdotaux. A chaque date prescrite les prêtres devaient
« appeler le nom » du défunt osirien, pour qu'il reçoive sa
part des offrandes, suivant les formules étudiées plus haut[1] ;
la statue écoutait les chants sacrés[2], elle recevait des parures
de fleurs et des libations[3], on la ceignait de voiles et de vêtements[4] et parfois, on la dressait sur un pavois pour suivre
les dieux dans les processions[5]. Tels étaient les avantages
matériels de ceux qui obtenaient de la faveur du roi ou de la
permission du dieu l'autorisation d'avoir dans les temples
une statue votive[6].

Un résultat analogue était obtenu plus facilement, sans
besoin d'autorisation royale, et à moins de frais, en dédiant
dans un temple une stèle au lieu d'une statue. La stèle portait les mêmes formules que les statues[7] ; le défunt y était
représenté aussi, en relief ou en creux sur le champ de la
pierre ; le plus souvent il reçoit, assis devant la table d'offrandes, les provisions qui lui viennent de la table du dieu.
On entassait ces stèles dans les cours, dans les couloirs du
temple, ou, comme à Abydos, « près de l'escalier du dieu
grand[8] ». Les prêtres de tout rang devaient à dates fixes faire
le service sacré devant les stèles comme devant les statues[9].

1. Ajouter aux textes cités p. 198 ceux des statues A, 52 (Pierret, II,
p. 38) et A, 51 (Pierret, II, p. 39).
2. Pierret, II, p. 19 (A, 51).
3. Pierret, I, p. 27 (A, 92).
4. Pierret, I, p. 4 (A, 66) ; cf. Lefébure, *Rites Égyptiens*, p. 25.
5. Pierret, I, p. 4 (A, 66).
6. Sur les statues des temples voir aussi Lefébure, *Rites Éyptiens*,
p. 6-7.
7. Les formules citées p. 198 proviennent de stèles. Elles sont analogues à celles des statues.
8. A Abydos, il y en avait plusieurs milliers. Tous les musées d'Eu-
rope possèdent des stèles provenant d'Abydos, et les dernières trouvées
sont énumérées dans le tome III de l'*Abydos* de Mariette. — Voir à ce
sujet Maspero, *Histoire*, I, p. 302-303.
9. D'où la formule si fréquente : « O vous, officiants, prêtres, prophètes qui venez vers cette stèle » (par ex. *R. I. H.*, p. 10).

VII. Pour la participation du mort divinisé aux offrandes divines, la présence d'un monument à son nom dans le temple n'était d'ailleurs pas indispensable. La faveur du roi ou du dieu savait atteindre au dehors du temple ceux qu'elle distinguait. De nombreux textes de toutes les époques nous apprennent que les favorisés du roi recevaient de lui tout ou partie de leurs tombeaux et que les rations funéraires leur étaient envoyées « à domicile » par les soins de l'administration des temples.

Pour les tombeaux, la faveur du roi se distribuait avec des nuances savantes. Suivant la générosité du souverain ou l'importance des services rendus, le favorisé recevait concession perpétuelle de l'emplacement du tombeau ; ou bien une mission royale lui rapportait des mines et des carrières des matériaux de choix pour construire l'édifice ; tantôt c'était le cercueil, les huiles de l'embaumement, les bandelettes de la momie qui constituaient le cadeau du roi ; tantôt une statue « donnée par la faveur du roi » venait orner la chambre funéraire ; plus rarement Pharaon prenait à ses frais tout ce qui concernait le choix du terrain, les plans, l'exécution, la décoration du monument, l'installation de la statue[1]. Que la donation fût partielle ou complète, le bénéficiaire n'en arrivait pas moins au destin envié entre tous, « la condition de féal avec les faveurs du roi ».

En ce qui concerne le service des offrandes, les morts qui n'avaient au temple ni statues ni stèles, n'en étaient point frustrés. Le rituel funéraire prévoit pour tout mort osirien — nous l'avons vu plus haut[2] — « des offrandes venues de la salle ouskhit des temples ». Dès les textes des pyramides, on dit au défunt : « Le roi donne l'offrande, Anubis donne

---

1. J'ai cité pour chacun de ces cas les textes nécessaires dans mon étude sur la *Condition des féaux*, *loc. cit.*, p. 128. La qualité de féal est si enviée qu'elle entre dans les souhaits des proscynèmes (*ibid.*, p. 135; ajoutez *R. I. H.*, p. 5).

2. Voir. p. 172-174.

l'offrande, ton millier de pains, ton millier de bière, ton
millier de purifications sorti de la salle *ouskhit* » [1]. Il ne saurait y avoir d'équivoque, et ce n'est point de la salle *ouskhit*
du tombeau qu'il est question ; des variantes désignent
comme provisions du mort un gâteau de forme pyramidale
du temple de Sokaris et une cuisse de bœuf de la demeure
d'Anubis ( ) [2], ou bien l'on dit au défunt : « Tes deux portions sont
dans la salle *ouskhit*, tes provisions sont sur l'autel du dieu » [3]
et « tu as de la viande sur l'autel d'Osiris, des provisions sur
l'autel de Sit, ton pain est du pain divin qui est dans la salle
ouskhit » ( ) [4]. Dans les tombeaux
de l'Ancien Empire au dessus des défilés de porteurs d'offrandes il n'est pas rare de voir mentionné l'apport des offrandes venues du temple pour servir de repas funéraire au
défunt osirien [5]. Comme les offrandes des temples venaient
du roi, c'est à Pharaon que le défunt devait sa nourriture
d'outre-tombe, de même qu'il lui était souvent redevable de
sa tombe elle-même [6].

Enfin si les offrandes divines venaient jusqu'au tombeau,
les statues du tombeau pouvaient aussi aller pour quelques
heures au temple participer aux largesses du roi. D'après les

1. *Pyr. de Pépi I*, l. 83.
2. *Pyr. de Pépi II*, l. 971, cf. l. 1327.
3. *Pyr. de Mirinri*, l. 193.
4. *Pyr. de Mirinri*, l. 184-185. Des formules semblables se trouvent au
tombeau de Psamétik à Saqqarah, publié par Daressy (*Recueil de travaux*,
t. XVII, p. 18, l. 48-50).
5. Par ex. Mariette, *Mastabas*, p. 300 : « On amène ce qui sort à la voix
pour le défunt Pirsenou, et des offrandes variées qui défilent du temple
de Phtah-ris-anbouf pour la royale mère Nofirhotpou, chaque jour en
abondance éternelle ».
6. Cette idée est admise par Maspero, *La table d'offrandes*, p. 45-46, bien
qu'il attache un sens un peu différent aux « offrandes qui sont dans
l'*ouskhit* » (p. 33).

inscriptions de Siout de la XIIe dynastie les prêtres du temple viennent prendre « la statue qui est dans la tombe pour la suivre quand on la conduit vers le temple d'Anubis à toute fête du commencement des saisons qui est célébrée dans ce temple [1] ». Le texte confirmé par d'autres témoignages [2] est du plus grand intérêt et confirme, ce que nous savions déjà par les textes des temples, qu'aux jours de grandes fêtes, dieux des sanctuaires et morts divinisés des nécropoles, communiaient dans un repas commun dont le roi faisait les frais.

Les dates auxquelles le service sacré pour les dieux et les morts devait être célébré étaient communes aussi puisque le culte était commun. Les formules des stèles et des statues les énumèrent avec la plus grande précision : ce sont les mêmes dates des « fêtes du mois, du demi-mois, du commencement de l'année, des cinq jours épagomènes » que l'on prescrit pour le ciel et la terre, pour les vivants et pour les morts dans les calendriers des temples comme dans ceux des tombeaux. Pour assurer la régularité du service à ces jours déterminés, les hommes prenaient souvent la précaution d'ajouter des fondations personnelles à celles qu'avait instituées le roi : ils rédigeaient des contrats, scellés de leur sceau et de celui des prêtres, pour « doter de terres, d'esclaves, et d'offrandes solides et liquides » un ou plusieurs prêtres d'un

1. Griffith, *Siut*, pl. VIII, l. 317-318 :  (Cf. Maspero, *Études de myth.*, I, p. 73).

2. A Beni Hasan, le prince Khnoumhotpou dit de même : « J'ai conduit mes statues au temple, je leur constituai leurs offrandes en pains, liquides, encens, viandes pures, je choisis un prêtre de double, je l'établis avec des champs et des serfs, j'instituai des repas funéraires pour chaque fête de la nécropole » (Maspero, *La grande inscription de Beni Hasan, Études de myth.*, IV, p. 153).

temple, qui devenait leur « prêtre de double » 〔𝔮〕 *hon-ka*[1].
Ce prêtre s'engageait à servir régulièrement telles ou telles
offrandes, en quantités déterminées, aux statues du donateur,
et le fils du prêtre héritait de la donation et de la charge ; mais
en cas d'irrégularité dans le service le prêtre de double et son
héritier étaient déchus de leur privilège et remplacés. Au
fond, l'initiative particulière dissimulait mal en pareil cas
l'intervention occulte du roi : si tel ou tel homme avait les
moyens de faire à son profit une fondation de ce genre, c'est
qu'il tenait de Pharaon les ressources dont il spécialisait lui-
même l'emploi. Directement ou indirectement le service des
offrandes était toujours alimenté par le trésor royal.

VIII. C'est ainsi que le Pharaon réalisait matériellement
la formule qui résume le culte divin et funéraire « le roi
donne l'offrande ». En Égypte le roi seul propriétaire du
sol et seul fils des dieux était le seul être qui eût qualité pour
« donner les offrandes divines aux dieux et les offrandes funéraires aux morts[2] ». Il en résulta pour la royauté une

1. Le mieux conservé de ces contrats est celui des princes de Siout
(Griffith, *Siut*, pl. VI-VIII) traduit et commenté par Maspero (*Études de
mythol.*, I, p. 62-74) et Erman (*Ä. Z.*, 1882, p. 159 sqq.) ; la note précédente indique que les princes de Beni Hasan avaient fait de même ; des
fragments de contrats anciens sont dans *R. I. H.*, pl. I et dans Mariette,
Mastabas, p. 318.

2. Cette formule intéressante par sa précision a été signalée par Breasted (*Ä. Z.*, XXXIX, p. 85) sur la stèle V 1 de Leyde. Un chef de maga-
sin qui vivait sous Amemhâït IV (XIIᵉ dyn.) dit qu'il est « celui qui
donne les offrandes divines aux dieux et les offrandes funéraires aux

morts selon l'ordre de l'Horus maître du palais (le roi) » (⌐◻⟋⫿⟍ ⫿

⊏⊐ ⫿⫿⫿ 𓎛𓎛 𓅿 𓀀 𓅿 ⫾ 𓃀). Ce
texte résume tout le développement du présent chapitre.

Voici une autre conséquence de ce fait que le roi, seul propriétaire du
sol, peut seul en disposer. Lorsqu'un simple mortel veut consacrer aux
dieux une partie du sol que lui-même tient du roi, cette donation doit se
faire par l'intermédiaire du roi. Sur les stèles de donation aux dieux

immense force morale et aussi, pour d'autres raisons, un principe de faiblesse matérielle.

La force morale leur vint de ce que toute la vie religieuse de l'Égype était concentrée entre leurs mains et dépendait de leurs largesses. Non seulement le culte des dieux était chose exclusivement royale, mais le culte des morts ressortissait, en définitive, à Pharaon. Chaque famille humaine lui devait la nourriture spirituelle et matérielle pour ses défunts, et les vivants, pendant toute leur existence, n'aspiraient qu'à mériter les faveurs du roi pour ne pas être exclus de la vie d'outre-tombe. La conséquence pratique fut que la recherche des faveurs royales pour l'autre vie commença à s'exercer dès la jeunesse, et que les repas d'outre-tombe furent peu à peu distribuées du vivant même des bénéficiaires ; on en arriva à solliciter et obtenir des rations journalières de nourriture de la maison du roi, pendant la vie, comme anticipation de celles qui seraient assurées après la mort[1]. Ainsi se constitua, par application des principes du culte funéraire, une classe d' « attachés », de « fidèles » groupés autour du roi par des obligations à rendre en échange des faveurs reçues. Le rôle religieux du Pharaon contribua donc à développer en Égypte la « recommandation au roi » qui est une des formes de l'action centralisatrice de la royauté dans toutes les sociétés politiques. Pour les Égyptiens la formule de la recommandation se résumait ainsi : « L'ami du roi repose (dans la tombe) comme un féal, tandis qu'il n'y a pas de tombeau pour l'ennemi de sa Majesté »

---

par un particulier, nombreuses à l'époque saïte, on représente le roi « donnant le champ » ou faisant l'offrande en personne à la divinité. C'est le roi qui donne, et non le prétendu donateur, qui cependant se dépouille pour les dieux. (Cf. Stèle Posno publiée par Revillout, *Revue égyptologique*, II, p. 33 et Brugsch, *Thesaurus*, p. 797, et *Louvre*, stèle nº 10889, inédite.)

1. Voir le développement de cette idée et les textes dans mon étude sur la *Condition des féaux*, *loc. cit.*, p. 126 sqq.

⎯ 𓀀𓏏 𓊪 𓂋𓏺 𓈖)[1]. Corps et âme le « fidèle »
égyptien appartenait à son roi, qui alimentait l'un et l'autre.

La constitution de « maisons éternelles » et de fondations
alimentaires pour les favorisés du roi n'offrait point de danger pour la monarchie égyptienne; les favorisés restaient
isolés les uns des autres, et les fondations s'éteignaient souvent par disparition graduelle des familles. Il en fut tout
autrement des fondations faites pour les temples. Les faveurs
étaient accordées à une corporation d'individus qui bénéfi-
ciaient d'un reflet de l'autorité religieuse du roi; cette classe
sacerdotale s'augmentait d'années en années, sans se mor-
celer ni rien perdre de ce qui lui était donné ; tout passait en
Égypte, mais les fondations des temples et la corporation
gérante de leurs richesses restaient seules. Le danger qui
résulte de l'accumulation des biens de mainmorte entre les
mains du clergé, à toutes les époques, dans tous les pays, se
révéla aussi en Égypte. Il vint un temps au début de la
XXIe dynastie où le haut clergé fut assez puissant pour am-
bitionner de n'être plus au service du souverain, mais d'être
lui-même le souverain ; alors se constituèrent les dynasties
des prêtres-rois au détriment des Pharaons[2]. Ce fut la conséquence historique tardive, mais inévitable, de la mise en
pratique de la formule du *souton di hotpou* et de la théorie
de la filiation divine des rois : elles avaient fait la puissance
du pouvoir royal, elles en causèrent aussi la ruine, s'impo-
sant de tout leur poids aux destinées de la monarchie
égyptienne.

1. *Condition des féaux*, p. 136 (*Abydos*, II, pl. 24-26).
2. Voir à ce sujet Maspero, *Histoire*, II, p. 560 sqq.

TROISIÈME PARTIE

LE ROI DIEU

CHAPITRE VII

Le roi divinisé comme prêtre.

I. L'intronisation est déjà un service sacré. Autres rites du culte royal. — II. Les rites de la chambre d'adoration. A. Entrée au temple. B. Purifications. C. Couronnement. D. Embrassement par le dieu principal du temple. E. Le repas sacré. — III. La statue du double royal dans la chambre d'adoration ; analogies du culte royal et du culte funéraire. — IV. Les rites de la chambre d'adoration précèdent toujours le service du culte divin.

I. Si les obligations du roi envers les dieux étaient lourdes et multiples, la charge royale valait du moins au Pharaon les honneurs divins. En quoi consiste cette divinité, c'est ce qu'il nous reste à chercher pour achever de définir le caractère religieux de la royauté pharaonique.

La divinité du Pharaon est une conséquence nécessaire des idées et des faits résumés dans les deux premières parties de ce travail. Le « grand nom » et les titres du roi, déjà portés par les dieux au temps où ils régnaient sur l'Égypte, identifient Pharaon à Râ ou à Horus. Les traditions sur la nativité

royale établissent que chaque Pharaon est le propre fils de
Râ. Le couronnement du Pharaon par les dieux fait de lui
définitivement un être sacré, muni du fluide de vie, porteur
des couronnes et des insignes des dieux. On se rappelle les
paroles que le père d'Hâtshopsitou adresse à sa fille lors de
l'intronisation : « Divine est la fille du dieu, car les dieux
combattent pour elle et lancent leur fluide derrière elle chaque
jour, suivant l'ordre de son père (Amon-Râ) le maitre des
dieux[1] ». Dès ce moment on commençait par toute l'Égypte
à « prier les dieux du roi du Sud et du Nord » (⊂⇨ 𓄿𓏲𓏲𓏲

𓃾 𓏲𓏲𓏲 𓈗) et à « chanter les hymnes sur la personne
du roi v. s. f. » (⊂⇨ 𓇳𓂋𓏏𓈖 𓍯𓏏𓏤𓀭 𓄿𓏏𓈗).

Comment l'intronisation faisait du roi un dieu, les détails
donnés dans la deuxième partie de ce travail sur le culte
divin nous permettent maintenant de le comprendre. On se
rappelle que les rites du couronnement royal comportent essentiellement : 1° une purification par les dieux Horus et Sit ;
2° un embrassement du candidat royal par le dieu principal
qui lui donne le fluide de vie ; 3° la remise des couronnes,
sceptres, et autres insignes royaux. Or les rites osiriens du
service sacré célébré par le roi au profit des dieux sont absolument identiques : purifications, embrassement vivificateur,
don des couronnes, voilà ce que le roi ou le fils exécutent
pour le dieu ou le mort osirien chaque jour dans le temple ou
le tombeau. Si ce rituel était suffisant pour rendre à Osiris,
aux dieux et aux morts, la vie divine, il devait avoir la même
efficacité pour diviniser le roi. L'intronisation est donc déjà
un service sacré où les dieux officient et où le roi reçoit le
culte, c'est-à-dire la divinité.

1. Ed. Naville, *Deir el Bahari*, III, pl. LXI, l. 18. Cf. *supra*, p. 82.
2. *Deir el Bahari*, III, pl. LXII, l. 24.
3. Rescrit d'avènement de Thoutmès I (Erman, Ä. Z., XXIX, p. 117).

Mais le roi était encore adoré en d'autres circonstances qu'il nous reste à définir. Les scènes du culte royal sont localisées, principalement dans deux parties des temples : la « chambre

Fig. 55. — La Chambre d'adoration de Séti I à Abydos (I, pl. 22-23).

1ᵉʳ registre (g. à dr.) : 1º Horus purifie le roi. 2º Thot donne au roi les 2 couronnes-uræus. 3º Anmoutef purifie les offrandes du roi.
2º registre (dr. à g.) : Anubis remet au roi les sceptres. 2º Anmoutef encense le roi, Isis agite le sistre. 3º Thot prononce le souten di hotpou pour le repas du roi.

d'adoration » (pa douaït), et la « grande salle des fêtes sed ou seshed » ( ). Le premier de ces locaux, de dimensions exiguës, est réservé à des cérémonies quotidiennes et abrégées; dans le second, qui est une des grandes salles du temple, on ne célèbre le culte royal qu'à l'occasion de fêtes très solennelles et intermittentes. Au demeurant, les rites du *pa douaït* et de la salle des fêtes *sed* sont identiques quant au fond et ne diffèrent que par le développement extérieur du cérémonial : ajoutons dès maintenant qu'ils ont été célébrés depuis l'époque la plus archaïque jusqu'à la fin de la civilisation égyptienne.

II. Les rites de la « salle d'adoration » ⬚ sont représentés dans la partie des temples qui précède le sanctuaire, c'est-à-dire sur les murs des cours, ou des salles hypostyles. En principe le *pa douaït* devait être un local fermé ⬚. Nous connaissons en effet au moins deux exemples d'une salle indépendante réservée à l' « adoration » du roi : l'une est à Abydos (fig. 55), dans le temple de Séti 1[1], l'autre à Edfou[2]

---

1. Salle N du plan de Mariette (*Abydos*, I, pl. 22-23); elle est placée derrière les sept sanctuaires parallèles et débouche sur une hypostyle. Mariette croyait cette salle dédiée à Osiris parce que dans le tableau central (non reproduit), le roi est conduit par devant Osiris, dieu principal du temple, mais il ajoutait : « On remarquera qu'Osiris, bien que le dieu éponyme de la salle, n'y est pas figuré une seule fois. C'est le roi envisagé comme une divinité qui tient sa place et devient Osiris lui-même » (texte p. 20, § 58). En réalité la salle N est un ⬚ ; une des inscriptions de la pl. 23 (fig. 55) donne la formule caractéristique « Le roi Séti s'est levé sur le siège d'Horus chef de la *tebit* et chef de la double chambre d'adoration »; le nom de la porte est « porte du temple de millions d'années de Menmârî (Séti I) »; il s'agit donc bien du local où le roi reçoit le culte. Dans les inscriptions gravées sur les feuillures, Osiris souhaite la bienvenue au roi et lui dit : « Je donne que ta majesté soit comme un (être) divinisé dans la ville d'Abydos » ⬚ (pl. XX c).

2. C'est la petite chapelle adossée au mur d'entrecolonnement qui sépare la cour du pronaos; elle est à gauche en entrant dans le pronaos et ouvre sur celui-ci; de l'autre côté, symétriquement, était la bibliothèque. Les tableaux des quatre parois de la chambre n'ont pas encore été publiés; les inscriptions, avec quelques indications sur les personnages, se trouvent en partie dans Dümichen, *Tempelsinschriften*, I, pl. LXXXIII-LXXXIV. Un des textes donne le nom ⬚ de la chambre

dans la partie construite par Ptolémée X. Mais le plus souvent les tableaux du *pa douaït* concourent à la décoration générale du temple, sans se localiser dans une salle close[1]. Pour l'exposé qui va suivre, je prendrai naturellement comme base les tableaux d'Edfou et d'Abydos, en complétant les renseignements qu'ils nous donnent par les scènes analogues trouvées çà et là dans les autres temples.

Le culte adressé au roi dans le *pa douaït* est conçu suivant les rites osiriens : c'est dire qu'il sera identique à celui que les dieux et les morts reçoivent et dont nous connaissons déjà le détail. Le roi est identifié à Osiris; il est adoré par les membre de la famille osirienne, Horus (ou Anmoutef) Thot, Anubis, Isis. Nous devons retrouver, appliqués au roi, les purifications, l'embrassement, l'intronisation et le repas sacré, tels qu'on les célèbre pour les dieux et les morts osiriens. Tous ces rites seront exécutés deux fois, pour le Sud et pour le Nord, ainsi qu'il est d'usage dans les cultes divins et funéraires : aussi le véritable nom de la salle où le roi devient un dieu est-il la forme redoublée *paouï douaït* ⟤⟦⟧⟦* « la double chambre d'adoration ». A Dendérah, par exemple, nous possédons une double suite des cérémonies dont le détail

---

(pl. LXXXIV, l. 12). Voir à ce sujet Brugsch, *Ä. Z.*, 1871, p. 45 et 137, *Bau und Maasse des Tempels von Edfu*. Mariette (*Dendérah*, texte, p. 125-126) donne aussi quelques lignes des inscriptions.

1. Dans le temple d'*Abousir* (Vᵉ dyn.), la cour contenait des vasques d'albâtre pour les purifications du roi (Schäfer, *Ä. Z.*, XXXVII, p. 7); à Koptos (Petrie, pl. IX, XIIᵉ dyn.), à *Deir el Bahari* (XVIIIᵉ dyn.) des textes mentionnent le *pa douaït* (III, pl. LXXXV); à *Louxor* (XVIIIᵉ dyn.) une partie des scènes est dans la chambre B du plan de Gayet (pl. 38, 41, 49); à *Karnak*, je citerai deux représentations des scènes du *pa douaït*, l'une pour le compte de Séti I (*L. D.*, III, 124 *d*, cf. notre pl. II) l'autre pour Philippe Arrhidée (*L. D.*, IV, cf. *Rituel du culte divin*, pl. 1) toutes deux gravées sur les murs des hypostyles; à *Dendérah* les scènes du *pa douaït* sont dans la cour d'entrée (Mariette, salle A, I, pl. 9 à 13); cf. nos fig. 56, 57, 59, 60; à *Philæ* (*L. D.*, IV, 71) sur les murs extérieurs.

suit[1]. Pour la commodité de l'exposition, je ne distinguerai pas entre les deux séries de représentations.

A. Les tableaux des chambres d'adoration nous montrent au début l'entrée du roi au temple[2]. Il s'est « levé dans son

Fig. 56. — Le roi, précédé de l'*Anmoutef* et des enseignes divines, suivi de son *double*, sort de son palais et marche vers le *pa douaït* (*Dendérah*, I, pl. IX).

palais pour entrer au sanctuaire du dieu[3] » et nous le voyons marcher, canne en main, nu pieds, couronne rouge ou blanche au front, les reins ceints du pagne et de la queue de

1. Mariette, *Texte*, p. 124. Les planches I, 9-12 nous donnent les tableaux du Nord, et la planche 13 le début des tableaux du Sud, qui étaient développés dans trois autres tableaux aujourd'hui très mutilés et non publié par Mariette.

2. Voir la fig. 56 qui reproduit le tableau de *Dendérah*, I, pl. IX. Pour d'autres exemples voir chap. VIII.

3. *Dendérah*, I, pl. IX, légende.

chacal. Devant lui, les dieux des enseignes divines au nombre de quatre, cinq, ou huit[1], lui « font le chemin » ; derrière lui le « double vivant du roi, résidant dans son naos et dans

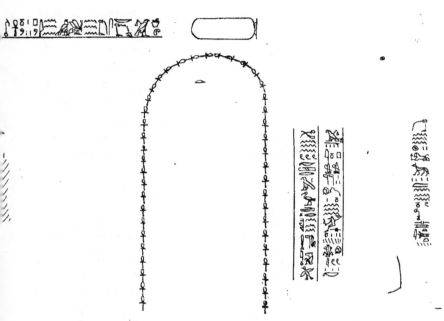

Fig. 57. — Horus et Thot purifient le roi avec l'eau divine (*Dendérah*, I, pl. X).

la double chambre d'adoration » suit comme une ombre ; il tient en main une hampe surmontée d'une tête humaine et porte sur la tête le plan *srekh* dans l'hiéroglyphe du *double* 🏛[2].

1. Le chiffre habituel est quatre ou huit ; à Dendérah, il y en a cinq. Le tableau des enseignes divines existe depuis les temps archaïques sur les plus anciens monuments connus (palette de Narmer, Quibell, *Hierakonpolis*, I, pl. XXIX ; Petrie, *Royal tombs of the 1st Dynasty*, I, pl. XIV, 9 jusqu'à la fin de la période romaine.

2. D'après Lefébure (*Rites égyptiens*, p. 5) la tête humaine sur la hampe rappelle les victimes humaines sacrifiées au culte du double royal.

Précédant tout le cortège le prêtre spécial du Pharaon, l'*An-moutef*[1], vêtu de la peau de panthère, se retourne en marchant pour diriger sur le roi les fumées de l'encensoir allumé.

B. Au second tableau, le roi debout ou assis sur un trône entre les dieux Horus et Sit[2] (ce dernier remplacé le plus souvent par Thot) reçoit les purifications. Horus et Sit lèvent au-dessus de la tête du Pharaon leurs vases ⟨ et un double jet d'eau, ruisselle devant et derrière le personnage royal. Cependant les deux dieux s'écrient : « Pur, pur est le roi du Sud et du Nord N[3] » et récitent plus ou moins longuement les formules usitées en pareil cas aux rituels divin et funéraire : « Ta purification est la purification d'Horus, de Sit, de Thot, de Sopou[4] ». C'est dire que le roi est aussi pur, dans les quatre

1. A Abydos (I, pl. 28 a) le prêtre est appelé 𓊪 𓅃 𓅃 𓊽 𓅃 𓂋 « le domestique, Horus Anmoutef ». C'est donc un dieu « fils », Horus, et un dieu « qui s'est créé lui-même » (« pilier, c'est-à-dire taureau ou mari de sa mère ») qui rend le culte au roi considéré comme son père. L'*Anmoutef* est attaché au culte du Pharaon en toutes circonstances, intronisation (cf. fig. 13 et ch. III, p. 88), fêtes du *pa douaït*, fête *sed*, etc. A Philæ et ailleurs, il porte le titre « prêtre de la double chambre d'adoration » (𓂝 𓈖 𓇯 L. D., IV, 71, a); ou bien on l'appelle « celui qui est maître du temple 𓏏 𓉐 », ou « qui réside 𓊖 dans le temple » (*Abydos*, I, pl. XXXII, 26 a); c'est lui qui offre l'encens, le repas du roi et qui exécute l'*âp ro* et tous les rites divino-funéraires sur la statue du roi (*Abydos*, I, pl. XXIV et XXVI). L'*Anmoutef* est toujours revêtu de la peau de panthère; son rôle a été étudié à ce point de vue par Crum, *P. S. B. A.*, XVI.

2. Debout à Abydos et à Dendérah (I, pl. X, voir fig. 57); assis à Edfou (Dümichen, pl. LXXXIV). La position assise est de beaucoup la moins fréquente. — Sit est suppléé par Thot dans la plupart des cas, sans doute à cause de l'aversion pour la divinité typhonienne; mais, comme lors de l'intronisation, le rôle appartient vraiment à Sit. (Voir les tableaux de Séti Ier à Karnak, notre pl. II.)

3. D'après Edfou (Dümichen, pl. LXXXIV).

4. Ou bien « les purifications sont celles d'Horus, et réciproquement », etc. Voir à ce sujet *Rituel du culte divin*, p. 17 et 204.

parties du monde, que les dieux préposés à ces quatre parties. Celui qui reçoit ces purifications fait partie désormais de la race divine [1].

Les ablutions ont aussi une autre action essentielle. Pour

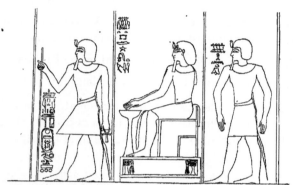

Fig. 58. — Le roi prend le pagne, se purifie dans le *pa douaït* et part pour se rendre au temple (époque grecque, *L. D.*, IV, 2).

être admis à la vie divine, le roi est censé passer par les mêmes épreuves que les dieux et les morts osiriens. Ceux-ci, à l'exemple d'Osiris, ont connu la divinité par la mort : aussi le Pharaon, dès qu'il entre au *pa douaït*, pénètre-t-il dans l'autre monde (*Douaït*), celui de la mort et de la divinité [2]. On a poussé jusqu'au bout l'assimilation du roi à Osiris : non seulement Pharaon est réputé mort, mais il a été mis en morceaux par la rage criminelle de Sit, et il faut tout d'abord que son corps soit reconstitué et doué d'âme avant de subir

1. A Edfou (Dümichen, pl. LXXXIV, l. 5-7) on adresse encore ces paroles au Pharaon : « Ta bouche est (aussi pure que) celle d'un veau de lait entre les cuisses de sa mère Isis, le jour où sa mère l'enfante ». La formule a sa première expression dans les textes des Pyramides (*Ounas*, l. 20) où elle s'applique au mort osirien ; on la trouve aussi, adressée aux dieux ; cf. *Rituel du culte divin*, ch. LXII, p. 207. A Abydos, il reste encore un fragment de la formule (I, pl. 33, notre fig. 63). Le veau est une des formes d'Horus-Soleil, né de la vache Isis (Ed. Naville, *Todtenbuch*, pl. CXX, l. 10-11).

2. Cf. *Rituel du culte divin*, conclusion.

les autres rites divins. « On te lance l'eau avec l'Œil d'Horus
rouge[1], dit-on au roi; on te présente ta tête, on te présente tes
os par devant Seb. Seb te fait offrande, il te donne ta tête,
et Thot la lave de ce qui ne doit plus t'appartenir[2]. » Après
les ablutions le Pharaon est purifié de ses souillures et remis
en possession d'un corps réanimé[3]. A vrai dire, l'eau qui
produit ces miracles est elle-même divine : les signes de « vie,
stabilité, force » ⳼ y ruissellent, et on l'a puisée, avec
des vases d'or, dans le bassin sacré du temple[4].

C. Après la purification, le couronnement. On introduit le
roi dans un naos; les deux dieux Horus et Sit (Thot)[5], ou les
deux déesses du Sud et du Nord, Nekhabit et Ouazit « lui éta-

1. C'est-à-dire : « on te lance l'eau des vases *dosheritou* » (rouges);
ablution ordinaire des dieux et des morts (*Rituel du culte divin*, p. 172);
les 4 vases *dosheritou* (et les 4 vases *nemsitou*) figurent au texte de
Dümichen, pl. LXXXIV, l. 12, et dans la figure de la pl. LXXXIII.

2. Dümichen, pl. LXXXIV, l. 11. Sur ces formules, communes au culte des
dieux et des morts, voir *Rituel du culte divin*, p. 73 et p. 36, 57. — A
Abydos, l'*Anmoutef* adresse cette phrase au roi, au moment du repas (I,
pl. XXXIII).

3. Au tableau de Séti Ier à Karnak (cf. note pl. II) Thot dit au roi : « Je
t'ai purifié avec la vie et la force pour que tu rajeunisses comme ton
père Râ ».

4. Expression du texte d'Edfou (pl. LXXXIV, l. 12) : « les 8 vases d'or
travaillés (?) dans Sennou ». A Dendérah, l'eau divine qui purifie le roi
est prise « au bassin de Toum (III, pl. LXXVIII *f*). Les tableaux des
temples nous montrent parfois le roi remplissant d'eau les bassins pour
s'y laver (Gayet, *Louxor*, pl. VIII), ou se lavant les mains dans le *Pa douaït*
(Karnak, *L. D.*, IV, 2, c'est notre figure 58). Au temple élevé par le roi
Ousiniri (V[e] dyn.) à Abousir, il y avait dans la cour neuf ou dix vasques
d'albâtre qui servaient aux purifications du roi (H. Schäfer, *Bericht über
die Ausgrabungen bei Abusir*, Ä. Z., XXXVII, p. 7, fig. 3. — Cf. *Rituel du
culte divin*, p. 8, 23, 79). Pour d'autres exemples de purification du roi
dans les temples, voir Lepsius, *Denkm.*, III, 65 *d*, Aménophis II; III, 238,
Ramsès IX; IV, 71, Auguste à Philæ; IV, 85 *a*, Trajan à Philæ.

5. A Karnak (*L. D.*, IV, 2) Philippe Arrhidée est couronné par Hor et Thot;
à Dendérah, Ptolémée X, à Edfou Ptolémée X sont couronnés par Nekhabit et Ouazit (fig. 59).

blissent la couronne blanche  et la couronne rouge
sur la tête. » Désormais Pharaon possède les pouvoirs royaux
qui sont ceux des dieux et des morts osiriens[1], et les inscrip-

Fig. 59. — Ouazit et Nekhabit couronnent le roi et l'embrassent (*Dendérah*, I, pl. IX).

tions attestent qu' « *il s'est levé sur le trône d'Horus à la tête des
doubles vivants*[2]. » En outre la couronne, en embrassant la

A Abydos, Thot remet au roi les sceptres   et les sceptres-
uræus des déesses Nekhabit et Ouazit qui symbolisent la double couronne (fig. 55).

1. Voir ce qui a été dit ch. V, p. 162 et 167.

2. Je traduis la formule d'Edfou (Dümichen, pl. LXXXIII).

A Abydos, on spécifie que le trône d'Horus est celui d' « Horus résidant
dans son naos et dans la double chambre d'adoration, d'où il guide tous
les vivants, comme le soleil, à jamais » (fig. 55).

tête du roi[1], lui donnait le fluide de vie (♀ ⚥ *sa ânkhou*) et lui rendait son âme que Sit avait enlevée au corps du Pharaon lors de sa mort osirienne[2]. A Edfou, on spécifie que

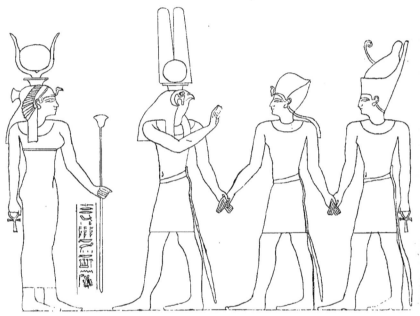

Fig. 60. — Le Pharaon conduit en « royale montée » vers Hâthor (*Dendérah*, I, pl. XII).

« la grande magicienne », c'est-à-dire la couronne, s'est posée aux deux côtés du roi, et lui a amené les dieux de

1. C'est l'expression employée à *Dendérah*, I, pl. XI ⌐ ⚱ ⌐ et ⚱ ⬚ ⌐ « embrasser » (fig. 59).

2. Sur cette action de la couronne, qui s'exerce de même façon pour les dieux et les morts, voir *Rituel du culte divin*, p. 94, 100, 126, n. 1. A Abydos (I, pl. XXIII et XXIV) Thot donne la vie ⚥ au roi, en même temps qu'il le couronne (fig. 55).

l'« éternité » ($\frac{?}{?} \odot \frac{?}{?}$) et de la durée ($\Longleftarrow$) pour les établir à sa droite et sa gauche[1].

D. Le roi couronné devait subir une dernière consécration : celle que lui donnait l'embrassement du dieu maître du temple où se trouvait la « chambre d'adoration ». Pour arriver auprès du dieu, le roi exécutait la « royale montée vers le sanctuaire » dont il a déjà été question au moment du couronnement ; les dieux, qui l'avaient coiffé du pschent, le conduisent par la main pour l'introduire auprès d'Amon, d'Horus, d'Osiris, ou d'Hathor. Cette procession ne nécessite pas qu'on sorte du *pa douaït* : à Abydos[2], à Karnak, à Dendérah[3], à la suite des rites précédents le roi est amené devant une statue de la divinité principale qu'on y apportait ou qui y résidait ; il arrive, toutefois, — et c'est le cas à Edfou[4] — que ce cortège soit représenté dans une autre salle, celle où l'on célébrait avec plus de solennité les rites analogues de la fête *sed*. Dans l'un et l'autre cas, le dieu « établissait la double couronne sur la tête du roi » et, le prenant dans ses bras, lui lançait le fluide de vie[5]. En même temps, Thot, Safkhit ou le dieu principal lui-même, proclamaient et « établissaient » le nom officiel du roi, inscrivaient à son compte un nombre d'années de vie innombrables ou lui tendaient d'avance l'insigne des fêtes *sed* que le Pharaon célébrera par la suite[6]. Parfois,

---

1. Dümichen, pl. LXXXIII.

2. La scène manque aux planches données par Mariette, mais elle est signalée dans le texte, p. 20, § 58 : « 2° tableau (fond de la salle) ; le roi casqué, la corne sur l'oreille, est introduit par Harsiésis devant Osiris et Isis ».

3. Voir pl. II et fig. 60 pour Karnak et Dendérah, et *Rituel*, pl. I, pour l'autre tableau de Karnak. — A Philæ (*L. D.*, IV, 71 *a*) Auguste, couronné par Nekhabit et Ouazit, est amené de suite par devant Isis.

4. La royale montée de Ptolémée IX est figurée à Edfou sur le mur d'enceinte intérieur (*L. D.*, IV, 45 *b*).

5. Voir Karnak et Dendérah, pl. II et fig. 60.

6. A Karnak (*Rituel*, pl. I) Thot adresse la parole au roi Philippe Arrhidée ;

l'épouse du dieu principal prend le Pharaon dans ses bras et lui donne le sein[1], pour qu'il tette, avec son lait, la vie divine.

Fig. 61. — Le roi embrassé et couronné par le dieu, dans le *pa douaït* (*L. D.*, III, 34).

Fig. 62. — Le roi allaité par Hàthor dans le *pa douaït* (*L. D.*, III, 35 b).

E. Comme aux jours des fêtes de la nativité et du couronnement, le roi a été couronné, embrassé, allaité par les dieux. Il lui reste à recevoir le repas, complètement obligé de tout service sacré. A Edfou une des parois du *pa douaït* donne une brève énumération des parfums solides et liquides nécessai-

pour Séti I, il écrit le nom royal et suppute les années (pl. II); pour Ptolémée IX (Edfou, *L. D.*, IV, 45 b) il tient à deux mains et lit le rescrit qui constate le « couronnement du roi sur le trône d'Horus à la tête des doubles vivants ». A Dendérah, Hathor elle-même (fig. 60) écrit l'acte officiel d'intronisation (*genitou*) pour Ptolémée X; à Edfou (*L. D.*, IV, 45 c) Safkhit rédige cet acte pour Ptolémée.

1. A Karnak (*Rituel*, pl. I). Pour d'autres exemples de l'allaitement voir ch. II, p. 63. Le plus souvent la scène manque au *pa douaït*; mais les vases de lait qu'on présente au roi pour le repas contiennent le « lait magique sorti des mamelles d'Isis » (*Abydos*, I, pl. 33, l. 15 et fig. 63). Voir à ce sujet, *Rituel du culte divin*, p. 24, n. 2.

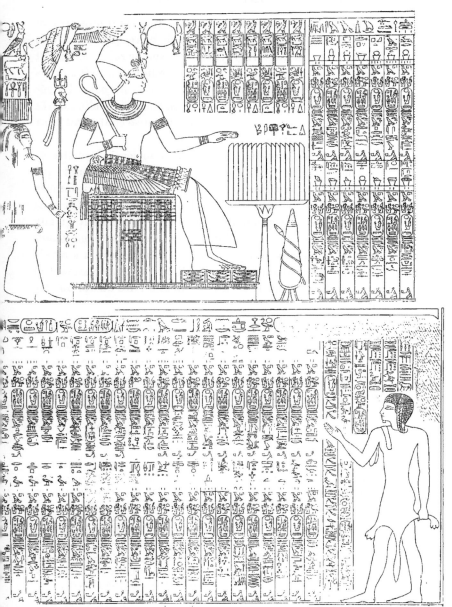

Fig. 63. — Le menu du repas servi au roi et à son double (*Abydos*, I, pl. 33).

res pour les fumigations et les purifications préliminaires au
repas, ainsi que des vases de lait et de bière qui sont servis
sur la table du roi[1]. A Abydos[2], on voit le roi assis devant
l'autel, tandis que Thot le convie à prendre les pains et les
mets annoncés par la formule du *souton di hotpou*[3]. En général, la scène du repas manque; là où elle existe, elle est très
abrégée; dans les rites du *pa douaït* le roi se contentait d'un
repas très sommaire.

Parfois les dieux du temple sont associés à la distribution des offrandes[4]; souvent le roi suivi de « son double qui
réside dans le *pa douaït* » sacrifie un groupe de prisonniers
de guerre par devant le dieu maître du temple[5]. Mais ce sont
là des scènes exceptionnelles qui ne se réalisaient qu'aux
jours de grande fête. Le plus souvent les rites du *pa douaït*
prennent fin après le repas du roi ou même après la « royale
montée ». En somme les purifications, le couronnement et
l'embrassement par le dieu suffisaient à faire du roi un être
divin.

III. Quand le roi sortait du *pa douaït*, il y laissait un témoin de sa divinité. Les tableaux gravés dans la « chambre
d'adoration » nous montrent généralement en même temps
que le Pharaon lui-même, l'image de son « double ». C'est
un personnage ayant exactement les traits du Pharaon, mais

1. Dümichen, pl. LXXXIII; au-dessus des offrandes on lit « faire
passer (ces) offrandes au roi dans le *pa douaït* ».
2. *Abydos*, I, pl. XXII et XXIII (cf. fig. 55).
3. Quand on figure le repas au complet, la scène se passe dans une
autre salle du temple; à Abydos, Séti I est figuré assis à la table sacrée,
son double derrière lui, dans un des tableaux de la grande salle du roi
(*Abydos*, I, pl. XXXIII, c'est notre fig. 63) réservée à la fête *sed*.
4. Par exemple, le roi, suivi de son double, fait offrande au dieu. *L. D.*,
III, 21 ; IV, 54 *h* (Cléopâtre et Ptolémée Césarion), 81 *d* (Vespasien.)
5. Voir *L. D.*, III, 121, où le roi et son double, conduisent au sacrifice
une file de prisonniers. Pour les scènes où le roi, suivi de son double,
frappe de sa massue les prisonniers, voir *L. D.*, III, 61, 139 *a*, 144, 184,
186, 194, 195, 207, 209, 210; IV, 51 *b* (Ptolémée XIII), 74 (Tibère).

de taille réduite; il a l'allure d'un homme qui marche et il tint d'une main une canne surmontée d'une tête humaine ou d'une tête d'épervier Horus, et de l'autre main un casse-tête ♀ ou une plume symbolique ʃ; sur le chef, se dresse l'hiéroglyphe du « double » ⊔ portant le « nom de double royal » inscrit dans le *serekh* [1]. Une légende définit en ces termes sa personnalité : c'est « le double royal vivant, résidant dans le naos et dans la double chambre d'adoration » [2]. On doit considérer cette figure

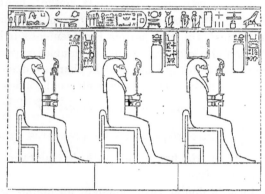

Fig. 64. — Trois des 14 statues de double de Ptolémée XIII
(*Ombos*, I, p. 187).

comme l'image d'une statue en bois, de taille et de poids réduits, pour qu'elle soit facilement transportable : elle

1. Sur le sens de *tebit* et de *serekh*, voir plus haut, p. 19, n. 3. Il arrive assez souvent que la représentation du double royal est plus immatérielle : dans ce cas un support ⊤ soutient le nom de double, et deux bras ajoutés au support sont munis de la hampe à tête humaine et de la plume ʃ (cf. Gayet, *Louxor*, pl. IX, X, XI et nos fig. 36, p. 157 ; 55, p. 211 ; 62, p. 222).

2. *Deir el Bahari*, III, pl. LXXXV; *Koptos*, pl. IX, etc.

A. MORET.   15

recevait avec le roi tous les rites du culte royal dans le *pa
douaït*; là où elle est représentée derrière le roi, nous pouvons affirmer que nous assistons à une des cérémonies qui
touchent aux rites de la « chambre d'adoration ».

La statue ne devait pas être unique : comme le soleil son
père, le roi possède quatorze doubles. On les voit représentés
dans les scènes de la navitité : ils viennent à la vie, on les
allaite et on les berce en même temps que l'enfant royal sous
sa forme humaine[1]. Il semble donc que théoriquement le *pa
douaït* devait contenir quatorze statues du roi titulaire de la
chambre. Dans la chambre d'Edfou il n'y a cependant qu'une
petite niche ménagée pour recevoir la statue[2]. Peut-être le
roi possédait-il pour recevoir le culte une grande statue et plusieurs statuettes[3]. On voit parfois représentées sur les murailles des temples quatorze statues de doubles royaux[4] : ce
sont sans doute celles qui habitent la chambre d'adoration.
Le culte de ces statues semble avoir été confié à des prêtres
appelés « chefs des mystères du *pa douaït* (

), titre fréquent dès les premières dynasties[5],
ce qui atteste la très haute antiquité de l'adoration du roi
avant le service divin.

Les statues du double royal jouaient au temple le même
rôle que les statues de double déposées dans les tombeaux par
les hommes du commun : l'âme du roi, comme celles des
simples mortels, venait en épouser les contours et y prendre
une forme vivante. Mais cette faveur n'était accordée aux hommes qu'après leur mort ; le roi, au contraire, en jouissait de
son vivant, à partir du moment où il était intronisé : les rites

1. Voir à ce sujet ch. II, p. 57, n. 2.
2. Dümichen, pl. LXXXIII.
3. Telles que les statuettes qu'on voit dans *Abydos*, I, pl.
4. *Ombos*, I, p. 186-188 ; cf. notre fig. 64.
5. Mariette, *Mastabas*, p. 176, 185, 270, 312, 420, 456.

du culte osirien, qu'on lui appliquait alors, le mettaient, en
pleine vie, dans l'état d'un mort divinisé, avec le privilège
de pouvoir incarner son âme dans une forme visible. Notons
que la « chambre d'adoration » du roi *pa douaït* porte le
même nom que la région infernale *Douaït* ⭐ 𓅃 𓏏𓏏 𓉐
où vont les hommes défunts : dans l'une ou l'autre de ces demeures supra-terrestres, le roi et
les hommes trouvaient la divinité en subissant la mort osirienne; ils devenaient des dieux
par les mêmes rites et passaient
dans l'autre monde par la même
porte de la mort.

Quand le roi mourait, il revenait à la destinée divine commune, et restait l'égal des dieux
osiriens; aussi dans leurs tombeaux, les rois possédaient-ils une
statue de double semblable à celle
qui figurait de leur vivant dans
le *pa douaït*. La seule statue de
double royal qui nous soit parvenue jusqu'ici, celle du roi Aoutou àb Rî Hor, provient du tombeau de ce roi[1]. On l'a trouvée
enfermée dans son naos (*tebit*) ;

Fig. 65. — Tête de la statue
de double du roi Aoutou
àb Rî (De Morgan, *Dah-
chour*, p. 92).

haute de 1 m. 35, elle était en bois recouvert de feuilles d'or
à la face, à la poitrine, aux pieds et aux mains. « On retrouva
épars dans le fond du naos les fragments du signe hiéroglyphique ⎣⎦ qui surmontait la tête »; le corps nu portait
une ceinture formée d'une feuille d'or[2]. Le personnage est

1. Fouilles de De Morgan à Dahchour, avril 1894.
2. De Morgan, *Dahchour*, I, p. 91-93 et pl. XXXIII-XXXV.

représenté marchant; le bras gauche tendu portait la hampe
à la tête d'Horus (retrouvée aussi), et le bras droit était disposé pour tenir l'insigne habituel (voir notre frontispice). En
un mot la statue d'Aoutou àb Rî est l'équivalent matériel
absolument exact de la figure qui est si souvent représentée
dans les tombeaux des temples. Le long d'un des montants du
naos une inscription énumère le protocole officiel du roi Hor
« chéri du double vivant résidant dans la double chambre
d'adoration » et « magnanime sur le trône de l'Horus des
vivants ». On reconnaît là les termes mêmes de la formule
gravée dans toutes les « chambres d'adoration » des temples,
derrière la figure du double royal[1].

A un autre point de vue les scènes du *pa douaït* rapprochent
encore le roi des morts divinisés. Les mêmes formules, nous
l'avons vu plus haut, servent à la purification du roi vivant
et des hommes morts[2]; dès les textes des pyramides on se
représentait tout défunt debout entre ses frères les dieux qui
versent sur ses membres l'eau de [3], puis marchant vers
le sanctuaire du dieu principal (Osiris) précédé des enseignes divines, tenu en main par les dieux et réglant son
pas sur le leur[4]. L'embrassement et le couronnement du

---

1. De Morgan, *Dahchour*, I, p. 93 : (lisez ✗ au lieu de ☉) . On a retrouvé une seconde statuette de
double du même roi, plus petite, portant aussi un [symbole] sur la tête; elle
était enfermée dans un petit naos semblable au premier, avec la même
légende hiéroglyphique.

2. Pyramides d'*Ounas*, l. 18-20; *Pépi II*, l. 243, sqq., etc.

3. Cf. Maspero, *La table d'offrandes*, p. 11. « Tandis que tu te tiens
debout entre tes frères les dieux tu passes ta bouche au natron, tu laves
tes os », etc.(*Ounas*, l. 21-25.)

4. C'est la formule d'*Ounas*, l. 7. sqq. Après que le mort a été oint
et vêtu comme les rois ou les dieux, on lui dit : « En avant, près d'Osiris !..

mort[1], le don du fluide de vie, achèvent aussi sa divinification[2];
il n'est pas jusqu'à l'épithète « chef des doubles vivants[3] » ou
jusqu'à l'enseigne de la hampe surmontée de la tête[4], qui ne
soient communs au roi vivant, divinisé dans le *pa douaït* et au
mort osirien. Aussi dit-on des mots divinisés, qu'après avoir

Horus va avec son double, Sit va avec son double, Thot va avec son
double, Sopou va avec son double... O Ounas, la main de ton double est
devant toi, ô Ounas la main de ton double est derrière toi; ô Ounas le
pied de ton double est devant toi; ô Ounas, le pied de ton double est derrière toi ». Je vois dans ces formules une description de la marche du
mort osirien entre ses doubles divins, Hor et les autres dieux, dans la
direction du pavillon d'Osiris où il doit recevoir l'embrassement consécrateur. (Voir le tableau de *L. D.*, III, 232 *a* reproduit plus loin.)

1. Voir *Ounas*, l. 212, sqq. : « O Toum, tu as fait introduire Ounas, tu
l'as enfermé dans ton bras » ⸢   ⸣

                        ; cf. *Ounas*, l. 222); c'est la même formule qui définit
l'embrassement de la reine Hâtshopsitou par son père Thoutmès I, quand
celui-ci la consacre reine (cf. p. 80). Voir encore *Ounas*, l. 232 : « O Râ
Toum, ton fils vient vers toi, il vient voir toi cet Ounas, tu l'as fait introduire, tu l'as enfermé dans ton bras, car c'est ton fils de ton corps à
jamais (; même formule, l. 294). — Ailleurs (l. 240-268 cf. *Pépi II*, l. 710-779) Ounas est reconnu successivement le fils de tous les dieux héliopolitains.

2. La remise des sceptres à Ounas suit l'embrassement par les dieux
(l. 274); l'intronisation est décrite encore l. 206, avec les cérémonies
telles que le *rer ha* (l. 208). Sur le couronnement du mort, cf. *Rituel du
culte divin*, p. 95-99-100. Dans *Ounas*, l. 391, on parle du trône de
où se « lève » le mort.

3. On dit d'Ounas (l. 396-398) qu'il possède « le trône de chef des
doubles »   de même que le roi est « chef (ou guide) des
doubles sur le trône d'Horus des vivants ».

4. « Ounas a élevé sa tête sur son sceptre (   )
et le sceptre d'Ounas le protège en son nom de souleveur de tête, car il
a soulevé la tête du taureau Hâpi avec lui, en ce jour où l'on lace le taureau » (l. 423-424). Sur l'explication à donner de cette formule, voir
ce qui a été dit plus haut, p. 215, n. 2.

reçu ces rites ils sont tels que s'ils avaient passé par le ⬜
du Pharaon[1].

De ces rapprochements, il faut conclure que les rites de la
« chambre d'adoration » ne font pas du roi un être d'exception
dans la société égyptienne. Le Pharaon bénéficie seulement,
dès son vivant, de l'état de grâce où seront après la mort
tous les hommes « munis[2] » des rites osiriens. Le roi n'est
pas hors de la condition humaine, mais il a une situation
privilégiée, il jouit d'une avance sur les autres hommes : on
ne lui donne rien de plus, au total, que ce que tous les
mortels posséderont un jour. Entre l'humanité vivante et la
société divine des êtres osiriens, le Pharaon, adoré avant sa
mort, devenait un intermédiaire et participait à la fois de la
terre et du ciel.

IV. Cette situation privilégiée, le roi d'Égypte la devait à
son rôle de prêtre. Les circonstances dans lesquelles le roi
passait par les rites de la « chambre d'adoration » suffisent
à nous prouver que l'être qu'on adorait au *pa douaït*, ce n'était
pas le représentant de la famille royale, qui se distinguait des
autres hommes par la naissance, la force ou la richesse,
mais le chef du culte rendu aux êtres osiriens, les dieux et la
morts.

Le roi reçoit les rites de la chambre d'adoration au moment
de célébrer le service sacré et ne peut jouer le rôle de prêtre
s'il n'a été divinisé. Le Rituel du culte divin consacre ses premiers chapitres à la purification, au couronnement, à l'embrassement, à l'allaitement du roi par les dieux, en un mot à

---

1. Schiaparelli, *Libro dei funerali*, II, p. 138-139 : « Ah, Osiris N., on
(t')a fait tes purifications dans le *pa douaït* du roi (𓏤𓏤𓏤) pour que tu
vives ». Cf. *Rituel du culte divin*, p. 26.
2. C'est le terme consacré pour désigner les morts osiriens.

tous les rites du *pa douaït*[1]. Les textes, comme l'inscription du roi éthiopien Piankhi (XXIV⁰ dynastie), qui nous décrivent la venue d'un Pharaon dans un temple, mentionnent expressément la divinification du roi avant le culte : « (A Memphis) le roi alla vers le temple du dieu ; une fois faites ses purifications dans le *pa douaït*, on lui fit tous les rites officiels que l'on fait au roi, et il entra dans le sanctuaire pour faire une grande offrande à son père Phtah[2]. » Ceci nous explique pourquoi la chambre d'adoration est toujours disposée dans une partie du temple qui précède le sanctuaire : c'est que le roi devait s'y arrêter avant de se rendre devant le dieu.

Nous devons noter que le roi n'est pas seulement divinisé au *pa douaït*, mais qu'il y est aussi couronné et intronisé, avec le même cérémonial qu'on suit le jour de l'intronisation véritable. De là, la formule caractéristique qui définit le passage du roi au *pa douaït* : « Il s'est levé sur le trône d'Horus à la tête de tous les doubles vivants, comme le soleil à jamais[3]. » La phrase était prononcée chaque fois que le roi subissait ces rites[4]. Aussi la retrouvons-nous gravée, dans les tableaux des temples, derrière le roi presque chaque fois qu'il exécute un rite du culte divin. C'était en quelque

---

1. J'ai longuement commenté ces chapitres I à VI dans mon étude sur le *Rituel du culte divin*, p. 9-30, où l'on trouvera la comparaison des textes essentiels.

2. *Stèle de Piankhi*, l. 98.

3. Les formules ont le plus souvent une des rédactions suivantes : « Le roi N. s'est levé sur le siège d'Horus des vivants » N. ; ou bien : « Le roi N. est à la tête de tous les doubles vivants comme le soleil à jamais » N.). Voir par exemple *Louxor*, pl. 15, 17, 34, 37, 53, 68, 71, et *Abydos*, I, pl. 17 *b*, 40 *b* (notre fig. 40, p. 160).

4. *Rituel du culte divin*, ch. v, p. 21.

sorte un certificat de passage au *pa douaït*. Le roi ne pouvait donc officier que s'il avait été divinisé et couronné à nouveau. De ces faits nous pouvons tirer une double conclusion : d'une part l'intronisation implique la divinisation et réciproquement; d'autre part, le Pharaon ne devient un roi-dieu que parce qu'il est chargé de célébrer le culte divin.

Ce qui prouve aussi que les rites du *pa douaït* s'appliquent au roi en tant que prêtre et non en tant qu'homme membre d'une famille privilégiée, c'est que si le roi n'officiait pas lui-même, l'adoration était rendue à la personne du grand prêtre de service qui assumait le rôle du roi dans chaque sanctuaire. Le service divin se célébrait plusieurs fois par jour dans tous les temples de l'Égypte : le roi n'était pas présent partout, et sans doute, là où il était, il n'officiait pas tous les jours. Il n'en fallait pas moins que le suppléant du roi passât par la « chambre d'adoration » avant de célébrer le culte : l'adoration ne s'adressait donc pas à la personne de l'officiant, mais au sacerdoce dont il était investi[1].

C'est une idée commune à toutes les religions que l'officiant pour entrer en communication avec les dieux, doit « passer du monde des hommes dans le monde des dieux[2] ». Le Pharaon, ou son substitut, prenaient en effet pour le service sacré, le nom et la personnalité d'un des dieux osiriens, Horus, Thot ou Anubis : désormais entré dans la famille divine, il avait qualité pour célébrer le culte de ses ancêtres divins. Le passage au *pa douaït* confirmait cette divinité.

Notons enfin que la divinité du roi doit être renouvelée avant chaque service divin. Cette précaution s'explique si l'on songe que le roi, assimilé à un dieu solaire osirien, doit mourir comme lui chaque soir en tant que dieu. Chaque matin il faut donc rendre au roi-dieu son corps reconstitué

1. *Rituel du culte divin*, p. 8, 18, 78.
2. Ces paroles sont empruntées au rituel védique (cf. Hubert-Mauss, *Du sacrifice*, p. 51).

et son âme. S'il ne reçoit pas le culte royal, Pharaon n'est
plus qu'un dieu sans âme, au corps démembré, impuissant à
rendre à ses pères le fluide de vie qu'ils attendent de son embrassement. Or la vie divine du roi est nécessaire à la vie des
dieux : « O dieux, dit le roi avant le service sacré, vous êtes
saufs, si je suis sauf; vos doubles sont saufs si mon double
est sauf à la tête de tous les doubles vivants; tous vivent, si
je vis. » Aussi la divinité du Pharaon est-elle une condition
nécessaire de son rôle de prêtre et de roi[1].

1. De Rochemonteix, qui avait une connaissance particulière des temples
égyptiens, avait déjà défini très exactement l'importance du passage du
roi dans le *pa douaït* : « Lorsqu'il (le roi) pénètre dans le temple après
avoir passé dans le ⌐¯, où il dépouille ce qu'il a de terrestre, après les
purifications accomplies sur lui par Horus et Thot en personne ; après
que les prêtres, reconnaissant le dieu, l'ont eu adoré : qu'à la place de sa
coiffure de Roi, les déesses ont mis sur sa tête le double diadème, symbole de sa puissance au Midi et au Nord; après qu'il a été introduit par
Mentu et Atum, les formes actives du soleil diurne et nocturne, alors il
est réellement l'issu de Râ, il peut « entrer en communication » avec son
père « dans toutes ses manifestations » ; il peut prendre en face de lui
tous les rôles de *fils* ; ses offrandes ont une origine divine ; elles viennent
de Dieu pour retourner à Dieu. » (*Le temple d'Apet,* ap. *Œuvres diverses,*
I, p. 207.) Les textes que j'ai publiés des Rituels divins et les tableaux
passés en revue dans ce chapitre, donnent à ces idées émises dès 1878
par De Rochemonteix la démonstration documentaire qui leur manquait.

CHAPITRE VIII

—

Les grandes fêtes du culte royal.

I. Développement solennel des rites du *pa douaït* dans les fêtes *sed*. — II. La fête *sed* : A, intronisation; B, royale montée vers le dieu principal; C, repas pris en commun avec les dieux, après la célébration des rites divins; D, installation de statues royales dans le temple. — III. Effets attendus de la fête *sed*: la vie divine du roi renouvelée pour une période indéterminée; cette période n'est pas *trentenaire*. — IV. La fête *sed* est célébrée lors de l'inauguration d'un édifice dit « *de millions d'années* », où le roi est adoré. — V. La fête *sed* existe aussi pour les dieux et les morts osiriens. — VI. Autres fêtes du culte royal : elles répètent toujours l'intronisation. — VII. Le culte du roi dans les « temples de millions d'années » persiste après la mort; dans son tombeau, le roi défunt est adoré comme tout mort osirien. — VIII. Conclusion : le roi est adoré parce qu'il est le prêtre du culte divin et funéraire.

I. Les rites de la « chambre d'adoration » étaient pour le culte royal ce qu'est, dans le culte divin, le service journalier par rapport aux rites des grandes fêtes. En dehors de l'ordinaire de chaque jour on célébrait en l'honneur du roi des panégyries solennelles : elles portaient le nom de « fête du bandeau royal » 𓋞𓏏𓎺 *heb sed*, var. 𓋞𓊃𓈙 *seshed*). Par le titre adopté on voit de suite que le principe défini précédemment se vérifie : on adore le roi en répétant les cérémonies du couronnement. J'ai déjà dit que les représentations de la fête *sed* se retrouvent dans les temples sur les murs des cours ou des salles hypostyles : tandis qu'une petite salle suffisait aux rites du *pa douaït*, pour les cortèges des fêtes *sed* il ne fallait pas moins que les plus grandes « salles larges » du temple.

Aucun édifice ne nous a conservé une représentation complète des rites de la fête *sed*. Le monument le plus précieux

Fig. 66. — Les enseignes divines archaïques (Quibell, *Hierakonpolis*, pl. XXVI B).

est la salle de la fête *sed* du temple élevé par Osorkon II (XXIIᵉ dyn.) à Bubastis[1] ; mais cette salle est entièrement ruinée et il a fallu à M. Édouard Naville, qui en a découvert les débris, une grande sagacité pour classer les renseignements épars dans les pierres dispersées. M. Naville a montré que ce qui manque à Bubastis peut être remplacé en partie par les tableaux analogues retrouvés aux temples d'Aménophis III à Soleb[2] et de Séti Iᵉʳ à Gournah[3] ; il y faut ajouter les textes et les tableaux de la partie du temple de Louxor bâtie par Aménophis III[4] et surtout ceux de la « salle du roi » de Séti Iᵉʳ à Abydos[5]. Dans beaucoup de temples on trouve aussi des représentations de tel ou tel épisode isolé de la fête, sans que l'on puisse dire, à distance, si ce morcellement est voulu ou s'il n'est attribuable qu'à une publication incomplète des monu-

1. Ed. Naville, *The festival Hall of Osorkon II in the great temple of Bubastis*; cf. un lumineux compte rendu de Maspero dans la *Revue critique* (15 mai 1893).
2. *L. D.*, III, 83-86.
3. *L. D.*, III. 131-132.
4. Gayet, *Louxor*, pl. LXVIII-LXXV.
5. Mariette, *Abydos*, I, travée du Roi, salles C, D, K, pl. 24-34.

ments. Enfin dans ces dernières années, divers épisodes de la fête *sed* ont été retrouvés sur les monuments archaïques d'Hieraconpolis et d'Abydos[1] et dans le plus ancien temple décoré actuellement connu, celui d'Ousirniri (Vᵉ dyn.) à Abousir. Il

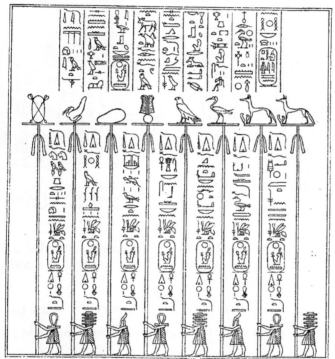

Fig. 67. — Les enseignes divines du cortège de Séti I (*Abydos*, I, pl. 28 *d*).

en résulte que les rites de la fête *sed* sont aussi vieux que la civilisation égyptienne la plus archaïque; d'ailleurs, comme

1. Petrie, *Royal Tombs* I et II; Quibell, *Hierakonpolis*, I. Les documents archaïques sur la fête *sed* ont été signalés dans les comptes rendus de Maspero (*Revue critique*, 12 novembre 1900); Moret (*ibid.*, 21 janvier 1901); Foucart (*Sphinx*, 1901, V, p. 103).

nous le verrons, ils sont restés en usage jusqu'à la fin de la période romaine.

Les cérémonies, qui se répétaient pour le Sud et pour le Nord, semblent pouvoir se diviser de la même façon que celles exécutées dans le *pa douaït* : ce sont en effet les mêmes rites

Fig. 68. — Le roi part pour subir les rites de la fête *sed* (*Louxor*, pl. LXXII).

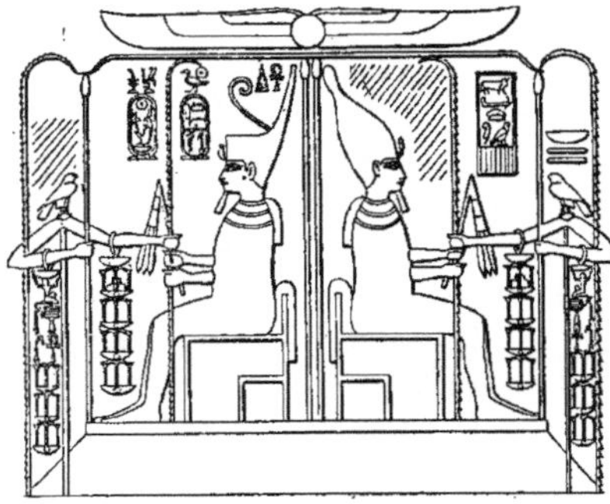

Fig. 69. — Aménophis III dans le pavillon des fêtes *sed* (*Louxor*, pl. LXXI).

qu'on exécute dans la salle *sed* ou dans la « chambre d'adoration » ; mais, pour la fête *sed*, tous les détails extérieurs sont multipliés.

II. A. Au début de la fête, le roi part du sanctuaire (*pa our*  fig. 68) qui lui est réservé dans le temple. Il a passé par la « chambre d'adoration », car le plus souvent il n'est pas question de purifications préliminaires du roi avant les rites de la fête *sed*; aussi faut-il admettre que le roi a subi, dans le *pa douaït*, les ablutions et fumigations nécessaires avant tout service sacré [1]. Une fois purifié « le roi se lève dans *pa our* et prend son chemin pour aller se poser sur le pavillon de la fête

---

1. Exception faite pour Louxor (Gayet, pl. LXXV) ou l'on voit Toum et Montou purifier le roi.

sed[1] ». Ce pavillon était dressé dans l'hypostyle appelée « salle
large de la fête *sed* » et qui, nous l'avons vu déjà, servait aussi
au couronnement du roi[2]. Dans un angle on disposait sur
une estrade deux naos, parfois quatre[3], correspondant au Sud

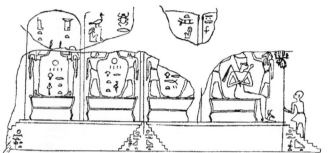

Fig. 70. — Les quatre pavillons du couronnement lors de la fête *sed* à
Bubastis (Ed. Naville, *The festival Hall*, pl. II).

et au Nord, ou aux quatre parties du monde ; l'ensemble formait un pavillon à double ou quadruple place, auquel on
accédait par des escaliers.

Le cortège qui y amène le roi ne se compose plus du seul
prêtre Anmoutef, des enseignes divines et du personnage
royal ; les enseignes se multiplient[4] ; les officiants sont nom-

1. *The festival Hall.*, pl. II, 10 :

2. Cf. ch. III, p. 89.

3. A Bubastis (pl. II, 4-8) il y a quatre naos avec l'indication Sud, Nord
Ouest, Est ; cet exemple est unique. L'hiéroglyphe *sed* donné par une tablette archaïque d'Abydos (fig. 72) nous montre un pavillon à deux loges
et à deux sièges auxquels on accède par un double escalier. Mais c'est
plutôt la figure du naos où le roi en personne (ou sa statue), reçoit à la
fin de la fête les rites divins, que celle du naos où on le couronne au
début de la cérémonie. Quand il y a deux personnages dans le naos, ils
sont tournés dos à dos, et orientés sans doute l'un face au Sud, l'autre
face au Nord. Sur les monuments archaïques, on ne voit qu'une statue
dans le naos (fig. 71, 73).

4. Il y en a quantité à Bubastis (pl. II) ; 8 à Abydos (fig. 67) ; pour Soleb
cf. *L. D.*, III, 83 *c*.

breux, et aux desservants du temple s'adjoignent des prêtres
délégués par les temples des grandes villes, portant l'insigne
caractéristique de leur nome ou de leur dieu [1]; le roi, enfin,

Fig. 71. — Le roi Narmer dans le pavillon des fêtes *sed* (Quibell, *Hierakonpolis*, I, pl. XXVI B).

Fig. 72. — Le
pavillon ar-
chaïque des
fêtes *sed* (Pe-
trie, *Royal
Tombs*, I, pl.
VIII, 7).

est suivi de la reine et des enfants royaux, ceux-ci portés
parfois en palanquin[2]. La procession s'avançait lentement

1. Les prêtres porteurs des statues des dieux des grandes villes (Thèbes,
Dendérah, Edfou, Ombos, Hermopolis, Abydos, Memphis, etc.), figurent
à Bubastis (*The festival Hall*, pl. VIII-X) et sont parfois désignés par les
noms officiels des sacerdoces locaux (pl. IX, *Text*, p. 22). Il y a aussi dans
le cortège des Nubiens et des pygmées (Ed. Naville, *Text*, p. 24 et 31).
M. Naville remarque très justement (*Text*, p. 21) que ces députations de
prêtres sont comparables à celles que mentionnent, sous Ptolémée III et
Ptolémée V les décrets de Canope et de Rosette. Ceux-ci viennent de
tous les sanctuaires de la Haute et de la Basse-Égypte (*Canope*, hiér.,
l. 3, grec l. 5; *Rosette*, hiér. l. 7 (*Recueil*, t. VII, p. 6), grec l. 7), pour célébrer la panégyrie de la réception de la couronne : ce qui peut s'appliquer à l'une des fêtes du culte royal où l'on renouvelait tous les rites du
couronnement.
2. *The festival Hall*, pl. II. Les enseignes figurent aux fêtes *sed* de Hiéraconpolis (Quibell, I, XXVI B) et d'Abydos (Petrie, *Royal Tombs*, I, pl. XIV,

et en bon ordre vers le pavillon ; sur son passage les « amis »,
les grands dignitaires, les assistants de tout rang, se jetaient
face contre terre ou s'invitaient mutuellement à exorciser le
sol pour assurer la garde magique du roi là où il passait [1].

Arrivé devant le pavillon, le roi montait successivement
dans les deux ou les quatre naos ; deux prêtres l'y attendaient,
avec les masques et les insignes d'Horus et de Sit ou de
Nekhabit et d'Ouazit, parfois d'autres divinités. Ils déposaient

Fig. 73. — Roi des dynasties archaïques en costume osirien (Petrie,
Royal Tombs, 11).

sur le front du roi les couronnes blanche et rouge [2] et liaient
sous ses pieds le lotus et le papyrus pour symboliser la « réunion des deux terres » sam taouï [3] : par quatre fois l'officiant
proclamait que le « Sud était réuni au Nord » ou que le « ciel

9) et d'Abousir (Ä. Z., XXXVIII, p. 97). Sur la masse d'armes de Narmer,
on reconnaît le palanquin des « enfants royaux » (fig. 71) ; on le retrouve
aussi aux bas-reliefs d'Abousir (A. Z., XXXVI, pl. I, 3). A Louxor et à
Abydos le roi défile seul derrière les enseignes divines.

1. Les assistants crient « A terre ! » ⌒ et font le ⟨⟩ « charme
protecteur du sol » (Abousir, A. Z., XXXVII, pl. I, Soleb, L. D., III, 85 c,
et Bubastis, III, 12).

2. Voir The festival Hall, pl. II, et notre figure 70.

3. Voir le tableau d'Abydos reproduit plus haut p. 95, fig. 17.

A. MORET.   16

s'unissait à la terre [1] » (fig. 70). Le « lever » () du roi avec
la couronne du Sud et celle du Nord dans le pavillon était un
des moments essentiels de la cérémonie; il est probable que
c'est ce « lever » que représentent les monuments archaïques
d'Abydos (fig. 73) et de Hiéraconpolis (fig. 71). Les autres cérémonies du couronnement, la « procession autour du mur »

Fig. 74. — Le roi exécute le *rer ha ànbou* (Ed. Naville, *The festivall Hall*,
pl. XXIII).

(*rer ha*)[2], le lancer des flèches[3] et le vol annonciateur des
quatre oiseaux lâchés aux quatre coins de l'horizon, s'exécu-
taient aussi en leur entier[4], au moins à l'époque classique. A
partir de ce moment de la cérémonie le roi est coiffé de la

1. *The festival Hall*, pl. II, 8. Cf. *supra*, p. 94.

2. A Bubastis on voit le roi dans la salle (pl. XXIII,
7-8, cf. fig. 74); ailleurs on dit que le roi « sort derrière » comme Horemheb au moment de son intronisation (voir p. 96) (pl. XIV,
3). Il semble que Thoutmès III dans le fragment de *L. D.*, III, 36 *a-b* reproduit fig. 84 exécute le *rer ha* (comparez avec le couronnement d'Hâtshopsitou (fig. 16).

3. Le lancer des flèches existe à Karnak pour Thoutmès III: voir p. 105,
fig. 21. Dans le *pa douaït* d'Edfou, il y a aussi des flèches réservées à cet
usage (cf. Dümichen, pl. 83).

4. Le lancer des oiseaux figure lors des fêtes *sed* d'Osiris (*L. D.*, IV,
57 *a*) dont il sera question plus loin (cf. p. 104, fig. 20).

double couronne, armé des sceptres divins et vêtu d'un manteau collant s'arrêtant à mi-jambe, présentant des ouvertures pour le passage des deux mains : c'est le vêtement caractéristique d'Osiris et des dieux osiriens; le roi le porte au
jour du couronnement (fig. 16) et lors des fêtes sed[1]. Ainsi, là
où les rites du *pa douaït* rappelaient seulement en abrégé les
cérémonies de l'intronisation, ceux de la fête *sed* renouvelaient en son entier le couronnement royal.

Fig. 75. — Royale montée de Séti I lors de la fête *sed* (*Abydos*, I, pl. 29).

B. Après l'intronisation, la « royale montée » (fig. 75) du roi
vers son père le dieu principal du temple, se faisait avec un
cérémonial très développé. Dès le début, le prêtre du roi, l'*Anmoutef* convoquait en assemblée le cycle des dieux du temple
représentés sans doute par leurs prêtres porteurs des simu-
lacres divins : pour annoncer la venue prochaine du roi assis
sur le trône d'Horus, il leur tenait un discours auquel chacun
des dieux répondait brièvement par des souhaits adressés au

---

1. Le roi est vêtu du manteau osirien sur les figures archaïques d'A-
bydos (fig. 71 et 73) et dans la plupart des figures citées au cours de ce
chapitre. Les statues royales des fêtes *sed* sont aussi vêtues de la même
façon.

Pharaon[1]. Celui-ci, quittant la salle des fêtes *sed*, s'avançait alors vers le sanctuaire, tenu en main par les dieux, précédé des enseignes sacrées et des génies du Sud et du Nord[2]; derrière le roi, suivait, sans doute, le cortège qui déjà l'avait mené au pavillon du couronnement; mais dans le sanctuaire entraient seuls le roi et les prêtres qui jouaient le rôle des dieux. Là se renouvelaient les scènes déjà connues : accueilli

Fig. 76. — Amou-Râ embrasse le roi auquel Amonit et Mout donnent les insignes des fêtes *sed* (*Louxor*, pl. XLVI).

sur le seuil par une divinité qui lui présentait la libation de bon accueil ( ), le roi était mis en présence d'Amon ou de tel autre dieu, assis sur son trône dans tout l'appareil des jours de grande fête. Le dieu embrassait le roi,

<hr>

1. Le discours au cycle des dieux est analogue à celui qu'on leur adresse au moment de la nativité et de l'intronisation du roi. Voir *Abydos*, I, pl. 34 *a*; *Louxor*, pl. LXXIII, et *L. D.*, III, 26, 34, 37, etc.

A Abydos (I, pl. 34 *b*) après la cérémonie, il y a un nouveau discours au cycle (voir notre fig. 77).

2. A *Louxor* (pl. LXXIII-LXXIV) le roi, à pied, est conduit à Amon qui l'embrasse et le couronne en présence de Sokhit et de Thot; une variante (pl. LXXV) nous montre le roi porté par les génies du Sud et du Nord sur le siège en forme de ⌒. A *Abydos* (I, pl. XXIX) le roi à pied, est précédé des génies du Sud et du Nord porteurs de statuettes divines. A Bubastis il reste des fragments de tableaux où le roi est tenu en main par les dieux (pl. XXVI). Pour Soleb, cf. *L. D.*, III, 86 *b*.

et lui lançait le fluide magique (fig. 76), tout en affermissant la double couronne sur sa tête[1] ; en même temps les insignes de la fête *sed* suspendus au signe des années, les sceptres royaux, les hiéroglyphes de la vie, de la santé, de la force étaient tendus au roi par les divinités (fig. 69, 78) Safkhit et

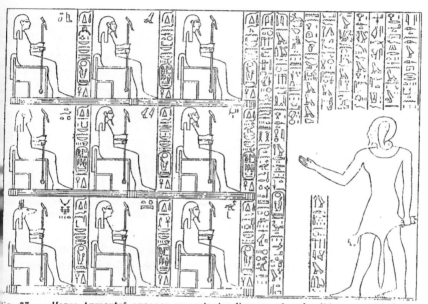

ig. 77. — Horus Anmoutef annonce au cycle des dieux que le roi a été couronné (*Abydos*, I, pl. 34 *b*).

Thot rédigeaient les procès verbaux officiels de la fête (fig. 78), où ils consignaient le « grand nom » du roi, et les dons d'innombrables fêtes *sed* et d'années infinies, que Pharaon recevait

1. En outre des exemples cités, voir *L. D.*, III, 14, 37, 56, 58, 151, 254 ; IV, 22 (Ptolémée VII), 45 (Ptolémée XI) pour la royale montée ; la libation *nini* est représentée à Louxor (pl. XIX) et dans *L. D.*, III, 58. — L'embrassement par le dieu existe à *Abousir* (*Ä. Z.*, XXXVII, p. 4), à *Louxor* (pl. LXXII, LXXIV) et dans la plupart des exemples cités note suivante.

à ce moment[1]. Parfois, comme au jour du couronnement, une déesse allaitait le roi[2], ou Amon inscrivait lui-même sur les

Fig. 78. — Horus et Thot, Ouazit et Nekhabit donnent à Séti I les insignes des fêtes *sed* (*Abydos*, I, pl. 30 *c*).

feuilles de l'arbre *àshed*[3], et le nom du roi, et les promesses de vie inépuisable et fortunée. Sur ce thème fondamental, les

1. Sur le don de l'insigne *sed*, et l'enregistrement des faveurs par Thot ou Safkhit, voir *Louxor*, pl. LXXIV, *Abydos*, pl. 30 *c* et 29 *a*; *The festival Hall*, pl. XVII. Voir aussi les exemples suivants où l'embrassement, le don des *sed*, l'enregistrement par les dieux sont le plus souvent confondus : *L. D.*, III, 15, 53, 55, 58, 59, 150 *c*, 151, 198, 204, 220, 246, 255 ; IV, 9 (Ptolémée III); 21, 22 (Ptolémée VII) ; 89 (Septime Sévère). — Notons spécialement la rédaction du *genit* (cf. p. 102 fig. 18) par Thot, *L. D.*, III, 55, 59, 151.

2. On voit le roi allaité, à la suite d'une fête *sed*, dans *L. D.*, III, 150 *b*, 218, et surtout à *Abydos* (cf. p. 65, fig. 10); mention expresse de l'allaitement est faite sur un des fragments de Bubastis (pl. VIII, 27) et dans les textes descriptifs qui seront cités plus loin.

3. Les plus beaux exemples sont dans *L. D.*, III, 37, 55, 169; IV, 17 (Ptolémée IV). Cf. *supra*, p. 103, fig. 19.

décorateurs des temples développaient les scènes avec une certaine fantaisie, suivant la mode des différentes époques ; mais, sous leur diversité apparente, les tableaux et les formules se ramènent toujours aux faits essentiels résumés ici.

Fig. 79. — Le roi sur le trône portatif *sopa* au retour de la « royale montée » (*Abydos*, I, pl. 31 *b*).

C. La sortie du sanctuaire était plus solennelle encore que l'entrée. Au cortège du roi se joignait celui du dieu principal et de ses parèdres, portés en barque sur les épaules des prêtres, pour se rendre à la salle du repas commun qu'on allait servir au roi et aux dieux réunis. Le roi et la reine précèdent la barque d'Amon, tantôt à pied, tantôt portés sur un pavois en forme du signe des fêtes ⵙ[1]. On arrivait ainsi à une des grandes salles du temple où·l'on avait disposé des « pavillons pour manger » (⌂ *sehit n qeq*[2]) ; ce sont de petits naos où l'on voit exposée la statue d'un des dieux du temple

_____

1. On voit ce cortège double au temple d'Aménophis III à Soleb (*L. D.*, III, 86 *b*) et à Bubastis (pl. VI) ; à Abydos le roi est porté sur le trône *sopa* (I, pl. 31 *b*) par les génies du Sud et du Nord (fig. 79). Voir aussi le même cortège pour Antonin (*L. D.*, IV, 87, 89).

2. A Soleb, le roi fait « transporter le dieu Khnoumou vers le pavillon à manger » (*L. D.*, III, 86 *c*) ; à Bubastis la scène se trouve pl. IV-VI.

ou des villes voisines; aux pieds de chacun s'amoncellent les
offrandes, pains, viandes, fruits, liquides[1].

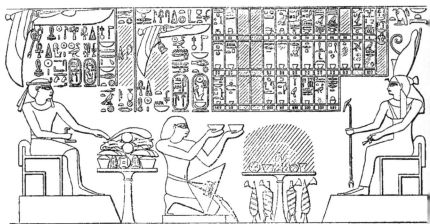

Fig. 80. — Aménophis III offre le repas sacré à sa propre personne et à la déesse Mout
(Louxor, pl. LXX).

Il est difficile de savoir si le roi goûtait au repas ou s'il
intronisait dans un naos une statue le représentant, à qui l'on
offrait les mets variés. En tout cas on voit dans un naos particulier se dresser l'image du roi en costume osirien[2] (fig. 81);
devant elle, comme devant les dieux[3] est servi un copieux repas
dont nous connaissons le menu (fig. 63, 80). A ce moment le
roi fait connaître aux dieux les fondations de biens meubles et
immeubles, les dotations du personnel sacerdotal, qu'il accorde aux différents sanctuaires, en reconnaissance des honneurs divins de la fête sed et des souhaits dont on l'a comblé.

1. L. D., III, 85 c; Bubastis, pl. VII-VIII.
2. The festival Hall, pl. IX, 12. A Louxor on installe le roi ou sa statue
en face de la déesse Mout devant la table servie (fig. 81). A Abydos (fig. 63)
le roi Séti I met la main sur la table d'offrande; le menu complet est affiché
en face de lui (cf. p. 223).
3. A Bubastis, au moment du départ du roi pour le pavillon à manger,
une inscription résume les cérémonies et énumère les fondations faites
par Osorkon II à l'occasion de la fête. Voir la fig. 82.

Avant de servir le repas sacré[1], on exécutait sur la personne ou sur la statue du roi et sans doute sur les statues des

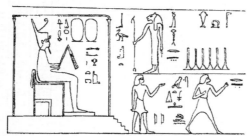

Fig. 81. — Le roi dans son naos reçoit le *souton di;hotpou* (Ed. Naville, *The festival Hall*, pl. XXIII).

dieux, tous les rites, déjà connus de nous, que le culte osirien avait prévus pour rendre la vie aux dieux et les mettre en état de goûter aux offrandes. On célébrait le service complet du grand *àp ro*[2] : purifications par l'eau et l'encens[3], ouverture de la bouche[4], recherche et don de l'âme perdue[5], remise des

1. Lors du transport du roi à la salle du repas, à Abydos, l'*Anmoutef* récite un « chapitre de purifier le roi avec la résine » (fig. 79 *b*) ; puis, quand le roi prend possession du repas, l'*Anmoutef* récite la formule qui énumère la purification, la reconstitution du cadavre osirien, et constate la pureté du roi (fig. 63, p. 223).

2. La purification du roi par les vases d'eau et les fumigations, l'ouverture de la bouche, le don des bandelettes osiriennes et des sceptres, eu un mot tous les rites extérieurs du culte divin et funéraire, sont appliqués à la statue royale dans les tableaux de la « travée du roi » à Abydos (I, pl. 24 et 26, salles C et D, voir fig. 83); la formule déjà citée de la pl. 33 d'Abydos prévoit l'exécution des mêmes rites ; enfin chacune des offrandes présentées avec les formules obligées suppose aussi les purifications et l'*àp ro* (*Abydos*, I, pl. 33, notre fig. 63. Cf. Pyramide d'*Ounas*, l. 19, sq.).

3. A Bubastis on voit la purification par l'eau de la statue royale (pl. XI, 6).

4. A Bubastis sont souvent figurés les prêtres qui « ouvrent la bouche » (pl. XIX, 5; XXIV, 9; XX, 6). On voit l'*àp ro* exécuté à Abydos (fig. 83 ; 5e groupe de gauche).

5. A Bubastis, on trouve des traces de l'exécution du rite du *Tikanou*,

couronnes, des sceptres, des bandelettes[1], en un mot tout ce

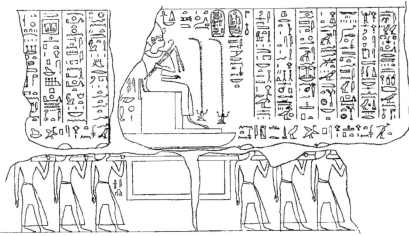

Fig. 82. — Osorkon II, porté sur le siège *sopa*, se rend à la salle des panégyries (Éd. Naville, *The festivall Hall*, pl. VI).

que le roi faisait pour les dieux dans le rituel du culte solennel.

Puis on prononçait le *souton di hotpou* 𓏏𓊵 [2] (fig. 84) : et le roi

l'homme qui passe au nom du dieu ou du mort dans la peau de bête typhonienne, pour y retrouver l'âme du dieu ou du mort. La légende caractéristique 𓊪 « voici qu'il se couche » qui s'applique au *Tikanou* dans plusieurs tombeaux (Maspero, *Le Tombeau de Montou hikhopshouf*, ap. *Mission du Caire*, V, p. 440 sqq.) et à un officiant dans le *Livre des funérailles* (Schiaparelli, I, p. 62), se retrouve au-dessus de deux pesonnages couchés (*The festival Hall*, pl. XXIV, 9; XXV, 1, et XX, 5-6). — Voir l'explication qu'a donnée du rite de la peau de bête Lefébure (*P. S. B. A.*, t. XV, p. 437); cf. aussi *Rituel du culte divin*, p. 45.

1. A Abousir, subsiste le début de la scène d'habillage : on lave les pieds au roi ou à sa statue (*Ä. Z.*, XXXVII, pl. I, 1); à Bubastis, on présente à la statue les bandelettes (pl. XXIII, 5, fig. 84), les sceptres 𓏤𓏤 (pl. XXI, 3), la couronne 𓊪 (pl. XIV, 1).

2. *The festival Hall*, pl. XXIII, 5.

Fig. 83. — Le roi Séti Ier reçoit le culte divin (*Abydos*, I, pl. 26).

prenait avec les dieux le repas offert et servi par le roi lui-
même[1]. Suivant l'usage on répétait une seconde fois les rites
du culte et du repas devant le roi assis dans un second naos.
Cela fait, il semble qu'on laissait un assez long temps la
personne du roi exposée aux yeux. C'était le point culminant
de la fête ; le roi intronisé, couronné, embrassé, divinisé par

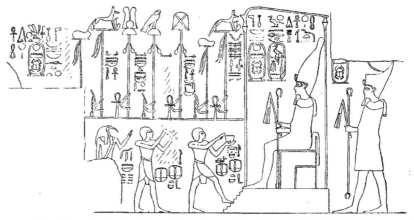

Fig. 84. — Thoutmès III adoré dans le naos des fêtes *sed* (*L. D.*, III, 36 *a*).

les dieux, était alors dans tout l'éclat de sa puissance royale
et divine. Aussi dans l'écriture hiéroglyphique et dans les
tableaux des temples avait-on choisi, pour exprimer le moment où le roi reçoit l'effet total de la fête *sed*, la représentation d'une double image royale assise dans un pavillon au
double trône (fig. 69).

D. Il serait intéressant de savoir ce que représente réellement cette figure. Est-ce la personne vivante du roi, dont
par une convention graphique, on aurait montré simulta-
nément les deux adorations, en réalité successives? Sont-

---

1. A Louxor (fig. 80) on voit Aménophis III offrir le repas à sa propre
statue et à une divinité parèdre, Hâthor.

ce des statues royales qu'on installait dans le pavillon à la fin de la fête? Il est difficile de se prononcer. Peut-être célébrait-on l'une et l'autre cérémonie : le roi pouvait s'installer un instant dans les naos pour recevoir le culte (fig. 84) et cédait ensuite la place aux statues qui le représentaient dans la même pose. En tout cas, l'on peut être assuré que le culte royal dans la fête *sed* nécessitait, comme le culte royal dans le *pa douaït* la consécration de statues du roi. Ce sont peut-être ces statues auxquelles on donnait (pour des raisons qui seront exposées plus loin) le nom de « statues de millions d'années ». Plusieurs de ces statues nous sont parvenues : elles représentent le roi en costume osirien, coiffé de la couronne blanche, vêtu du manteau traditionnel, tenant en main le croc, le fléau et les sceptres, tel en un mot que les tableaux des temples nous montrent le roi assis dans le double pavillon. C'est sous cet aspect que nous apparaît le roi Khâsekhem, qui avait intronisé deux statues de lui-même dans le temple archaïque d'Hiéraconpolis, et leurs successeurs lointains, Ousirtasen III et Ramsès II, dont nous avons aussi des colosses osiriens, se sont fait représenter sous les mêmes traits[1].

Après le repas, les statues divines étaient sorties des pavillons de la salle à manger; on les réintégrait dans les barques et le cortège solennel reprenait le chemin des sanctuaires particuliers[2], au milieu des chants, des acclamations, des

1. Les statues de Khâsekhem ont été publiées par Quibell (*Hierakonpolis*, I, pl. 39-41). Cf. à ce sujet, Maspero, *Revue critique*, 1901, I, p. 382. — Pour la statue d'Ousirtasen III et de Ramsès II, celle-ci assise sur le trône portatif en forme de voir *Abydos*, II, 21 et *L. D.*, III, 142. — Sur les rochers de l'Ouady Magharah, on a figuré Pépi Ier sur le double trône (*L. D.*, II, 115 *a*); au temple de Louxor, Aménophis III (fig. 69), Séti I à Gournah (*L. D.*, III, 132) et, à Bubastis, Osorkon II (pl. XXVII, I, sont dans la même attitude. Il n'est pas douteux que la double statue royale intronisée ne fût l'élément central de la décoration des fêtes.

2. *The festival Hall*, pl. IV, l. 2-4 :

danses et prosternations ritualistiques[1]. Les dieux du temple étaient reconduits à leurs sanctuaires; les statues osiriennes, celles du moins qui étaient portatives, ramenées au *pa our*

Fig. 85. — Thot et Anmoutef font le *souton di hotpou* à la statue du roi Séti I dans sa barque divine (*Abydos*, I, pl. 32).

ou au *pa douaït*; les statues colossales restaient en place dans les cours ou devant les pylônes des temples, comme pour attester la divinisation du Pharaon.

III. Tel est, en ses traits essentiels, le résumé schématique d'une fête *sed*. Il me reste à définir ce que les rites des fêtes *sed* ajoutaient à ceux du *pa douaït* pour compléter en Pharaon l'être divin, intermédiaire entre les dieux et les hommes.

Nous avons vu en détail que chacune des cérémonies de la fête *sed* était un développement des rites célébrés en raccourci

« se lever dans le pavillon à manger pour faire lever la majesté de ce dieu auguste Amon-Râ, afin qu'il repose (lire ⟶ pour ⟶) dans sa place de la salle de la fête *sed* ».

1. Sur ces chants et ces danses voir *The festival Hall*, pl. XV.

dans la « chambre d'adoration » : à cette multiplication des
formes extérieures correspondait une augmentation proportionnelle des effets attendus du service sacré appliqué au
roi.

D'abord la divinité du roi gagne par la fête *sed* ce caractère nouveau d'être proclamée solennellement en public,
devant les délégués de toutes les villes de l'Égypte. Bien
plus, la fête *sed* et ses renouvellements étaient célébrées à la
fois dans « la terre entière » et non pas là seulement où le
roi était présent[1]. Ainsi aux rites secrets du *pa douaït* succédait la proclamation publique et éclatante de la divinité du
roi, comme au jour de l'intronisation.

Comme témoins de cette divinité le roi laissait des statues
qui restaient visibles dans les temples. Ces statues n'étaient
plus la représentation de l'âme du roi, de son double, mais
elles figuraient la personne vivante, divinisée certes, mais
cependant humaine. Il semble que la fête *sed* donnait à la
divinité du roi quelque chose de plus accessible et de plus
populaire que les rites du *pa douaït*.

Dans la « chambre d'adoration », on met le roi en état de
célébrer le culte *journalier*. Mais la divinité acquise à ce
moment par le roi s'épuisait dans les vingt-quatre heures
et demandait un renouvellement quotidien. La fête *sed*
aussi procure au roi un renouvellement de vie divine, comme
les rites du *pa douaït*. Toutes les cérémonies du culte osirien
que les dieux exécutent pour le roi, couronnement, embrassement, inscription sur les livres célestes, etc., concourent à ce résultat final. « Tu as fait les pavillons de la fête
sed, que je célèbre (pour toi) à leur intérieur, dit le dieu
Phtah-Totounen à Ramsès II et à Ramsès III ; j'ai fixé ta couronne sur ta tête, moi-même, de mes mains ;..... j'ai embrassé
tes chairs avec la vie et la force, le fluide (de vie) est derrière

1. Voir les inscriptions relatives aux fêtes *sed* publiées par Brugsch,
Thesaurus, p. 127 sqq.

toi, pour ta vie, ta santé et la force[1] ! » A Abydos la déesse
Safkhit dit à Séti I : « J'ai établi (*smen*) pour toi tes splendeurs
dans mes livres comme l'a décrété Râ. Je t'ai fait le service sacré
(*khou*) avec tes charmes protecteurs (*saou*) ; les paroles que je t'ai
dites seront tes sauvegardes, celles que ma main a écrites seront tes rites protecteurs (*khoutou*) — de même a fait mon frère
Thot. Toum lui-même nous a dit à tous deux : « Je me réjouis
de ses destinées ». Nous avons tous deux réuni pour toi le Sud
et le Nord (*sam taouï*) placés sous tes sandales ; nous avons
tous deux assemblé pour toi le lotus et le papyrus. Apparais-
sant en roi du Sud et du Nord, résidant dans ta barque en roi
du Nord, tu as saisi les deux terres avec le pschent ; tu t'assieds dans ton naos, tu entres dans ton temple comme Toum
(le soleil couchant) dans l'horizon, tu sièges sur ton trône
comme Horus sur son trône, quand tu t'es levé sur ton pavois
de la fête *sed*, tel que Râ au début de l'année[2] ». Après cette
description de la fête, voici les bienfaits que le roi en ressent :
« Tu recommences ton renouvellement, tu obtiens de refleurir
comme le dieu Lune enfant, tu rajeunis, et cela de saison en
saison, comme Noun au début de son temps, tu renais en
renouvelant les fêtes *sed*. Toute vie (vient) à ta narine, et tu
es roi de la terre entière à jamais ». Ainsi, au sortir de la fête
sed, le roi a renouvelé sa vie divine, non pour quelques
heures comme dans la « chambre d'adoration », mais pour
un très long espace de temps, pour « toujours[3] ».

---

1. Ed. Naville, *Le décret de Phath Totunen*, l. 17-19

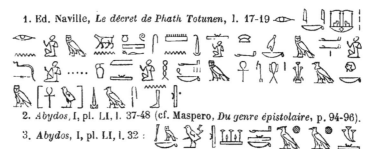

2. *Abydos*, I, pl. LI, l. 37-48 (cf. Maspero, *Du genre épistolaire*, p. 94-96).

3. *Abydos*, I, pl. LI, l. 32 :

« Toujours » pour les Égyptiens n'était pas un infini incom-
mensurable ; le renouvellement « éternel » de vie conféré par la
fête *sed* ne dépassait pas en durée l'espace d'un certain nombre
d'années. Ce nombre est le plus souvent vague. Les dieux
disaient au roi : « Je te donne *des années* avec les fêtes *sed* »
⟨hieroglyphs⟩, ou bien ⟨hieroglyphs⟩
⟨hieroglyphs⟩ « Je te donne des *millions* de fêtes *sed* et tes années [1]
par *éternité* ». Il arriva ainsi que le signe *sed* ⟨hieroglyph⟩ devint
un symbole de durée indéterminée analogue à cet autre bien
connu, le signe *sheb* ⟨hieroglyph⟩[2]. Quand le roi recevait des dieux
des années de *sed* il leur présentait en échange des années de
sheb, ou même le signe *sed*[3] ; et désormais le roi et les dieux
prenaient le titre de ⟨hieroglyph⟩ : « maîtres des fêtes *sed* »
c'est-à-dire « maîtres de la durée ». En fait, pour plus de
sûreté, après la première fête *sed* (⟨hieroglyphs⟩ « pre-

1. Ed. Naville, *The festival Hall*, p. 6.

2. Ed. Naville, *The festival Hall*, p. 9, pl. III, n° 13. Le groupe ⟨hieroglyph⟩
associe à la « clepsydre » (?) *sheb* le dieu lunaire cynocéphale, qui
compte les jours et les mois. Lauth a établi que la clepsydre ⟨hieroglyph⟩ symbolise une division de l'éternité ⟨hieroglyph⟩, comme le signe *sed* exprime une division de la durée infinie ⟨hieroglyph⟩ (*König Nechepsos*, p. 141).

3. Par exemple à Ombos (De Morgan, I, p. 330).

A. MORET.   17

mière fois de la fête *sed* ») le roi procédait à des « renouvellements » de la panégyrie (⫽ 𝕌)[1]. Ramsès II redemande ainsi jusqu'à cinq fois la vie divine aux rites qu'il avait reçus le jour de sa première fête. D'après les exemples connus jusqu'ici, ces renouvellements se succédaient à un intervalle de deux, trois et quatre ans[2] : ainsi, l'on estimait que la vie divine transmise au roi par la fête *sed*, ne persistait guère au delà d'une durée de quatre ans.

Il n'était pas inutile de définir avec précision les effets attendus de la fête *sed* et leur durée présumée, parce qu'on a souvent attribué à cette panégyrie du culte royal un caractère exceptionnel et énigmatique. Le décret de Rosette rend l'épithète accolée au nom de Ptolémée Épiphane « maître des fêtes *sed* (tel que le dieu Phtah) » ⬭ 𝕌 ┊ par κύριος τριαχοντα-ετηρίδων[3]; on a traduit « maître des panégyries *trentenaires* » et l'on s'est ingénié à résoudre un problème ainsi posé : pourquoi ces panégyries étaient-elles trentenaires?

Les égyptologues n'ont pu se mettre d'accord pour la réponse. Lepsius croyait que les fêtes *sed* marquaient des points de repère pour des périodes astronomiques de trente années[4]. Brugsch, renonçant à cette idée, y voit « un jubilé célébré par le roi après trente années de règne[5] »; on constate en effet, depuis la XVIIIᵉ dynastie, plusieurs exemples de fêtes *sed*

1. Brugsch, *Thesaurus*, p. 1119.
2. Voir le résumé présenté par Breasted, *A. Z.*, XXXIX, p. 59-60. Thoutmès III célèbre ses fêtes *sed* : la 1ʳᵉ l'an 30, puis en 33, 36, 40, 42; Aménophis III l'an 30, puis en... ?, et en 36; Ramsès II, l'an 30, puis en 34, 36, 40, 42, 44.
3. *Décret de Rosette*, texte grec, l. 2; texte hiérogl., l. 2 (*Recueil*, VI, p. 5).
4. Cité par Brugsch, *Thesaurus*, p. 1119. Voir à ce sujet Lauth, *König Nechepsos, Petosiris, und die Triakontaëteris* (*Sitzung der philos. Classe Akad. München*, 5 juin 1875), p. 109 sqq.
5. *Das 30 jährige Regierungs-Jubiläum* (ap. *Thesaurus*, p. 1119-1132).

célébrées pour la première fois la trentième année du règne d'un Pharaon : ainsi sous Thoutmès III[1], Aménophis III, Ramsès II[2], Ramsès III[3], Nechepsos (?)[4] — et les textes mentionnent parfois « la fête de l'année trente[5] », « les gratifications » données par le roi en « céréales de l'année trente[6] » à propos des panégyries *sed*. Malheureusement pour cette théorie plusieurs des dates connues pour la célébration des fêtes *sed* ne concordent pas avec le trentième anniversaire de l'avènement des pharaons. Maspero a opposé aux textes cités par Brugsch les fêtes *sed* célébrées pour la première fois par Pépi I, l'an 18, par Osorkon II, l'an 22[7] ; et il faut ajouter l'an 2 de Montouhotpou, l'an 15 d'Hâtshopsitou[8], sans parler

---

1. J. H. Breasted, *The obelisq of Thutmose III* (A. Z., XXXIX, p. 59-60).

2. Brugsch, *loc. cit.*, p. 1123 sqq.

3. Sethe, *Ä. Z.*, XXXVI, p. 64, n. 3 ; l'auteur ajoute les exemples de Pépi II et d'Ousirtasen I, en l'an 31.

4. Lauth, *König Nechepsos* (*loc. cit.*, p. 89 sqq. et 110).

5. Lauth, p. 110 :

6. Brugsch, *Thesaurus*, p. 1122-1123.

7. *Revue critique*, 15 mai 1893, p. 386.

8. Les exemples de Montouhotpou et d'Hâtshopsitou ont été signalés par M. Sethe (Ä. Z., XXXVI, p. 64, 4, 3) dans un article où il donne une explication nouvelle de la fête *sed*. D'après Sethe, elle est bien un jubilé trentenaire de l'avènement du roi, mais le point de départ des trente années peut se déplacer avec chaque souverain. Il semble, dit Sethe, qu'on comptait les trente années non à partir de l'avènement réel du Pharaon, mais depuis le moment où celui-ci était (suivant l'usage constant) associé au gouvernement par son prédécesseur : de là l'explication de ces dates si irrégulières, qui s'opposent à l'hypothèse formulée par Brugsch.

Cependant, le cas de Ramsès II contredit complètement cette hypothèse. On sait que ce roi fut associé à son père à l'âge de dix ans (*Stèle de Kouban*, l. 16-17); cependant ses actes officiels sont datés à partir de son avènement réel c'est-à-dire la mort de Séti Ier, et non depuis son association au trône (Maspero, *Histoire*, II, p. 387, n. 6). Ainsi l'un des cas où l'on peut le mieux vérifier la théorie de Sethe, ne lui est pas favorable. Sethe, il est vrai, suppose que Ramsès II, à l'âge de dix ans, n'avait pas l'âge réglementaire pour recevoir les rites de l'intronisation ; aussi a-t-on, par exception, compté sa trentaine d'années depuis son avè-

des panégyries *sed* célébrées par des rois qui n'ont pas régné
trente ans à des dates qui sont encore indéterminées. On ne
peut donc justifier ni que la fête *sed* soit un jubilé qui tombe
exclusivement la trentième année, ni que la « période *sed* »
soit trentenaire, attendu que les panégyries se renouvellent
tous les deux, trois ou quatre ans[1].

Mais pourquoi admettre que τριακονταετηρίς signifie « fête
célébrée la trentième année? » Le sens le plus probable
me semble être « fête d'une valeur de trente ans, qui donne
des années par *trentaines* ». Cette interprétation est confirmée
par la version démotique de Rosette, qui rend ⌒ 🔲 ⦙ κύριος
τριακονταετηρίδων par 𓂁 ⌒ 𓏏 ᙏᙏ 𓏛 𓏤 𓊹 𓎡 𓈖 𓈖 🔲
« le maître des années de la fête *sed*[2] ». Ces années sont au
nombre de trente d'après le texte grec : mais trente est un
terme vague. On a trouvé à Bubastis des textes où les dieux
donnent au roi des fêtes *sed* de « *douze* ans chacune » ou de
« *cinquante* ans chacune » ; il est évident qu'ici le nombre
indique la durée d'influence de la fête et non la périodicité
de la panégyrie; il est non moins certain que le chiffre d'années est pris au sens vague. Comme l'a écrit Naville la
τριακονταετηρίς correspond à une mesure de temps très usuelle.
« C'est environ une génération; au lieu de dire : Je te donne
des années par siècles ou par centaines, comme nous le
dirions, le dieu dit : Je te donne des années par mesures de

---

nement. L'inscription d'Abydos affirme cependant (pl. **VI**, l. 45) que Séti 1
a couronné son fils au moment de l'association, et d'ailleurs les tableaux
des temples nous montrent le roi divinisé dès sa naissance par les rites
qui accompagnent la nativité royale. L'hypothèse de Sethe ne me paraît
donc pas plus convaincante que celle de Brugsch.

1. Lauth, *loc. cit.*, p. 109.

2. Ed. Naville, *The festival Hall*, pl. XVII, n° 11 𓂝𓄿 ᙏᙏ 🔲 ⦙⦙⦙ ᙏᙏ ⌒ 𓏏
𓏌 ᙏᙏ et *Bubastis*, pl. XLIV E 🔲 𓂝𓈖 𓏌 𓈖𓈖𓈖 𓈖 𓈖

trente[1] ». Lauth a montré, d'autre part, qu'à l'époque ptolémaïque le signe ∩∩∩ « trente » peut signifier « les générations humaines[2] ». Concluons que la fête *sed* renouvelle théoriquement la divinité du roi pour la durée d'une génération. Dans le mot *triacontaétéride*, le chiffre vague *trente*
s'applique d'ordinaire à l'avenir plutôt qu'au passé du règne.
D'où la distinction capitale à établir entre l'influence active
des rites journaliers du *pa douaït* et celle des cérémonies
solennelles des panégyries royales.

IV. Le nom de la fête *sed* n'indique donc en rien qu'elle
ait un caractère exceptionnel ou n'implique nullement une
différence de nature avec les autres rites du culte royal. Reste
à expliquer pourquoi cette panégyrie était fixée tantôt à des
dates proches de l'avènement, l'an 2, tantôt reculée jusqu'à
l'an 15, 18, ou même 30 et 31 du règne. Je crois que nous
arriverons à une solution en recherchant à quelle occasion le
roi célébrait la fête *sed*.

M. Maspero a émis l'idée que la fête *sed* pouvait être liée à
l'inauguration d'un édifice religieux[3]; il me semble que tous
les documents confirment cette hypothèse. Où trouve-t-on
mention en dehors des temples, des fêtes *sed*? D'abord dans les
carrières de pierres, dans les chantiers des mines où l'on en-
voyait des expéditions chercher des matériaux pour la construction des temples[4]. Les monuments eux-mêmes, obélisques,

---

1. Ed. Naville, *Le décret de Phtah Totounen T. S. B. A.*, VII, p. 135.

2. Lauth, *loc. cit.*, p. 131, cite un texte de Philae où les ∩∩∩ 𓋴

sont opposés aux 𓊪 « ceux qui sont sur terre »; le même texte

existe à Dendérah; le groupe ∩∩∩ 𓋴 y est remplacé par « les

hommes », Mariette, I, pl. LI *b*).

3. *Revue critique*, 15 mai 1893, p. 387.

4. *Ouady Magharah* (*L. D.*, II, 116) mention de la première fois de la
fête *sed* de Pépi I, et de la mission envoyée aux carrières à cette occasion; *Ouady Hammamât* (*L. D.*, II, 115) mêmes mentions, avec figuration

parties de temples ou temples entiers, sont datés de telle ou
telle fête *sed* soit « la première fois », soit les fois suivantes[1].
Dans la plupart des tableaux relatifs à ces panégyries on a
soin de figurer le dieu principal et les dieux parèdres au mo-

Fig. 86. — Le roi Deu dans le pavillon *sed*, et exécutant les courses de fondation (Petrie, *Royal Tombs*, I, pl. XV, 16).

ment où ils viennent « voir les beautés du monument[2] »
élevé par le roi, le roi énumère scrupuleusement les fondations
en terre ou en revenus qui subviendront aux frais du temple[3].

du naos de la fête *sed*, pour le même roi (fig. 87, 88). *Carrières d'Assouan*,
représentation du *sam-taouï* et de la *royale montée* au temple pour le
même roi sans doute à la même occasion (voir p. 106, fig. 22). Les rochers
de l'île de Séhel, où passaient les chalands chargés de pierres rares, ont
gardé des inscriptions relatives aux fêtes *sed* (Brugsch, *Thesaurus*,
p. 1127 sqq.). L'expédition dite de l'encens ou Pouanit sous Hatshopsitou
a lieu pour les préparatifs d'une fête *sed* (*Deir el Buhari*, III, pl. LXXXII,
l. 4).

1. Je me conterai de citer l'obélisque d'Ousirtasen I à Héliopolis (*L. D.*,
II, 118), de Thoutmès I à Karnak (*L. D.*, III. 6), d'Hâtshopsitou à Karnak
(*L. D.*, III, 22), de Thoutmès III à Constantinople (*L. D.*, III, 60), etc. —
Pour les temples, les exemples sont innombrables.

2. Par exemple, *Abydos*, I, pl. 34 *a*, réponse du Cycle des dieux à l'Anmoutef.

3. *Abydos*, I, pl. 28 *b*. Ed. Naville, *The festival Hall*, pl. VI. Voici la traduction, donnée par M. Maspero, de l'inscription qu'on trouvera repro-

Fort souvent les scènes ritualistiques de fondation d'un édifice, soit les pieux plantés par le roi[1], l'érection des obélisques, la course des vases, ou l'inauguration par le feu[2] accompagnent les tableaux des fêtes *sed*. Les dédicaces des temples par le roi attestent que le Pharaon les a construits pour y recevoir des dieux le don de nombreuses fêtes *sed* : « Le roi a fait ce temple en monument de lui-même à ses pères les dieux..., pour qu'ils lui donnent des fêtes *sed* très nombreuses sur le siège de l'Horus des vivants ». Telle est la formule mille fois répétée : en échange de tel monument les dieux donnent au roi le renou-vellement de la vie par

Fig. 87. — Pépi I dans le naos des fêtes *sed* aux carrières du Ouady Hammamât (*L. D.*, II, 115).

la fête *sed*. J'en conclus qu'on appelle *sed* la célébration

duite par notre figure 82, p. 250 : « L'an 22, le mois de Shâït, se lever dans le temple d'Amon qui est dans la salle des fêtes *sed*, se poser sur le trône portatif, prendre la protection des deux pays par le roi, instituer des musiciennes du temple d'Amon et instituer toutes les femmes de sa ville qui lui sont servantes depuis le temps des ancêtres et qui lui sont servantes en tout temple, payant tribut (au dieu) par leur travail annuel-lement; car Sa Majesté cherche les occasions les plus grandes d'enrichir son père Amon-Râ, parce qu'il prépare la première fête *sed* de son fils, et le joignant à son trône, il lui prépare de grandes multitudes (de fêtes) dans Thèbes, maîtresse des barbares, disant : « Le voilà (le roi) en face de son père Amon, et Thèbes a été établie en sa hauteur et en sa lar-geur, purifiée et remise à son maître, et les inspecteurs de la maison royale ne lui ont pas retranché de terre, et ses gens ont été établis par les âges au grand nom du dieu bon (*Revue critique*, 15 mai 1893, p. 387).

1. *Temple d'Abousir*, V[e] dynastie (*A. Z.*, XXXVIII, pl. V); *Ouady Ma-gharah*), Pépi I (*L. D.*, II, 116); *Louxor*, temple d'Aménophis III (Gayet, pl. LXXII-LXXIII).

2. Temple de Soleb inauguré lors de la fête *sed* par Aménophis III (*L. D.*, III, 83-84; cf. p. 139, fig. 32-33).

solennelle des rites osiriens pour le compte du roi et des
dieux, à l'occasion de l'inauguration d'un édifice nouveau
affecté au culte du roi et des dieux [1].

Si la célébration d'une première fête *sed* par le roi est liée
à l'inauguration d'un temple ou d'une partie de temple, on
ne s'étonnera plus de constater des variations de dates pour
la célébration de ces panégyries : la fête *sed* tardait plus ou
moins selon que l'édifice était plus ou moins vite achevé.
Nous avons vu que dès son intronisation le roi devait le ser-

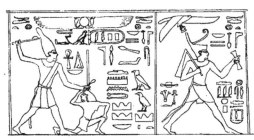

Fig. 88. — Course de fondation et sacrifice humain par Pépi I à l'occasion
de sa première fête *sed* (*L. D.*, II, 116).

vice du culte divin à ses pères les dieux : pendant les premières années du règne, le Pharaon utilisait les temples déjà
existants, mais il ne lui était pas indifférent d'officier dans
un édifice construit par lui-même. Quand le roi entrait dans
un temple bâti par ses prédécesseurs, il ne reconnaissait pas
dans les tableaux ritualistiques, sa propre image, mais les
portraits de ses ancêtres; ce n'était pas son nom qui était inscrit dans les cartouches; à d'autres qu'à lui les faveurs des
dieux étaient promises par les textes qui encadrent chaque
scène du culte. Sans doute le roi pouvait, au mépris des ana-
thèmes, marteler les noms de ses pères et faire graver aux

1. Par ex. *L. D.*, III, 224 *d* (Ramsès III).

mêmes places ses propres cartouches : le procédé a été fréquent à toutes les époques; mais ce n'était là qu'un pis aller. Dès son intronisation, chaque Pharaon faisait commencer les travaux pour un ou plusieurs temples édifiés en son nom. Suivant les dimensions de l'édifice, les ressources du trésor, les incidents de la politique intérieure ou extérieure, la construction du temple était plus ou moins rapide. L'édifice une

Fig. 89. — Séti I sortant de son temple de millions d'années (*Abydos*, I, pl. 28 *c*).

fois terminé, l'an 2, 15, 18, 23, 30 ou 34 de son règne, le roi l'inaugurait en grande pompe devant des délégués de tous les temples et y prenait le bandeau *sed* avant de célébrer le culte divin auquel ses propres statues étaient associées.

Le temple que le Pharaon faisait construire à son nom comprenait une salle, parfois une portion plus grande de l'édifice, qui paraît être ce que le roi appelle « son édifice qui

est dans le temple » (𓉐𓎛𓏏𓊪𓊪𓉻) [1]. On retrouve cette
salle ou ces salles à Deir el Bahari, Louxor, Abydos, Médinet
Habou, en un mot dans les temples généralement situés sur
la rive occidentale du Nil, qu'on désigne d'habitude sous
le nom de « temples funéraires » parce que le roi y reçoit le
culte osirien. C'est là qu'on a retrouvé les scènes de la nativité, de l'intronisation et du culte royal soit au *pa douaït*
soit dans les salles de la fête *sed*. A Médinet Habou la
partie réservée au roi forme un édifice séparé. On y trouve,
le long d'une paroi, une baie ouvrant sur une cour et
percée à une certaine hauteur; un escalier intérieur y donnait accès; vue de l'intérieur la baie avait l'aspect d'une
grande fenêtre ou d'un balcon. Le nom de cette baie était
𓏏𓄑𓄙 *seshed*, c'est-à-dire le nom même du bandeau
royal que le roi ceignait dans ses « levers[2]; » j'estime que
l'identité de ces termes n'est pas fortuite et que l'on a donné
le nom du « bandeau » à l'endroit où le roi le prenait solen-

---

1. Voir les textes cités plus haut, p. 40, n. 1. Des représentations
schématiques de ce *hâït* du roi sont données à Louxor et à Abydos (voir
nos figures 68 et 89). Je pense que c'est à ce *hâït* que se rapporte le titre
fréquent des Pharaons « Horus maître du palais (*hâ*) » (cf. p. 206, n. 2) ou
« Horus qui est dans le palais » (*Hor àmi hâït*). Cf. p. 19, n. 1 et 2.

2. La plupart des textes relatifs au mot *seshed* déterminé par 𓄙 la
bandelette et la maison, ont été réunis par Brugsch, *Wörtb.*, p. 1318 et
Suppl., p. 1135. Le mot désigne des ouvertures, baies ou fenêtres, percées
dans la façade d'un palais (*Conte du prince prédestiné*, pl. II, l. 4); le
mot désigne aussi la porte d'entrée des naos, à laquelle on accède par un
escalier 𓈖𓊃𓊨 (*Stèle de Piankhi*, verso, l. 28); dans la baie *seshed* il
y a assez de place pour que le roi « y fasse son lever à son intérieur », aussi
l'appelait-on « baie du lever » 𓄙𓊃𓊨 (Brugsch, *Suppl.*,
p. 1116); et le roi y fait son lever avant de monter au sanctuaire du dieu
principal. Il est donc certain que « baie » *seshed* et « pavillon *seshed* »
désignent l'édicule avec escalier où le roi est intronisé lors de la fête *sed*.
Ce pavillon, vu de la cour en contrebas, devait avoir l'aspect d'une

nellement. Sur cette baie, bien en vue, on devait dresser le pavillon des fêtes *sed*. Le grand papyrus Harris nous dit que cette partie du temple est « un édifice pour le roi avec une grande baie *seshed* pour le *lever* du roi, toute (revêtue) d'or fin[1] ». Il n'est pas douteux pour moi que le temple n'ait été inauguré lors de la fête *sed* de l'an 30 de Ramsès III, car le papyrus, naturellement postérieur, qui recense les fondations faites à ce moment a été rédigé peu après, l'an 32 du règne.

Or le temple de Médinet Habou, comme ceux de Deir el-Bahari, Louxor, Soleb, Abydos, Gournah, comme le Ramesseum et d'autres encore, sont dits « temples de millions d'années » (⌂ ⌂ ...)[2] ; les statues que le roi y consacre à lui-même sont aussi des « statues de millions d'années. » La fête *sed* ayant précisément pour effet d'assurer au roi un renouvellement de vie pour des millions d'années, j'en conclus que les temples improprement dits « funéraires » où le roi est adoré, sont précisément ceux que le roi se faisait construire de son vivant et qu'il inaugurait lors des fêtes *sed*[2].

---

fenêtre ornée : d'où le sens « fenêtre, balcon » que le mot *seshed* a pu prendre.

1. *Grand Papyrus Harris*, pl. IV, l. 11 sqq. Cf. Peuillet, *Recueil*, XVIII, p. 175 ; l'auteur se trompe sur l'emplacement à proposer pour l'édifice. M. Daressy a retrouvé dans les ruines de Médinet Habou l'emplacement probable de l'édifice consacré au roi : « Cet édifice comprenait trois travées... chacune était percée d'une ouverture à son extrémité : sur les bas-côtés, c'étaient des portes ouvrant sur la grande cour ; au milieu, la baie était élevée de près de deux mètres au-dessus du sol, du côté de l'édifice on y accédait au moyen d'un escalier en partie conservé, mais dans la cour cette ouverture avait l'aspect d'une loggia ; c'est le balcon *seshed* dont parle le Papyrus. » (*Recueil*, XX, p. 81.)

2. Voir par exemple, *Abydos* I, pl. 28 c (notre fig. 89) et *Louxor*, pl. LXXII, notre fig. 68). Pour la « statue de millions d'années » cf. Maspero, *Comptes rendus Acad. des Inscriptions*, 1900, p. 113.

3. M. Naville vient d'émettre tout dernièrement (*Recueil*, XXIV, p. 112) l'idée que les édifices archaïques des rois d'Abydos étaient non point

Ainsi des témoignages précis appuient cette idée que la fête *sed* coïncidait avec l'inauguration d'un édifice au nom du roi qui y célébrait les rites du pavillon. Tout dernièrement on a signalé sur une statuette funéraire le titre d'un personnage qui se dit « chef des travaux (exécutés) dans la salle des fêtes *sed* (qui se trouve) dans l'édifice de la maison du roi ». (⟨hieroglyphs⟩)[1]. Par « maison du roi » il faut entendre ici, à mon sens, la partie du temple réservée au roi, et qui formait soit un petit temple dans le grand, soit une annexe indépendante.

Cet édifice réservé au culte royal, on l'inaugurait, comme nous l'avons vu, à des dates variables; mais il semble assuré que sous la XVIIIe et la XIXe dynastie, on s'efforçait de faire coïncider l'inauguration avec la date de la trentième année de règne. Il n'en faut pas conclure que la panégyrie était « trentenaire »; mais les Égyptiens, très attachés aux jeux de mots mystiques, croyaient de bon augure qu'une fête donnant au roi la vie pour le temps d'une génération (30 ans) tombât sur cette date de la trentième année grâce à laquelle le règne accompli avait déjà la durée d'une génération humaine. Au conte des deux frères, le héros, devenu roi d'Égypte, règne juste trente ans (⟨hieroglyphs⟩)[2]: il semble certain qu'un règne de trente ans représentait un

leurs tombeaux, mais des temples où se célébrait le culte de leurs doubles. On aurait là les types primitifs des temple de millions d'années. D'où la présence de tant de fragments relatifs aux fêtes *sed* dans ces monuments; à cette époque on gravait le souvenir de ces fêtes non sur les murailles du temple, mais sur des palettes de schiste, suspendues en *ex voto* dans les chambres, et qui sont arrivées jusqu'à nous. Je me rallie entièrement à l'opinion si bien exprimée par M. Naville.

1. J. Breasted, *Zur Heb-Shed Frage*, A. Z., XXXIX, p. 85.

2. L'observation a été faite par Lauth, *loc. cit.*, p. 114. Au papyrus d'Orbiney (pl. XIX, l. 6) on lit bien le chiffre trente, quoique certains auteurs aient lu ou traduit *vingt* le chiffre en question (Maspero, *Les contes populaires*, p. 32).

idéal réalisé et, sans doute, quand les circonstance s'y prê-
taient, on savait attendre cette coïncidence heureuse pour
donner un éclat particulier à la fête *sed*.

V. Puisque la fête *sed* ne se distingue des rites de la
« chambre d'adoration » que par une plus grande solennité
et une influence plus persistante que le roi en ressent, on
peut se demander si le culte royal n'a pas adopté ici encore
les formes solennelles du culte des autres êtres divins, les
dieux et les morts osiriens.

En ce qui concerne les dieux il faut noter tout d'abord que
les textes relatifs au fêtes *sed* les associent toujours à la célébration de la fête. Le concours des dieux est indispensable
au roi pour les purifications, le couronnement, l'embrassement d'où il sort divinisé ; puis le roi partage avec eux
le repas sacré. Aussi est-il naturel d'attribuer aux dieux
Amon-Râ et Phtah Totounen, qui président aux panégyries, comme aux Pharaons, le titre de « maîtres des fêtes
sed[1] ». Ramsès II dira à son père Phtah : « J'ai célébré ta
grande fête *sed*[2] ; » ailleurs on atteste que tous les rites dont
le Pharaon bénéficie à ce moment sont ceux que l'on offre à
Râ le premier jour de l'an[3] ; ou bien on rappelle que le dieu
s'est lui-même assis sur le double trône dans le pavillon de

1. Voir plus haut, p. 257-258. D'après les textes des pyramides, sous
l'Ancien Empire, la fête *sed* était essentiellement celle du dieu Toum
(*Pépi II*, l. 807. Voir le texte cité plus loin, p. 272, n. 2) ; au début de
l'empire thébain Amon-Râ est le patron de la fête *sed* ; à partir des
Ramsès ce rôle semble réservé à Phtah Totounen et aux divinités du
Delta, Sokhit, Bastit. On appelle la panégyrie du nom de « la fête *sed* de
Phtah Totounen » (cf. Ed. Naville, *The festival Hall*, p. 5 et *T. S. B. A.*,
VII, p. 135 et Brugsch, *Thesaurus*, p. 1131).

2. *Le décret de Phtah Totunen*, l. 34.

3. *Abydos*, I, pl. LI, l. 32. Cf. p. 256. Au premier jour de l'an on célébrait
en effet une fête à tous les dieux. D'après les tableaux de Dendérah, ce
jour-là à l'aube, on portait processionnellement la statue du dieu principal
sur la terrasse du temple pour recevoir ses âmes et ses doubles dans
l'embrassement des rayons du soleil levant (Mariette, *Dendérah, texte*,

fête, et qu'il a reçu l'insigne ⟨☖⟩[1] et ceint à plusieurs
reprises le bandeau *shed*[2] dont la tête des dieux s'orne comme
celles des rois.

Ces allusions des textes ont été récemment confirmées par
la découverte de tableaux peints sur un sacrophage actuellement au musée de Berlin, où l'on voit représentée la fête *sed*
du dieu Osiris[3]. Le couronnement du dieu par le prêtre *Anmoutef*, en présence des « enfants royaux, » ici les « enfants d'Horus », l'adoration du dieu sur le double trône
(fig. 90), et la présentation du repas sacré y sont figurés comme
dans les fêtes royales d'Abousir, de Soleb ou de Bubastis.
Notons aussi la double course du roi avec la rame et le fléau,
la course du roi avec le taureau Hâpi, l'érection des obélisques, toutes scènes relatives à la fondation d'un édifice[4],
dont la présence atteste que pour les dieux aussi la fête *sed*
était liée à l'inauguration d'un temple. Le costume caractéristique du roi dans la fête *sed* est ici porté par Osiris[5] : enfin
tous les rites osiriens étaient, comme il est naturel, répétés

p. 192). Cet embrassement donnait à la statue divine ce que les rites du
pavillon donnaient à la personne du roi dans les fêtes *sed.*

1. Temple d'Ombos (De Morgan, I, p. 330) et *Décret de Phtah*, l. 17, 33.

2. Voir *Rituel du culte divin*, p. 131 ; le dieu est appelé ici et ailleurs
(Grébaut, *Hymnes*, p. 21) « celui qui renouvelle (la fête) du bandeau
seshed » ⟨hieroglyphs⟩) ou « porteur de la double plume,
l'orné du bandeau *seshed* ⟨hieroglyphs⟩ (Grébaut, *loc. cit.*, p. 14-
15). Aux textes des pyramides, il est question du bandeau ⟨hieroglyphs⟩
qui ceint le front de Râ (*Pépi* I, l. 89). Voir p. 89, n. 1.

3. G. Möller, *Das Hb-sd des Osiris nach Sargdarstellungen des neuen
Reiches* (Ä. Z., XXXIX, p. 71 sqq., avec figures et 2 planches reproduites
ici fig. 90).

4. Cf. p. 140, fig. 35.

5. Ce costume est celui dont est revêtue la célèbre statue d'Osiris du
Musée du Caire (cf. Maspero, *Histoire*, I, p. 131).

Fig. 90. — La fête *sed* d'Osiris (d'après G. Möller, Ä. Z., XXXIX, pl. IV et V).

au bénéfice de celui qui les avait reçus le premier au début
des âges [1].

Tout mort étant identifié à Osiris, la fête *sed* devait s'adresser

Fig. 91. — Les enseignes divines précédant la momie d'un défunt osirien (Leemans, *Mus*
dé Leyde, section T, pl. II).

aux défunts comme aux dieux et aux rois. Dès les textes des
pyramides on constate en effet que le mort osirien reçoit le
bandeau *se shed* avec les rites habituels [2]; les bas-reliefs des
stèles [3] et les vignettes des papyrus [4] nous montrent parfois le

1. Dans un hymne à Osiris du papyrus de Hunefer (éd. Budge, p. 75),
on dit au dieu « qu'on a donné à son fils Horus la royauté sur terre,
on lui a compté le trône de Seb, la dignité excellente de Toumou, en
l'établissant dans les écritures et dans l'*amit pou* inscrit sur une brique de
fer, suivant l'ordre de ton père Phtah Totounen ». Il s'agit ici d'une fête
sed célébrée pour le compte d'Horus.

2. *Pépi* II, l. 807, texte cité par G. Möller. On dit au défunt : « Les
deux portes du ciel s'ouvrent pour toi, Isis te fait la libation *nini*, Nephthys (te dit : Viens) en paix; elles voient leur frère (le défunt) dans la
fête de Toum » (⸗). Le texte décrit ensuite la prise
de possession par la mort des pays du Sud et du Nord, ses purifications
et son couronnement. Il ne peut être question ici que de la fête *sed*.

Le bandeau *seshed* est mentionné comme coiffure du mort dans la pyramide de *Pépi I*, l. 413, *Mirinri*, l. 591) et dans les rituels funéraires
publiés par Budge, *The book of the dead*, p. 120, l. 15, 170 l. 6, où le
défunt « commande avec son bandeau *seshed* parmi les hommes »; p. 335,
l. 7 sqq., le défunt dit : « Je me suis oint du parfum de fête, je me suis
ceint du bandeau *seshed*, j'ai mis mon sceptre *ames* dans ma main... ».

3. Louvre *Stèle* C 15 où les enseignes divines défilent en cortège funéraire.

4. Leemans, *Monuments égyptiens du Musée de Leide*, section T, 1,
pl. II (voir notre fig. 91) et papyrus funéraire n° 16.

défunt précédé des enseignes divines qui lui font le chemin comme au Pharaon; dans les tombeaux tout mort, qu'il soit de sang royal ou simple particulier, va lui aussi en « royale montée » recevoir l'embrassement et l'insigne des fêtes *sed* des mains de son père Osiris[1]. Ici encore nous constatons l'identité des conditions d'existence imaginées pour tous les êtres honorés du culte osirien, dieux, morts ou rois : engendrés par les dieux, purifiés, couronnés, consacrés par les dieux, ils partagent fraternellement les rites de l'intronisation, de la chambre d'adoration, et des fêtes *sed*.

VI. En dehors de la fête quotidienne du *pa douaït* et des

Fig. 92. — Le mort osirien exécute la « royale montée » vers Osiris. Isis et Nephthys donnent les insignes *sed* (*L. D.*, III, 232).

panégyries espacées des fêtes *sed*, d'autres occasions se présentaient de renouveler le service sacré au profit du roi. On remarquera que ce culte renouvelle toujours les rites du couronnement, et que les jours de fête sont des anniversaires de la naissance du roi ou de son intronisation. Ces fêtes sont inscrites aux calendriers des temples dès l'époque archaïque[2] et se célèbrent le même jour dans toutes les villes de l'Égypte;

1. Voir la royale montée de Ramsès I, mort, auprès d'Osiris (*L. D.*, III, 123) et celle d'un simple particulier (fig. 92).
2. A. Pellegrini, *Nota sopra un' iscrizione egizia del Museo di Palermo*, pl. I et II. Voir l'excellent commentaire donné par Naville, *Recueil de travaux*, XXI, p. 113 sqq.

A. MORET. 18

elles sont restées en usage jusque sous la période romaine[1].

D'autre part les calendriers des temples mentionnent le culte du roi comme complément indispensable de la plupart des fêtes divines. On conserve au musée de Palerme un bloc de pierre qui porte gravé un calendrier des fêtes auxquelles participent des rois de la période archaïque jusqu'à la V⁰ dynastie. A propos de telle ou telle fête de tel ou tel dieu, on voit quels sont les rites célébrés par le roi ou au profit du roi. Par exemple à l'occasion de la fête « naissance d'Anubis », on exécute pour le roi « le couronnement du Sud et du Nord (*souton khâ bâit khâ*), la réunion des deux régions (*sam taouï*) et la procession autour du mur du pavillon de la fête *sed* » (*rer ha ânbou heb sed*) ; ajoutons que le roi « suit les dieux du sam-taouï » (*shes noutirou*). Tous les rites du couronnement sont répétés au complet, y compris la « royale montée au temple » (*souton bes*) tels que nous les énumère l'inscription de Deir-el-Bahari. Parfois on se contente du couronnement du roi du Sud, ou du couronnement du roi du Nord, par exemple pour « tendre le cordeau de fondation d'un temple » pour procéder à « la course du taureau Apis », ou pour « suivre » la barque d'un dieu.

A l'époque classique ces traditions subsistent. Prenons comme exemple la fête célébrée le premier jour de l'an,

---

1. La pierre de Palerme mentionne la fête de la naissance du roi des dynasties archaïques Khasekhemouï (Ed. Naville, *loc. cit.*, p. 117) les fêtes de *souton khâ, bâit khâ, rer ha ânbou*, et les panégyries *sed* pour différents rois. Pour l'époque classique, on a de nombreuses mentions des fêtes royales, par exemple au calendrier des temples de Ramsès III à Médinet Habou (Brugsch, *Thesaurus*, p. 364 : fêtes de *souton khâ*, de *neheb ka*, inscription du nom royal par Amon sur les feuilles de l'arbre *âshed*) ; les récits de campagne en Asie mentionnent la célébration des fêtes royales même en pays étranger (Maspero, *Le récit de la campagne de Touthmès III contre Mageddo*, ap. *Études de mythologie*, IV, p. 218, sqq.). A l'époque grecque, les décrets de Canope et de Rosette instituent des fêtes pour Ptolémée III et Ptolémée V les jours anniversaires de la naissance et de l'avènement, au premier jour de l'an, etc. (cf. Beurlier, *De divinis honoribus quos acceperunt Alexander et successores ejus*).

le jour où « l'on donnait la maison à son maître », c'est-à-
dire où l'on renouvelait les rites d'inauguration du temple
et d'installation du dieu dans sa demeure. A cette occasion le dieu Horus, le prototype divin du Pharaon, le
dieu héritier, était honoré d'une panégyrie, *la fête de Neheb
ka*[1] 🔣🔣🔣🔣🔣 que les textes des calendriers appellent
« la fête du couronnement d'Horus d'Edfou, le fils du soleil
aimé des hommes » (🔣🔣🔣🔣🔣🔣🔣🔣). Or le
calendrier de Ramsès III à Médinet Habou nous apprend que
ce même jour de *Neheb ka* on couronnait à nouveau (🔣)
le Pharaon[2]. Les textes d'Edfou nous ont laissé une description suffisante du cérémonial de ces fêtes. Après une
procession suivie par le roi (🔣🔣 « suivre Horus »), on
servait le repas funéraire au dieu Horus en l'invitant à la
bienveillance vis-à-vis du Pharaon. Puis on procédait au lancer
des quatre oiseaux et au tiré des quatre flèches[3] (cf. p. 105)
et l'on proclamait que le dieu et le roi avaient pris simultané-
ment la couronne royale. Ainsi, dans la fête de *Neheb ka*
comme dans la panégyrie similaire du dieu Min[4] on associait
le culte du roi à celui du dieu en renouvelant les rites de
l'intronisation[5].

---

1. Voir sur la fête de *nebeb ka* les textes cités par Brugsch, *Thesaurus,*
p. 125.

2. Brugsch, *Thesaurus,* p. 364 :

3. Brugsch, *Drei Festkalender,* p. 12, pl. VII, l. 18-24.

4. Pour le Ramesseum, Champollion, *Monuments de l'Égypte et de la
Nubie,* III, pl. CCIX sqq.; pour Médinet Habou, *L. D.,* III, 212-213. Cf.
Daressy, *Guide à Médinet Habou,* p. 121-127.

5. A l'époque grecque, on permit aux particuliers d'élever à domicile
un naos pour le culte du Pharaon et d'y célébrer les fêtes mensuelles et
annuelles (*Rosette,* l. 13-52). Ce culte privé prit dans l'Égypte grecque

VII. Les honneurs divins rendus au roi subsistaient-ils après sa mort? Le témoignage des monuments est affirmatif. Les temples que chaque roi fondait de son vivant pour le culte des dieux et de sa propre image qui leur était associée, avaient des revenus perpétuels précisément pour continuer à la statue du roi mort le service sacré inauguré pendant sa vie. Les fêtes royales des calendriers que j'ai déjà cités, ceux de la pierre de Palerme et du temple de Médinet Habou, étaient certainement célébrées après la mort des rois fondateurs; on possède d'ailleurs des registres de comptabilité d'offrandes à fournir à des statues royales d'Ousirtasen II et d'Ousirtasen III, qui témoignent d'une persistance effective, après la mort, d'un service sacré[1]. Dans les temples certaines salles ou des édifices entiers restaient consacrés à la divinité de tels ou tels roi : à Semnèh on restaurait sous la XVIIIᵉ dynastie le culte d'Ousirtasen III (XIIᵉ dyn.), associé à Amon Doudoun comme patron du temple[2]; à Médinet Habou, Ramsès II était titulaire d'un sanctuaire où l'on adorait son « image divine » enfermée dans la barque sacrée des dieux[3]; dans le même temple on voit figurer aux fêtes du dieu Min « les statues du roi du Sud et du Nord par devant le dieu », et les chants liturgiques s'adressent aux rois défunts comme au roi régnant et à la divinité principale du temple[4]. A plus forte raison peut-on admettre que dans le temple qu'ils avaient construit

un assez grand développement surtout auprès des associations collégiales. Il ne semble pas en usage au temps pharaonique, bien qu'à l'époque thébaine on trouve parfois des représentations du Pharaon dans les tombes privées (par ex. Aménophis III au tombeau de Khâmhâït, Maspero, *Histoire*, II, p. 297).

1. L. Borchardt, *Der zweite Papyrusfund von Kahun* (A. Z., XXXVII, p. 95-96). Cf. G. Foucart, *Revue hist. des Religions*, t. XLIII.

2. *L. D.*, III, 55.

3. Daressy, *Notice explicative des ruines de Medinet Habou*, p. 142.

4. *L. D.*, III, 213. — Cf. Daressy, *Notice*, p. 124. Sont présentes les statues de Ramsès III, le roi vivant, de Set Nekht, Séti II, Minephtah, Ramsès II, Séti I, Ramsès I, Horemheb, Aménophis III.

pour leur fête *sed*, les rois défunts continuaient à être adorés (fig. 93, 94).

Au point de vue humain, tout roi mort devenait un dieu osirien comme tout homme honoré du culte funéraire : aussi chaque Pharaon possédait-il, en outre de son temple de millions d'années où l'on adorait en lui le dieu terrestre, un tombeau

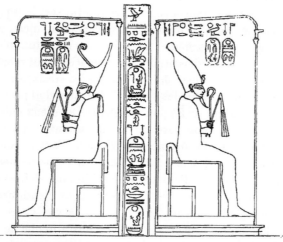

Fig. 93. — Ramsès I adoré, après sa mort, dans le double naos (*L. D.*, III, 151 *b*).

où l'on adressait le culte à son cadavre osirien. Là on donnait au roi défunt le titre divin « Osiris » à la place de celui d' « Horus » qu'il portait de son vivant (fig. 94). On disait d'un roi défunt qu'il « allait au ciel[1] », qu'il « s'éveillait au ciel, comme un dieu en voyant Râ[2] », qu'il y « renouvelait sa vie[3] » ; et l'on spécifiait « qu'il reposait dans la région d'outre-tombe comme Osiris » tandis que le roi régnant « se lève comme le soleil et siège comme Horus sur le trône de

1. Ce sont les expressions des « Aventures de Sinouhit » et du « Conte des deux frères ». Voir Maspero, *Contes populaires*, p. 31 et 96.
2. *Abydos*, I, pl. VIII, l. 76.
3. *Abydos*, I, pl. VII, l. 63 et pl. VIII, l. 78.

Toum[1] ». En fait le roi mort, qui ne rend plus aux dieux le service divin dont la charge constitue vraiment la dignité royale, n'est pas, dans l'autre monde, d'une condition supérieure à celle du commun des mortels. Son tombeau ne se distingue que par des proportions gigantesques des autres tombes humaines ; sa momie reçoit les mêmes bandelettes, les mêmes amulettes ; on lui ouvre la bouche et les yeux, on lui rend son âme et son ombre, on lui sert le repas funéraire comme au plus humble de ses anciens sujets, avec les mêmes gestes et les mêmes formules[2]. Le roi défunt n'échappe pas non plus aux vicissitudes qui menacent tout mort parmi les hommes ; lui aussi doit connaître les stratagèmes sacrés pour trouver la route des paradis[3], lui aussi doit prendre passage sur la barque de Râ pour combattre les dieux ennemis du soleil[4] ; lui aussi doit passer des conventions avec les prêtres pour avoir sa table sûrement servie dans l'autre monde[5].

Le roi mort redevient donc, dans une certaine mesure, un homme ; mais n'oublions pas que cet homme défunt est consacré dieu par les rites funéraires qui sont identiques à ceux qui font du Pharaon un dieu pendant la vie. Ce retour à la condition mortelle pendant la vie d'outre-tombe ne pouvait que donner un caractère religieux plus complet à la personnalité du Pharaon. Le roi épuisait, en son existence, toutes les conceptions possibles du divin que s'étaient formées les Égyptiens : dieu surhumain par la naissance et par la charge

1. L'opposition est bien marquée, dans ce texte, entre le roi régnant et le roi mort ; il s'agit de Ramsès II s'adressant à son père Séti I (*Abydos*, I, pl. VIII, l. 77. Cf. Maspero, La grande inscription d'Abydos, p. 50-51).

2. Les textes des Pyramides royales de la VIe dynastie et des hypogées thébains sont identiques à ceux qui se trouvent aux tombeaux des simples particuliers.

3. A Médinet Habou, Ramsès III navigue dans les champs d'Ialou (Daressy, *Notice*, p. 152-153).

4. Le « livre de ce qu'il y a dans l'Hadès » est gravé dans les tombes royales. Cf. E. Lefébure, Le tombeau de Séti I.

5. Par exemple inscription de Thoutmès II, *R. I. H.*, p. XIX.

royale, il devenait aussi l'homme divinisé après le trépas. Ainsi se résumait en lui tout ce que l'on savait de la divinité.

VIII. Il résulte de l'étude des formes du culte royal que tout Pharaon était adoré : 1° le jour de son intronisation réelle; 2° chaque jour dans tous les temples avant toute célébration des rites du culte divin, dans le lieu appelé *pa douaït*; 3° aux panégyries solennelles des fêtes *sed*, dans un temple construit spécialement au nom du roi régnant; 4° dans des fêtes spéciales, telles que celles de *souton khâ, bàït khâ*, de *neheb ka*, où l'on renouvelait plusieurs fois par an les rites d'intronisation; 5° après la mort, dans les temples fondés de son vivant à son nom divin. Enfin, dans le tombeau où reposait sa dépouille mortelle, le roi recevait le culte ordinaire des morts osiriens. Ce culte sous ses différentes formes s'adressait soit au roi présent et paraissant en personne dans le *pa douaït* et dans la salle des fêtes *sed*, soit aux statues du roi résidant à demeure dans le *pa douaït* et dans les « temples de millions d'années ».

Nous concluons que depuis le jour de son intronisation le Pharaon recevait quotidiennement le culte divin. Or, on a admis généralement jusqu'ici que « les Égyptiens, dans la période ancienne de leur histoire, ne poussaient pas jusqu'à ses dernières conséquences l'idée de la divinité du Pharaon » et « qu'on ne lui vouait ni temple ni offrandes tant qu'il était parmi les vivants[1] ». Ce serait une innovation du Nouvel Empire thébain que d'avoir dédié des sanctuaires à l' « image vivante du roi » comme Aménophis l'a fait à Soleb. Encore observait-on que — pareils à Auguste qui refusa à Rome les honneurs divins acceptés par lui dans les provinces — les Pharaons n'autorisaient le culte de leur personne qu'en pays

1. Erman, *Ægypten*, p. 93, qui cite Ed. Meyer, *Geschichte des Altertums*.

conquis, en Nubie (Semneh, Soleb, Sarrah) ou en Syrie (Tounipa) [1].

Cette théorie a déjà été, à juste titre, combattue par
M. Maspero : il a fait observer que dès l'Ancien Empire
« plus d'un fonctionnaire s'intitula, tantôt du vivant de son
maître, tantôt peu après sa mort, *prophète de l'Horus qui vit
dans le palais, prophète de Sondi, prophète de Khéops, prophète de Khéops, de Mykérinos, d'Ousirkaf*, ou d'autres souverains [2] ». On sait aussi que Thoutmès III vivant fit transporter sa propre statue de « millions d'années » au temple de
Phtah, à Thèbes, pour y recevoir un culte dûment régle-
menté [3]. A côté de ces faits probants si l'on admet : 1° que les
rites d'intronisation sont un véritable culte ; 2° que par les
rites du *pa douaït* le roi est divinisé et adoré chaque jour dans
tous les temples avant tout service divin ; 3° que les rites des
fêtes *sed* sont semblables à ceux de l'intronisation et du *pa
douaït*, — ce que j'ai essayé d'établir ici — on conviendra
que le roi devenait un dieu du jour où il prenait la couronne,
et cela depuis la période archaïque jusqu'aux derniers temps
de la civilisation égyptienne.

Mais la divinité du roi a un caractère tout spécial ; nous
avons dit déjà que les Égyptiens adoraient en Pharaon non
point l'homme plus fort, mieux né, plus riche que les autres,
mais le fils des dieux et leur prêtre, qui sert d'intermédiaire
entre les hommes et les dieux. De ce prêtre dépendait le
culte des dieux et des morts [4]. Ce culte ayant conservé les

1. Ousirtasen III à Semneh (*L. D.*, III, 55); Aménophis III à Soleb (*L.
D.*, III, 83-88; Ramsès II à Sarrah (*Recueil*, t. XVII, p. 163); Thoutmès III
à Tounipa (cf. Maspero, *Histoire*, II, p. 271).

2. Maspero, *Histoire*, I, p. 266, n. 1.

3. Maspero, *Comptes rendus de l'Académie des Inscriptions*, 1900,
p. 113 sqq.

4. Quand, par suite d'une invasion étrangère victorieuse, le roi
d'Égypte n'est plus le fils des dieux, le culte divin laissé aux soins des
simples mortels, tombe en décadence. D'après le Papyrus Sallier I, le
roi Hyksos Apopi aurait abandonné le culte de Râ pour celui de Soutek.

rites de la religion des ancêtres, il fallait que le roi pour le célébrer fût de même race que les dieux et les morts osiriens, d'où la théorie de la naissance divine du Pharaon. Il fallait encore que le roi reçût chaque jour un renouvellement du fluide de vie pour le transmettre aux dieux et aux morts : d'où la divinisation quotidienne du roi dans le *pa douaït* et les rites plus solennels des fêtes *sed*. Le roi n'est dieu et ne dispose du fluide de vie que pour en faire chaque jour le don à ses pères les dieux et les morts : la charge du culte des ancêtres divins, qui

Fig. 94. — « L'Osiris Ramsès I. » (*L. D.*, III, 151).

lui est confiée, explique toute la divinité du Pharaon[1].

hou, dont le Thébain Soqnounri prit la charge en tant qu'héritier des souverains indigènes (Maspero, *Les contes populaires*, p. 279, 283). Au début de la XXᵉ dynastie, il n'y eut plus de Pharaon sur le trône, un Syrien nommé Arisou fut le chef des hordes qui avaient envahi l'Égypte : « en ces années de néant... chacun pillait le bien d'autrui et comme il en était des dieux ainsi que des hommes, il n'y avait plus d'offrandes faites dans les temples » (*Grand papyrus Harris*, pl. 75, l. 4-6).

1. La plupart des figures citées au cours des chapitres VII et VIII comportent des légendes hiéroglyphiques qui n'ont pu être interprétées complètement dans le texte. On en trouvera la traduction à l'Appendice.

CHAPITRE IX

Caractère sacré de la personne du Pharaon.

I. La divinité du roi, dont j'ai essayé de définir le caractère intime, s'affirmait aux yeux par des signes extérieurs dont le sens symbolique, très clair pour les Égyptiens, mais quelque peu obscur pour nous, demande une analyse détaillée.

Le costume du roi n'offre pas de caractère particulier. Un jupon, court ou long, parfois un long manteau flottant d'étoffe transparente, ceint ses reins ou tombe de ses épaules. Rien ne les distingue que la finesse du tissu; c'est de l'étoffe dite « royale » réservée, à l'origine, aux dieux, aux morts divinisés et au Pharaon [1]. Une queue, probablement de chacal, pend au bas des reins, attachée à une ceinture : l'insigne remplace la peau entière de l'animal, dont on pensait revêtir la force ou les vertus en s'en couvrant [2]. Une barbe postiche, carrée du bout, tombait toute raide sur la poitrine en prolongeant la saillie du menton. Les pieds, protégés par des

---

1. Les « étoffes royales » sont mentionnées par exemple au Pap. de Berlin, n° 1, où le roi les donne à Sinouhit pour s'en servir pendant la vie et après la mort (cf. Maspero, *Contes populaires*, p. 127).

2. Voir *Rituel du culte divin*, p. 45.

scandales recourbées, restaient nus quand Pharaon entrait au
temple pour le service sacré.

Tout l'intérêt symbolique se concentre dans la coiffure [1] et
dans les sceptres du roi. Pour les dieux comme pour les rois,
qui empruntent aux dieux leurs couronnes, « la coiffure était
la pièce principale du vêtement » et l'on n'oubliait jamais
d'en parer les statues royales ou divines. « Le sphinx des Pyramides a encore au sommet de la tête une cavité où pénétraient les cartonnages emblématiques figurant le diadème;
les statues élevées en avant des temples portent souvent un
récipient semblable, et les grands éperviers de granit qui
gisent au pied des pylones d'Edfou, ont le sinciput disposé
pour recevoir des coiffures mobiles ». Aussi lors du service
sacré, les statues divines, qui recevaient le culte, changent-
elles à chaque moment de couronnes, et le roi, qui célèbre
le culte, varie aussi à chaque instant la signification du symbole qui décore sa tête. Étudier ici toute la série des couronnes
royales, serait chose fastidieuse et d'ailleurs presque impossible, tant les combinaisons sont nombreuses et variées. Il
me suffira de déterminer la signification de la couronne principale, le *Pschent* et des insignes qui lui sont le plus fréquemment associés.

Le Pschent ⚉ est une combinaison de la couronne blanche
⚉ et de la couronne rouge ⚉ . De Rochemonteix a émis
l'idée que la couronne blanche ⚉ « est le contour linéaire »
d'une couronne divine, appelée *atef* ⚉ [2]. « L'élément
principal (en) est un faisceau de lotus ou de papyrus reliés
par les deux extrémités. » Cet emblème qui symbolise les

1. Les couronnes divines et royales ont été étudiées dans le plus grand
détail par De Rochemonteix, *Œuvres*, I, p. 213 sqq., à qui j'emprunte ce
qui est mis entre guillemets.

2. Le roi en est coiffé sur la fig. 36, p. 157. L'hiéroglyphe cité dans le
texte reproduit trois fois la couronne *atef*.

idées de reverdissement et de renaissance perpétuelle, cache
en son centre un disque solaire, tandis qu'au sommet des
tiges un autre disque monte à demi des fleurs entr'ouvertes;
une des légendes solaires conte comment Horus, le soleil
levant, surgit au matin du calice d'un lotus, qui, la nuit, l'a
tenu à couvert en refermant ses pétales[1]. Le faisceau « avec
ou sans les deux disques qui figurent les deux époques du
mystère des renaissances » coiffe le front du roi, qui, avant
chaque service sacré, renaît à la vie divine et « se lève »
comme le soleil[2]. L'explication proposée par de Rochemonteix me semble conforme aux spéculations de la théologie
égyptienne. Mais la couronne blanche, avant d'être assimulée
par les théologiens au faisceau de lotus du diadème *atef*,
n'était sans doute qu'un de ces bonnets en forme de cône ou
de mitre dont l'usage est persistant, à toutes les époques,
dans les pays d'Orient.

La couronne rouge ⳍ, d'après les exemples réunis par
Rochemonteix, serait un assemblage d'hiéroglyphes déformés
ensuite par le dessin. La coiffe serait un vase ▽, la tige
recourbée ℮ serait une pousse de végétation, la tige droite
∥ serait l'idéogramme de la terre ⸗ : au total le roi met-
trait sur sa tête le récipient ℮⫽ où la terre se mêle à
l'eau, pour donner naissance à la végétation[3], symbole de la
vie universelle[4]. Ces idées n'étaient sans doute pas étrangères
aux théoriciens de la symbolique égyptienne. Cependant si
j'admets que l'on peut reconnaître le vase ▽ symbole du
principe humide, et la terre ⸗, représentant du principe
solide, dans la couronne ⳍ, je croirais plutôt que le signe

1. Voir à ce sujet Maspero, *Histoire*, I, p. 136.
2. De Rochemonteix, *Œuvres*, I, p. 218 et 222 et pl. II, n° 26.
3. C'est ce qui se passe aussi au moment de la réunion du ciel et de la
terre, pour le couronnement du roi (*sam taoui*). Cf. fig. 17, p. 95.
4. De Rochemonteix, I, p. 222.

℮ représente, comme l'a démontré M. Soldi[1] une « projection
du disque solaire, une flamme en spirale » qui vient féconder
l'union des germes solides et liquides. Cette flamme en
spirale se retrouve sur les monuments archaïques de toutes
les civilisations : les scarabées égyptiens la représentent parfois issue du soleil[2], ou bien elle tombe du triangle lumineux,
symbole du rayon solaire, qui coiffe les obélisques ou sur-
monte les sanctuaires caractéristiques du dieu Min[3].

On peut diverger d'opinion sur le sens précis de tel ou tel
des insignes divins ou royaux, mais il faut admettre pour les
époques où la symbolique égyptienne est pleinement constituée, la conclusion générale proposée par de Rochemonteix.
En combinant les figures du disque solaire, des plantes, de
l'eau, de la terrre, les couronnes royales et divines expriment
symboliquement l'idée de la fécondation de l'univers par l'action du soleil perpétuellement renaissant[4]. Le roi, muni de
ces insignes, apparaît semblable au soleil et doué des mêmes
vertus.

Au pschent pouvaient s'ajouter soit isolément, soit à la fois
divers attributs qui ont la même signification. D'abord les
deux plumes d'autruche ⎰. Elles symbolisent le dieu *Shou*
c'est-à-dire « la lumière *vibrante*, le rayon victorieux dissi-
pant les ténèbres »[5]; aussi les monuments nous montrent-ils
parfois le rayon solaire sous forme de ⎰ tombant du ciel et
caressant la pointe des obélisques[6]. D'après textes sacrés,
les plumes symbolisent les deux yeux de la face céleste[7],
sources de toute lumière; elles ont le pouvoir qu'a la lumière,

---

1. E. Soldi, *La langue sacrée*, I, p. 179 sqq.
2. E. Soldi, I, p. 415, fig. 238, 2.
3. *L. D.*, III, 191; cf. *Louvre*, stèle C 8.
4. De Rochemonteix, *OEuvres*, I, p. 223, n. 2.
5. De Rochemonteix, I, p. 218.
6. *L. D.*, II, 22 c.
7. *Todtenbuch*, ch. xvii, l. 11. Cf. *Rituel du culte divin*, p. 47.

de rendre visibles, réelles, *vraies* les choses. « En avançant de plus en plus dans le symbolisme, ce qui est lumière étant morale, vérité, justice »[1], la plume d'autruche est devenue l'emblème de la déesse Mâït , qui personnifie la science divine, la réalité des êtres et des idées, le sens vrai, juste et élevé des choses divines et humaines. Le Pharaon, maître des deux Yeux célestes, devient le dispensateur de toutes choses ( *nib àr khetou*).

De la base de la couronne, partent horizontalement deux cornes de bélier; emblèmes ordinaires du dieu Khnoumou, le modeleur des hommes et des dieux, « elles rappellent l'énergie fécondatrice, ou, comme les ailes attachées au disque solaire, la lumière qui inonde le Midi et le Nord »[2]. Ce symbole abonde sur les monuments archaïques de tous les peuples : il signifie là, comme en Égypte, « l'énergie conductrice »[3] de la lumière bienfaisante ou terrible qui lance la vie ou la mort. Le Pharaon ou le dieu coiffé de cornes solaires, est « le seigneur des ardeurs dévorantes, le maître des terreurs » (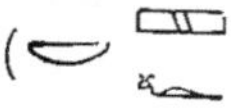  *nib shefitou*).

Enfin la coiffure du Pharaon, quelle qu'elle soit, perruque, voile, casque, couronne *atef, pschent*, est toujours complétée par l'uræus sacrée qui entoure la tête de sa queue (*sed*) comme d'un bandeau royal[4]. La signification de cet insigne nous est fournie par les nombreuses figures où l'uræus entoure le disque solaire , parfois dédoublée  et coiffée des deux couronnes : la tête du Pharon est la face divine du soleil que l'uræus enserre de ses nœuds[5]. Pourquoi entre tous

1. De Rochemonteix, *Œuvres*, I, p. 218.
2. De Rochemonteix, *Œuvres*, I, p. 219.
3. E. Soldi, *La langue sacrée*, I, p. 474.
4. Voir sur ce sujet ce qui a été dit plus haut, p. 89.
5. Cf. De Rochemonteix, *Œuvres*, I, p. 220.

les animaux l'uræus a-t-elle été choisie comme gardienne vigilante de la face divine ou royale? C'est sans doute à cause du venin foudroyant du serpent, que les Égyptiens comparaient à la flamme[1], cette force à la fois dévorante ou bienfaisante, qui donne la vie ou la mort. L'uræus jette la flamme par la bouche : selon qu'elle est irritée ou bienveillante, cette flamme est le lait ardent dont se nourrissent les dieux, les morts divinisés et les rois[2] ; ou bien elle frappe comme la foudre et dévore les ennemis du roi et des dieux[3]. L'uræus doit à ces pouvoirs surnaturels son nom et son rôle de « grande incantatrice » 🖼 *ourrit hiqaou*. Raidie en forme de baguette magique, elle ouvre la bouche et les yeux des morts et des dieux pour leur rendre la vie : elle communique toute sa puissance aux couronnes divines et royales ; aussi appelle-t-on celles-ci de son nom « *ourrit hiqaou* ». Dans les régions d'outre-tombe les défunts divinisés peuvent rencontrer, vivant dans le domaine de la onzième heure de la nuit, deux uræus gigantesques : elles portent sur le dos, l'une la couronne blanche d'où sortent deux têtes, l'autre la couronne rouge avec une tête apparente ; tour à tour ces têtes sortent des couronnes ou s'y dissimulent, signes de la vie réelle dont l'uræus magicienne anime les couronnes[4]. On appelait l'uræus « la régente de la terre[5] » : c'est elle qui, de tous les insignes royaux,

---

1. Voir la légende de Râ piqué par un serpent, *ap.* Maspero, *Histoire*, I, p. 163-166. D'après Hérodote (III, 16, 2) les Égyptiens croyaient que la flamme était un animal dévorateur. Un des noms égyptiens de la flamme est *amit* « la mangeuse » (Brugsch, *Wörtb.*, p. 79).

2. L'uræus allaite le mort divinisé (*Pyr. de Pépi I*, l. 286-288).

3. Voir p. 307.

4. Voir les figures dans E. Lefébure, *Le tombeau de Séti I*, partie II, pl. XXV; cf. Maspero, *Études de mythologie*, II, p. 134.

5. Maspero, *Contes populaires*, p. 110 et 118 (Pap. de Berlin, I, l. 166). En arrivant en présence du roi, on rendait l'hommage à l'uræus « régente de la terre qui est dans son palais » 🖼 :

exprimait la force du dieu solaire dans son rôle le plus actif et sa puissance la plus redoutable.

Tous les attributs des couronnes royales, plumes, cornes, et les couronnes elles-mêmes, sont doubles, car le roi, comme le soleil, règne dans le Sud et le Nord. Chacune des deux couronnes fut assimilée à une divinité prépondérante dans chacune des deux régions. La couronne du Sud fut la déesse Vautour d'El Kab, *Nekhabit* 🦅, la couronne du Nord la déesse Uræus de Bouto *Ouazit* 🐍 [1]; Pharaon s'identifie à elles par le titre « seigneur des deux couronnes » 〄 qui entre dans le protocole. Les deux divinités ont apporté aux couronnes qui les symbolisent leurs vertus personnelles. Nekhabit savait tout particulièrement protéger les dieux et les morts de ses deux ailes éployées; Ouazit est la déesse du rajeunissement perpétuel, car son nom dérive de la racine *ouaz* « reverdir, rajeunir ». Sous les insignes 〄 se cachent deux puissantes déesses, qui s'unissent corporellement au roi, et qui « se posent » pour faire bonne garde, chacune à sa manière, sur la personne même du Pharaon [2]. Aussi ne s'étonnera-t-on point que dans les salles du temple réservées au culte royal, les offrandes soient adressées « à la couronne *ourrit* 〄, à la couronne *atef* 🦅

---

de même quand le roi pénétrait dans le sanctuaire des dieux il adorait l'uræus; on avait les mêmes égards pour le mort divinisé, coiffé lui aussi des couronnes à uræus (voir *Rituel du culte divin*, p. 233). — La fête du couronnement d'Horus au premier de l'an, s'appelait « fête de l'uræus Neheb ka » (cf. p. 275); cette uræus avait un temple à Héracléopolis, à l'époque Saïte (Pierret, *Inscriptions du Louvre*, I, p. 16, A. 88).

1. Sur ces deux déesses, voir Brusgch, *Religion und mythologie*, p. 314 et 321 sqq.

2. Ce sont les propres expressions de la stèle d'Antef à Koptos (Petrie, pl. VIII).

⌒ 𓆰, aux deux plumes ⌒ ▯ 𓏲, à l'uræus qui est sur la tête du roi » 𓇳𓃒 ⌒, aussi bien qu'au roi lui-même [1].

II. Après les couronnes, les sceptres sont les insignes les plus caractérisques de la royauté. Comme les dieux et les morts divinisés le roi tient en mains le croc 𓋹, la massue de pierre blanche 𓋹, le sceptre 𓌋, le fouet ⋀, et des bâtons 𓏤 de formes variées. Chacun de ses insignes a une valeur particulière et rappelle l'origine divine du Pharaon.

Le croc 𓋹 qui sert à former le mot 𓋹 𓊹 *hiq* « gouverner, régner », n'est que le bâton recourbé dont se servaient aux champs les bergers et qui est devenu progressivement l'insigne des « pasteurs des peuples ». On le voit aux mains d'Osiris d'une façon constante, sans qu'on puisse déterminer s'il a une valeur mystique en dehors de son sens propre d'insigne de commandement.

La massue de pierre blanche 𓌋 est l'arme de jet (*outou* « lancer ») des vieux âges, dont on a retrouvé des exemplaires sculptés dans les dépôts de fondation du temple archaïque d'Hiérakonpolis. C'est avec cette massue que le roi assomme les victimes du sacrifice et les prisonniers de guerre immolés au dieu [2], ou donne le « coup » consécrateur [3] qui change les offrandes humaines en aliments dignes d'un dieu. Par suite d'un jeu de mots, l'arme 𓌋 symbolise aussi l'idée de « lancer, d'émettre

---

1. *Abydos*, I, pl. 27. Thot, au moment de faire le *souton di hotpou* à Séti I, commence par présenter les offrandes (𓏴) aux couronnes, avant de nommer le roi en personne.

2. *L. D.*, II, 2, 39, 116. Cf. Maspero, *Histoire*, I, p. 60, n. 3.

3. Voir par ex. Naville, *Deir el Bahari*, I, pl. XIV et XXIV. Le rôle de la massue 𓌋 est analogue, en cette circonstance, à celui du casse-tête 𓌉.

des paroles » (⌒ ⌒ 𓏺 ⌒ 𓏺),ou de donner des ordres écrits (⌒ décret), de proférer les mots divins qui créent à nouveau les êtres et les choses. Les dieux avaient créé l'univers par l'œil et par la voix[1], c'est-à-dire par l'émission des ondes lumineuses et des ondes sonores; paroles et rayons célestes tombaient sur cette terre comme des traits 𓏺 𓄿 𓏏 medou[2]. Ces armes divines, créatrices des êtres et des choses, le roi les tenait symboliquement quand il maniait la massue 𓏺 ou les lances 𓏺 qu'on lui voit en mains pour la consécration des sanctuaires et l'octroi des offrandes aux dieux[3].

Le sceptre 𓏺 était aussi une arme divine. A l'époque classique c'est un insigne composé d'un bâton, fourchu à l'extrémité inférieure, et terminé à l'extrémité supérieuree par la tête stylisée d'un animal où l'on a reconnu soit le coucoupha soit la gerboise, soit la huppe[4]. Des variantes de détail dans

---

1. Voir à ce sujet, *Rituel du culte divin.* p. 151, 154.

2. Le mot 𓄿 𓏺 𓏺 𓏺 « paroles » a le sens d' « armes de jet » dans un texte de *Pépi* I, l. 342 où il est en parallélisme avec le mot 𓊪𓈖 𓄿 ⌒ déterminé par l'arc, la flèche, la hache d'armes. — Dans toutes les langues on dit encore que la parole est une arme, une lance.

3. En particulier dans la course de fondation, et l'inauguration des sanctuaires comme à Soleb où la massue sert à frapper douze fois la porte du naos (fig. 32, 89). Voir une représentation du roi armé de la lance (qui échange ici avec le sceptre 𓏺 autre arme solaire), pour entrer au sanctuaire, dans *Abydos*, I, pl. 30 a et b. — On donne aussi aux dieux la lance et la massue 𓏺 (voir notre fig. 83, p. 251, où est représenté le roi divinisé).

4. Les sceptres *zâmit* 𓏺 et *ouas* 𓏺 ont été l'objet d'une excellente monographie de M. Wiedemann (*Recueil de travaux*. XVIII, p. 127-132).

la représentation de l'insigne permettent de distinguer deux séries de sceptres : le ⌐ tout simple s'appelait ⌐⌐ ⌐ *zâmit*, dont l'équivalent copte signifie « vis, robur ». Combiné avec la plume solaire et la spirale lumineuse ⌐, l'insigne se lit ⌐ ⌐ ⌐ ⌐ *ouas* « force. puissance ». De ces étymologies, on peut déduire déjà que le sceptre ⌐ garantit à son porteur la force et l'autorité.

On peut serrer de plus près le sens primitif si l'on considère la forme du sceptre dans les textes des pyramides de la VIᵉ dynastie : la hampe du signe ⌐ représente une ligne zigzaguée, coiffée de la plume solaire et terminée par deux pointes aiguës. On ne saurait y voir qu'une figuration de l'éclair. Le mot entier se lit ⌐ *zeserit*, ou *serit*, et il évoque à la fois les idées de « trait, flèche, lance » et de « hauteur dans le ciel[1] ». Au sceptre s'ajoutent soit l'œil ⌐ [2], soit la plume solaire ⌐, soit la bandelette ou spirale lumineuse ⌐, qui sont, nous l'avons vu, des emblèmes ayant une significa-

C'est M. Wiedemann qui voit dans la tête du sceptre la figure de la huppe. L'auteur ne parle pas du sceptre zigzagué *zeserit*, tout en notant que « sur les cercueils de Mentu‑hetep et de Sebek‑âa du Moyen Empire, les bouts supérieurs et inférieurs (des deux types de sceptres) sont identiques, mais le bâton qui les réunit consiste une fois dans une ligne droite, une fois dans une ligne ondoyante »; quant à l'adjonction au sceptre « de la plume et du bandeau », M. Wiedemann les note « sans qu'on puisse éclaircir le sens de l'addition de ce dernier signe ».

1. Voir ce qui a été dit au chap. II, p. 42-43 et *Rituel du culte divin*, p. 160.

2. *Sarg des Sebk‑o*, publié par G. Steindorff, pl. II. On a retrouvé plusieurs sceptres zigzagués dans le tombeau du roi Aoutouâb Rî à Dahchour (De Morgan, I, p. 96-97); voir aussi un tableau de Louxor, reproduit p. 157, fig. 36.

Le sceptre zigzagué rappelle aussi l'uræus ⌐ qu'on voit aux mains des dieux, par exemple fig. 90, p. 271.

tion symbolique. La transformation du trait supérieur en tête
d'animal me semble être relativement tardive, et entraînée
peut-être par l'adjonction de l'œil à la tête du signe, qui
s'anime ainsi à la façon d'une tête vivante. On comprendra
aisément qu'on ait attaché le sens de « force, vigueur » (zâmit,
ouas) à un signe représentant l'éclair ou la foudre tombant du
ciel. De là aussi l'explication de certains emplois du sceptre.
Les tableaux des temples nous montrent fréquemment le ciel
soutenu par deux sceptres ⎯ comme par les traits de
foudre [1] (qui servent aussi d'étais au firmament, cf. p. 44).
Souvent les plateaux chargés d'offrandes, que les dieux Nils
apportent dans les temples, sont traversés du sceptre [2],
qui rappelle peut-être que la foudre, « voix du ciel » crée ces
offrandes. Parfois, enfin, les dieux et les rois se tendent réciproquement le sceptre ⎮ d'où sort la vie ⚴ comme pour
l'échange du fluide vital [3]. Arme tour à tour destructrice ou
créatrice, la foudre sous la forme de l'insigne ⎮ met toute sa
puissance au service des mains du roi.

Le « fouet » ⌂ ⋀ nekhekh qui avec le crochet ⎰ est
un des insignes les plus caractéristiques des dieux osiriens,
symbolise l'idée matérielle de « lancer la lumière » et
l'idée morale de « protection [4] ». Le dieu générateur Min
émet la lumière et la vie en élevant dans l'air cet ins-

1. Cf. Wiedemann, ap. Recueil, XVIII, p. 129, n. 1. On en trouvera un
exemple dès le temps du roi archaïque Khâsekhemouï à Hiéraconpolis
(Quibell, I, pl. II; cf. Deir el Bahari, I, pl. XII).
2. Mariette, Mastabas, p. 377 (Vᵉ dyn.); L. D., II, 114 g (VIᵉ dyn.); Petrie, Koptos, pl. XI, Gayet, Louxor, pl. II-VI, etc.
3. Petrie, Koptos, pl. X, 2; Deir el Bahari, I, pl. IX : Abydos, I, pl. 21,
23, 26, etc. Cf. notre fig. 48, p. 170.
4. Voir à ce sujet le commentaire de Maspero à une phrase de Pépi II
(l. 664). Pour le nekhekh, voir nos fig. 66, 69, 71, 73, 74, 78, etc.

trument. A l'origine le *nekhekh* était un fouet, ou plutôt un fléau. Le battant mobile se terminait par des baguettes en bois rigide ou des lanières de cuir (cf. fig. 66, 73). On fit bientôt de ce fléau d'armes un insigne stylisé, où le battant laissa tomber, enfilés comme des pièces de verroterie, des triangles lumineux et des traits ⌠⌠⌠ qui évoquaient les idées attachées aux autres armes divines. Dès lors l'objet semble rigide entre les mains du roi et rappelle comme forme générale le triangle ⟨ *hopit* [1] : il devient un « lance-rayons » magique, ou une sorte de crécelle dont le bruit doit détourner les mauvais esprits [2].

Il y aurait à citer encore beaucoup d'autres insignes « solaires » qui contribuent à caractériser graphiquement la divinité du Pharaon, entre autres le casse-tête ⌠ *kherp* ou *skhem* que le roi lève sur les victimes ou les offrandes pour les tuer et les consacrer du même « coup ». Je n'analyserai plus qu'un signe fort important qui s'inscrit d'ordinaire dans la base du trône des dieux et des rois, le *sam* ⌠. M. Soldi a fort ingénieusement démontré que ce signe est analogue au support intérieur qui soutient le trône royal ou divin dans les hiéroglyphes chaldéens et chinois et dans de nombreux bas-reliefs assyriens et hindous [3]. On sait que chez nombre de nations orientales il y a un véritable culte du trône royal ou divin ; en Égypte l'importance exceptionnelle que les textes religieux attachent au siège ⌠ *àsit*, à l'escalier ⌠ *red*,

---

1. Petrie, *Koptos*, pl. IX et VI où l'on pourra comparer les deux signes.
2. Voir un bel exemple d'un *nekhekh*, retrouvé au tombeau d'Aoutou àb Rî par De Morgan (*Dahchour*, I, pl. 39 et p. 114.) Les triangles sont en cornaline et en émail, les traits en bois peint en jaune. Sur ces triangles lumineux, cf. Brugsch, *Religion und mythologie*, p. 255-256. Pour d'autres exemples du *nekhekh* cf. *L. D.*, III, 77 ; *Abydos*, I, pl. 38 *c* ; Maspero, *Histoire*, I, p. 271.
3. E. Soldi, *La langue sacrée*, S, p. 99 sqq.

aux pavillons ⌂ *zadou* ou ⌂ *sed* qui renferment le siège royal, le fait que ce mot ⌂ équivaut à « sanctuaire[1] », montrent bien que le trône avait aussi un caractère divin. Or le siège royal ou divin repose sur le signe ⍦; autour de celui-ci les dieux lient les plantes caractéristiques des deux Égyptes, le lotus et le papyrus pour le rite qui « réunit les deux régions », ou « le ciel à la terre[2] »; souvent des prisonniers de guerre étrangers sont liés par les cordes qui assemblent les plantes[3]. Cet hiéroglyphe ⍦, très analogue de forme au signe ⍦ *nofir*[4] (les rayons solaires, « beauté » de l'astre) ou à l'hiéroglyphe ⍦ *khrôou* (la « voix », émission sortie de la bouche des dieux), semble représenter aussi un de ces « traits » dont on dit qu'ils soutiennent le ciel comme des piliers. Peut-être doit-on reconnaître dans ce « trait » qui unit le ciel et la terre, qui rassemble les pays, dompte et capture les

---

1. Ed. Naville, *The festival Hall*, pl. II, 8; cf. p. 242.

2. Par exemple, *L. D.*, III, 77, Maspero, *Histoire*, I, p. 271.

3. Parfois le roi s'agenouille sur le *sam* (*L. D.*, III, 222, *c*). Le *sam* est ici un plateau ⍽ analogue à celui qui supporte le *serekh* du nom de double d'Aménophis III dans certains tableaux de Louxor (*Gayet*, pl. IX, X, XI; cf. notre fig. 36, p. 157). Là on voit que le signe ⍽ peut s'animer, avoir des bras, comme le signe ⍦ par exemple (*ibid.*, pl. VIII, fig. 47) et poser sur terre non par la pointe d'une lance mais par l'anneau solaire ◯.

4. Le signe ⍦ dans lequel on voit un luth, me semble être à l'origine, comme ⍦ *khrôou* un instrument de navigation, rame, gaffe, épieu, qui a sa première forme dans le signe �. Voir à ce sujet la vignette du *Todtenbuch*, ch. CXLVIII, et les figures du tombeau d'Aba (*Mission du Caire*, V, p. 641, pl. VII).

ennemis du roi et des dieux, une des formes de l'arme solaire par excellence, la foudre tombant du ciel.

On ne se contentait pas de couvrir la personne du roi de ces insignes qui attestaient son origine divine. Les palais qu'il habitait, les parties du temple qui lui étaient réservées, les barques sacrées où reposait son image, étaient décorées des mêmes attributs : couronnes et uræus en frise des naos ou des édifices, signes de la vie, de la force, de la stabilité, sceptres fulgurants, plumes solaires, chasse-mouches à l'image du soleil levant (), tel était le décor obligé[1] de tout endroit où le roi était appelé par les devoirs de sa charge (cf. fig. 85).

Sans doute tous les insignes dont le roi couvrait sa personne, couronnes, sceptres, armes, phylactères, n'étaient à l'origine que de vulgaires parures appropriées à la toilette humaine ou de simples armes défensives ou offensives. Mais dès les premiers temps qui nous soient connus, la symbolique solaire à mis son empreinte sur tout ce qui touche au Pharaon : ce n'est plus la coiffure de roseaux tressés ou le bonnet d'étoffe qu'il met sur sa tête, c'est, au sens astronomique, la « couronne solaire » (), le soleil irradiant ses rayons; ce qu'il a en mains, ce n'est plus le crochet des pasteurs ou le bâton noueux des bouviers, mais le trait barbelé de l'éclair tombant du ciel. Le front ceint de rayons, la foudre en mains, le roi apparaît vraiment fils du soleil à ses sujets éblouis.

III. Ainsi se révèle aux yeux le double caractère, à la fois bienfaisant et terrible, que donnent à la personne du Pharaon sa naissance divine et ses fonctions sacerdotales. Par excellence le roi est le « dieu bon » 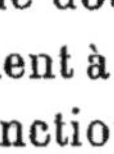 (*noutir nofir*)[2], celui qui crée et donne les offrandes (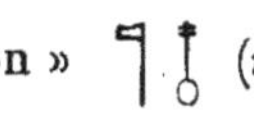 *àr khetou*) pour les dieux et les morts; il dispose de la vie et du fluide magique

1. Voir par exemple, *Abydos*, I, pl. 32.
2. Épithète qui accompagne très souvent le nom du Pharaon au mo

(*sa ânkhou*), aussi le palais ou le temple qu'il habite sont-ils une « maison de vie » ⌐⌐⌐ *pa ânkhou* et « le lieu où l'on lance le fluide magique » ⌐⌐⌐ (*sotpou sa*).

Il faut prendre au sens précis ces différentes appellations, car le Pharaon pour célébrer efficacement le culte divin devait être quotidiennement muni du fluide de vie. Les Égyptiens reconnaissaient surtout la force divine vivifiante du Pharaon à ce qu'il possédait comme les dieux la « voix créatrice ». Dans le service du culte divin, le roi offrait au dieu son père l'univers entier sous forme d'offrandes ; mais il ne pouvait disposer quotidiennement de *Mâït* ou de l'*OEil d'Horus*, ces symboles de la création universelle réalisée [1], que s'il avait en lui la force des démiurges qui lui permettait de renouveler tous les jours, sans jamais épuiser la nature, le mystère de la création. Or, ce pouvoir créateur que les dieux avaient, aux premiers temps du monde, exercé par l'*œil* et la *voix*, en *voyant* et en *nommant* les êtres et les choses [2], était dévolu au roi chaque jour par les rites préliminaires au culte divin, qui faisaient du Pharaon un dieu « Horus à la voix créatrice » ⌐⌐⌐ (*Hor mâ khrôou*) [3]. A vrai dire, tout homme mis en état de grâce par la force des rites osiriens pouvait aussi être doué de voix créatrice (*mâ khrôou*) au moment de célébrer le culte funéraire. Mais cette puissance surnaturelle s'évanouissait au sortir de la salle du culte ; elle était limitée au court espace de temps de la célébration des rites funéraires [4]. Seuls les êtres divins, dieux et morts possédaient

ment où il célèbre le culte ; le sens primitif semble être « dieu rayonnant », car les « beautés » (*nofirou*) du soleil sont ses rayons (Grébaut, *Hymnes à Amon Râ*, p. 265-270.

1. *Rituel du culte divin*, p. 265-270.
2. *Rituel du culte divin*, p. 151, 154.
3. *Rituel du culte divin*, p. 9, 15, 163.
4. L'épithète *mâ khrôou* ne s'applique aux gens du commun que

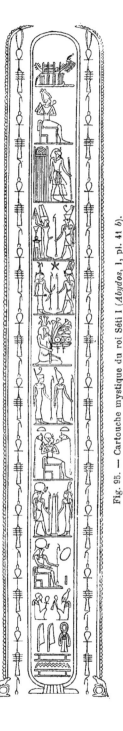

Fig. 95. — Cartouche mystique du roi Séti I (*Abydos*, I, pl. 41 *b*).

à jamais la qualité de *mâ khrôou*, et avec eux, leur frère ou leur fils, le Pharaon. Lui, dont la divinité annoncée dès avant sa naissance, confirmée le jour du couronnement, était renouvelée chaque jour au *pa douaït* et plus solennellement dans les fêtes du culte royal, lui seul était doué de voix créatrice, même hors du temple ou du tombeau, pour tous les actes de sa vie de roi.

Aussi l'épithète *mâ khrôou* s'applique-t-elle au Pharaon en toute occasion. Pharaon fait-il campagne contre l'ennemi? c'est au nom, et pour le compte de ses pères les dieux ; ses victoires sont « les victoires d'Amon-Râ » ; « grâce à la voix créatrice il renverse ses ennemis » ( ) [2] tout comme Râ quand il combat Apophis. « Je ne fais rien à l'insu du dieu, dit un roi avant la bataille, c'est lui qui m'a ordonné d'agir » ; et on lui répond : « Tu es l'image d'Harmakhis le chef des étoiles, tel qu'il est, tu existes en roi; de même qu'il ne subit aucun dommage, tu ne subiras

sur des monuments funéraires ou religieux, et non à propos des actes de la vie civile.

2. Voir les textes au *Rituel du culte divin*, p. 164, n. 1.

aucun dommage [1] ». Et d'autres textes, sur lesquels nous reviendrons plus loin, parlent de la terreur que le roi inspire à ses ennemis par les rugissements de sa voix qui sonne et roule au loin comme les grondements du tonnerre.

Dans les œuvres de paix la « voix créatrice » du Pharaon n'est pas moins efficace. Les dieux et les hommes « vivent des paroles de sa bouche », et « ce que veut son cœur se réalise sur le champ comme ce qui sort de la bouche du dieu [2] ». Voici un exemple tout matériel de l'application du pouvoir divin que possède le roi. Le roi Ramsès II tenait conseil à Memphis au sujet du pays des mines d'or qui manquaient de voies d'accès pourvues d'eau potable. « Il était venu des plaintes des convoyeurs de l'or sur leur situation, ceux qui y pénétraient mouraient de soif en route ainsi que les ânes qui étaient avec eux... Le roi dit à l'inspecteur royal qui était auprès de lui : « Appelle et que les chefs qui sont présents donnent au roi leur avis sur ce pays... » On les fit passsser en la présence du dieu bon (le roi) les bras élevés dans l'attitude d'adorer sa personne, proférant des acclamations et se prosternant devant sa belle face. On leur fit le tableau de ce pays pour qu'ils donnnent leur avis sur le projet d'établir une citerne sur sa route, et ils dirent devant Sa Majesté : « Tu est semblable à Râ dans tout ce que tu fais, aussi les désirs de ton cœur se réalisent : si tu souhaites quelque chose pendant la nuit, à l'aube cela est déjà fait. Si donc tu dis à l'eau : « Viens sur la montagne », les eaux célestes sortiront tôt à l'appel de ta bouche, car tu es Râ incarné, Khopri créé en réalité, tu es l'image vivante, sur la terre, de ton père Toumou d'Héliopolis ; l'abondance est dans ta bouche, la sagesse dans ton cœur. Ta langue est le sanctuaire de la réalité, un dieu siège sur tes lèvres, tes paroles s'accomplissent chaque jour, et ce que veut ton cœur se réalise, comme pour Phtah quand il

---

1. *Stèle de Piankhi*, l. 69 et 75-76 (éd. De Rougé, p. 35 et 37).
2. Voir les textes au *Rituel du culte divin*, p. 164, n. 1.

crée ses œuvres. Comme tu es éternel on agit selon tes desseins, l'on obéit à tout ce que tu dis, ô prince, notre maître![1] »
Tout ce qui sortait de la bouche d'un Pharaon avait en effet une valeur divine; ses paroles, ses ordres « se réalisaient » parce qu'il était ⬭ « créateur par la voix » comme les dieux, les mots divinisés et les hommes consacrés pour célébrer le culte. « Je suis le roi, dit un Pharaon de la XIIe dynastie, ce que je dis se réalise » (𓂝 𓅱 𓂋 𓅱)[2].

Dans ces conditions, quand le roi tenait conseil, ce ne pouvait être que pour recevoir des aveux d'admiration et d'obéissance à chacune de ses paroles. On ne paraissait devant le roi qu'en donnant à son corps les positions ritualistiques d'adoration vis à vis des dieux : ou bien l'on rampait face contre terre (*senit ta* 𓇌𓏤), ou bien l'on se courbait en deux 𓀒 (*m kesou*), ou bien l'on se voilait la face des deux mains levées 𓀀 (*douaou*)[3]. Tout ennemi ou tout contempteur du roi était sous le coup d'un châtiment terrible et soudain; l'uræus solaire « qui entoure le front du roi » (𓏏 𓅃 𓂝 𓆓)[4] consume de sa flamme tous ceux qui résistent au roi ou violent ses commandements[5] : aussi le premier acte d'un homme admis en la présence du roi est-il d'adorer l'Uræus « régente de la terre », de même que

1. *Stèle de Kouban*, l. 8-19.
2. *L. D.*, II, 136 *h*; cf. *A. Z.*, XXXVI, p. 143-144.
3. Voir ces différentes attitudes réunies dans un tableau d'une tombe de la XVIIIe dynastie (Maspero, *Histoire*, I, p. 265).
4. Stèle de Tombos, l. 6 (Piehl, *Petites études égyptologiques*, p. 2).
5. Voir les expressions de la stèle de Thoutmès III, citée plus loin p. 307. Dans les formules des stèles qui délimitent les propriétés, l'uræus est chargée de venger les injures faites aux dieux comme au roi (Stèle du temple de Ha-ka-k, Stèle de Ptolémée le Satrape, *Ä. Z.*, 1871, p. 8).

le roi lui-même, quand il entre au sanctuaire, encense et adore l'Uræus qui est au front des dieux.

Nous avons un témoignage précieux de ce que pouvait être une audience royale, dans un conte populaire de la XIIᵉ dynastie « les aventures de Sinouhit[1] ». Il s'agit d'un grand personnage de la cour qui, témoin involontaire de secrets d'État compromettants, avait pris la fuite de crainte qu'on ne l'accusât d'indiscrétion voulue[2]. Sur la fin de sa vie, il sollicita de Pharaon sa libre admission en Égypte et à la cour, et reçut une réponse favorable qui lui promettait les faveurs du roi pendant la vie et le don d'un tombeau et de rations funéraires après la mort. « Quand cet ordre me fut remis, dit le héros du conte, m'étant jeté à plat ventre, je m'appliquai contre le sol, je me traînai sur la poitrine, je fis ainsi le tour de ma tente pour marquer la joie que j'éprouvais à le recevoir[3]. » C'étaient en effet les marques de déférence qu'on devait à Pharaon et à tout ce qui émanait de lui. Sinouhit, de retour à la cour, trouva à la porte du palais les « enfants royaux » et les « amis » pour l'introduire dans la salle à colonnes et de là pour lui « faire la voie » jusqu'à l'intérieur de l'édifice. « Je trouvai, dit-il, Sa Majesté sur son grand siège dans la chambre intérieure (out) de vermeil. Quand je fus près d'elle, je me jetai sur le ventre, je perdis conscience de moi-même devant elle. Le dieu m'adressa des paroles affables, mais je fus comme un individu saisi d'aveuglement, ma langue défaillit, mes membres se dérobèrent, mon cœur ne fut plus dans ma poitrine et je connus quelle différence il y a entre la vie et la mort[4] ». Le roi insistant pour que Sinouhit lui parle, celui-ci répond : « J'ai peur... Maintenant, me voici devant toi : tu es la vie, que ta Majesté agisse à son plaisir. » Le roi daigne alors plai-

---

1. *Aventures de Sinouhit* (Maspero, *Contes populaires*, p. 110).
2. *Papyrus de Berlin*, nᵒ 1 ; cf. Maspero, *Contes populaires*, p. 123 sqq.
3. Maspero, *Contes populaires*, p. 116.
4. *Ibid.*, p. 123 sqq. J'ai modifié quelque peu le début du passage.

santer Sinouhit sur son attitude et sur sa tournure exotique :
aussitôt les enfants royaux poussent tous ensemble un grand
éclat de rire ; « ils prirent ensuite leurs fouets magiques,
leurs bâtons de cérémonie et leurs sistres » et commencèrent
à chanter un hymne au roi pour le disposer à la clémence en
faveur de Sinouhit toujours prosterné. Cet hymne exprime les
sentiments de terreur qu'on éprouve devant le roi et qui ex-
pliquent l'attitude du fugitif gracié : « Tu es puissant comme
le maître des astres et tu parcours le firmament dans la barque
céleste ; l'abondance est dans la bouche de ta Majesté [1]. On t'a
mis l'uræus au front et les misérables sont écartés de toi, tu
es proclamé Râ, maître des deux régions, et on crie vers toi
comme vers le maître de tout (Osiris). Ta lance renverse, ta
flèche détruit. Laisse vivre celui qui est anéanti... Sinouhit,
s'il a fui, c'est par crainte de toi ; s'il s'est éloigné du pays,
c'est par terreur de toi : la face ne blémit-elle pas qui voit ta
face? L'œil n'a-t-il pas peur que tu as fixé? » — Le roi dit :
« Qu'il ne craigne plus... » et Sinouhit se relève honoré des
« faveurs » du roi.

IV. Pharaon restait en communication constante avec les
dieux. Dans le service du culte, tout d'abord, chacun des rites
était accompagné d'un dialogue du roi avec le dieu. Aux paroles dites par le roi, le dieu répondait par des souhaits ap-
propriés ; des formules générales semblaient prévoir tous les
cas où, en échange des services rendus, le roi aurait besoin de
l'aide divine contre ses ennemis divins ou mortels. En dehors
du culte, le roi avait souvent recours au conseil des dieux.
Ainsi la reine Hâtshopsitou, au temps où elle méditait la construction de Deir el Bahari, s'était rendue au temple : « ses
prières montèrent jusqu'au trône du Seigneur des dieux et
l'on entendit un ordre dans le sanctuaire, que rendit la bouche
du dieu lui-même, à l'effet de monter sur les chemins qui

1. Cf. p. 299; même formule Ä. Z., 1874, p. 88.

mènent au Pouanît, de parcourir les routes qui mènent aux
« Échelles de l'Encens[1] ». Parfois la consultation du dieu était
rendue d'une manière imprévue, quand le roi ne s'y attendait
guère, dans un songe : ainsi Thoutmès IV dans le temps où il
n'était que candidat au trône, était allé lancer le javelot, avec
deux seuls serviteurs, aux environs de la grande pyramide :
il fit la sieste accoutumée à l'ombre du Sphinx, qui est le
dieu Harmakhis, l'image du soleil levant. Ce dieu lui apparut
en songe et lui promit la couronne à condition que Thoutmès
le dégageât du sable mouvant qui dès cette époque l'enseve-
lissait jusqu'au cou[2] : « Regarde-moi, contemple-moi, ô mon
fils Thoutmès, car moi, ton père Harmakhis-Khopri-Toum,
je t'accorde la royauté dans les deux pays, dans la moitié du
Sud et dans celle du Nord, et tu en porteras la couronne
blanche et la couronne rouge sur le trône de Seb, le souverain,
possédant la terre en sa longueur et en sa largeur. L'œil étincelant du maître de tout fera pleuvoir sur toi les biens de
l'Égypte, les tributs énormes de toute contrée étrangère, une
durée de vie comme élu du soleil pendant quantité d'années,
car ma face est à toi, mon cœur est à toi, nul autre que toi
n'est à moi! Or, le sable de la montagne sur laquelle je suis
m'assiége, et ce prix, je te l'ai donné pour que tu fasses ce
que souhaite mon cœur, car je sais que tu es mon fils, mon
défenseur; approche, me voici avec toi, je suis ton père bien-
aimé ».

Dans les grands périls que peut courir le roi se manifeste

1. Ed. Naville, *Deir el Bahari*, III, pl. LXXXIV, l. 4-5. Voici le début de
la phrase :
litt. : « On entendit un décret dans le sanctuaire que modela la bouche
du dieu lui-même »; cf. Maspero, *Histoire*, II, p. 246.

2. *Stèle du Sphinx*, L. D., III, 63 (cf. Brugsch, Ä, Z. 1876, p. 89). J'emprunte la traduction donnée par Maspero, *Histoire*, II, p. 294.

encore l'intervention personnelle des dieux. Une invasion de Libyens s'abattit sur l'Égypte alors que régnait Minephtah, vieillard plus que sexagénaire, et fort peu capable de prendre la tête des armées ; le dieu Phtah apparut au Pharaon au moment même où l'on allait engager imprudemment une bataille décisive. « Sa Majesté vit en songe comme une statue de Phtah qui se tenait pour empêcher le roi d'avancer...... Elle lui dit : « Reste » et lui tendant le glaive recourbé, « éloigne de toi le découragement ! » Sa Majesté lui dit : « Mais, alors, (que dois-je faire ?) » (Elle lui répondit : Fais partir) ton infanterie et que des cavaliers en nombre soient envoyés devant elle sur les confins du territoire de Piriou[1] ». Dans ce poste favorable, l'armée égyptienne attendit le choc des Libyens qui furent complètement défaits pour la grande gloire du roi et du dieu. — Parfois aussi, le dieu intervient au milieu de la mêlée : l'exemple classique est celui d'Amon à la bataille de Qodshou[2]. Ramsès II, en grand danger, abandonné de ses soldats, n'a de recours qu'en son père Amon : « Qui donc es-tu, mon père Amon ? Serais-tu un père qui oublie son fils ? Or ai-je fait quelque projet à ton insu ? N'ai-je pas marché et ne me suis-je pas arrêté à ta parole ? Lorsqu'il ne viole pas tes ordres, il est bien grand le seigneur de l'Égypte et renverse les barbares sur sa route ! Que sont donc ces Asiatiques pour ton cœur ? Amon humiliera ceux-là qui ignorent le dieu.... Je t'invoque, ô mon père Amon ! Me voilà au milieu de peuples si nombreux qu'on ne sait qui sont les nations conjurées contre moi, je suis seul de ma personne, aucun autre avec moi. Mes nombreux soldats m'ont déserté... mais je trouve qu'Amon vaut mieux pour moi qu'un million

---

1. *Inscription triomphale de Minephtah* (Mariette, *Karnak*, pl. 53, l. 28-30), traduite par Chabas, *Recherches pour servir à l'histoire de la XIXᵉ dynastie*, p. 87-88 ; cf. Maspero, *Histoire*, II, p. 434.

2. *Poème de Pentaour*, pap. Sallier, III, pl. I à pl. III ; cf. Maspero, *Histoire*, II, p. 396-397, dont j'emprunte la traduction.

de soldats... Chaque fois que j'ai accompli ces choses, Amon, par le conseil de ta bouche, comme je ne transgresse pas tes ordres, voici que je t'ai rendu gloire jusqu'aux extrémités de la terre ». Tandis que la voix roule dans Hermonthis, Amon surgit à mon injonction, il me tend la main, et je pousse un cri de joie quand il me hèle par derrière : « Face et face avec toi, face et face avec toi, Ramsès Meriamoun, je suis avec toi! C'est moi, ton père! ma main est avec toi et je vaux mieux pour toi que des centaines de mille. Moi, le fort, qui aime la vaillance, j'ai reconnu un cœur courageux et mon cœur est satisfait, ma volonté va s'accomplir! » — Dès lors, ce n'est plus Ramsès II qui combat, c'est le dieu lui-même : « Je suis comme Montou, dit-il, de la droite je darde, de la gauche je saisis les ennemis; je suis comme Baal en son heure.'... » Et les ennemis de s'écrier, eux aussi ; « Ce n'est pas un homme qui est parmi nous : c'est Soutkhou le grand guerrier, c'est Baal incarné! »

Ainsi les dieux combattent pour le roi et le roi combat à la façon des dieux. La guerre finie, le traité de paix n'était signé qu'avec l'assentiment et sous la garantie des dieux [1], et au retour du Pharaon en Égypte, des fêtes triomphales faisaient connaître au peuple les discours louangeurs que le dieu adressait au roi en remerciement du butin rapporté [2].

---

1. *Traité de Ramsès II avec le prince des Khétas*, l. 32-34 (dernière édition du texte, par Bouriant, *Recueil de travaux*, XIII, p. 158) : « Quiconque n'observera pas les stipulations que mille dieux de Khéta et mille dieux d'Égypte frappent sa maison, sa terre, ses serviteurs; mais celui qui observera les stipulations incisées sur la tablette d'argent..... mille dieux de Khéta et mille dieux d'Égypte, lui donneront la santé et lui accorderont de vivre, à lui, aux gens de sa maison, ainsi qu'à sa terre et à ses serviteurs ». Traduction de Maspero, *Histoire*, II, p. 402.

2. La plus célèbre de ces stèles est celle de Thoutmès III (Mariette, *Karnak*, pl. 11), dont le texte fut réutilisé par Séti I. Voir aussi le *décret de Phtah Totunen* en l'honneur de Ramsès II et Ramsès III (temples d'Ipsamboul et Médinet Habou), publié par Ed. Naville (*Trans. S. B. A.*, VII, p. 119).

A. MORET.   20

V. La divinité du roi était donc reconnue dans toutes les circonstances de la vie publique du souverain ; on ne se contentait point d'adorer Pharaon au temple ; hors des limites du sanctuaire, il restait le « dieu bon » à qui tous les hommes devaient une perpétuelle adoration. Le nom même du souverain était sacré comme sa personne ; on jurait par ce nom comme par celui des dieux, et celui-là était puni qui proférait ce serment à la légère[1].

De ces sentiments s'inspire la littérature officielle qui couvre de ses récits pieux ou de ses hymnes les murs des temples et des édifices royaux. Voici par quels discours Amon Râ accueillait son fils Thoutmès III au retour de ses campagnes en Syrie : « Viens à moi en te réjouissant de voir ma beauté, ô fils modeleur de son père, Menkhopirrî, vivant à jamais ! C'est grâce à toi que je me lève (chaque matin), mon cœur se dilate à ta belle venue dans mon temple, quand mes deux bras s'unissent à tes chairs pour (leur donner) le fluide de vie et quand ta force réjouit mon corps[2]. Je t'établis dans mon sanctuaire, je fais des miracles pour toi. Je t'ai donné la force et la puissance sur toutes les terres étrangères et je répands tes esprits et ta terreur sur toutes les contrées, et ton effroi dans les limites des quatre piliers du ciel. J'agrandis ta crainte dans tous les cœurs, je donne que le rugissement de ta Majesté poursuive les barbares, et les chefs de tous les pays réunis en ton poing : moi-même, étendant mes deux bras, je les lie pour toi, je serre en un faisceau les Nubiens, par myriades et par milliers, les gens du Nord par centaines de mille comme prisonniers. Je renverse les rebelles sous tes sandales, pour que tu écrases les captifs récalcitrants, car je t'ai assigné par décret la terre en sa longueur et en sa lar-

---

1. Sur le serment par le nom du roi cf. Chabas, *Hebraeo-Aegyptiaca* (*Trans. S. B. A.*, I, p. 177) et Spiegelberg, *Studien zum Rechtswesen*, p. 71.
2. Allusion aux rites de la « royale montée au temple » et de l'embrassement réciproque du roi et du dieu.

geur, les Occidentaux et les Orientaux sont sous le lieu de ta face... Je t'ai ordonné de leur faire entendre tes rugissements qui pénétrent dans leurs antres, j'ai privé leurs narines du souffle de vie... J'ai donné que mon uræus qui entoure ta tête, les brûlât, qu'elle fît défiler en prisonniers enchaînés les peuples de Qodi, qu'elle consumât de sa flamme ceux qui sont à leurs frontières, qu'elle tranchât la tête des Asiatiques, sans que s'échappe ou fuie aucun de ceux qu'elle a saisis. Je donne que tes conquêtes fassent le tour de toutes les terres, que l'u-ræus qui brille à mon front soit ta vassale si bien qu'il n'y ait insurgé contre toi, jusqu'au pourtour du ciel..... — Je suis venu, je te donne d'écraser les grands du Zahi, je les jette sous tes pieds à travers leurs montagnes, je donne qu'ils voient ta Majesté, telle qu'un maître de splendeur rayonnante, quand tu brilles à leur face en ma forme. — Je suis venu, je te donne d'écraser ceux qui sont au pays d'Asie, de briser les têtes des peuples du Lotanou — je donne qu'ils voient la Majesté revêtue de ta parure, quand tu saisis les armes pour combattre sur le char. — Je suis venu, je te donne d'écraser la terre d'Orient, d'envahir ceux qui sont dans les cantons de Tanoutir, je donne qu'ils voient ta Majesté comme la comète qui lance l'ardeur de sa flamme et répand sa rosée... »[1].

A côté de ces morceaux de poésie héroïque, nous avons conservé de véritables hymnes au roi, dont l'un adressé à Ousirtasen III (XIIᵉ dyn.) nous décrit les effets bienfaisants de l'avènement du Pharaon.

« Il est venu à nous, il a saisi le Saîd, et il a coiffé le pschent sur sa tête.

« Il est venu, il a assemblé les deux pays et il a marié le jonc à l'abeille.

---

1. J'ai largement utilisé les traductions qu'a données Maspero de ce morceau classique dans son étude *Du genre épistolaire* (p. 85 sqq.) et *His-toire*, II, p. 267 sqq. Sur les Pharaons qui ont repris pour leur propre compte les mêmes formules, cf. Maspero, *Histoire*, II, p. 270, n. 3.

« Il est venu, il a régné sur la noire Égypte et il a mis le désert rouge avec lui.

« Il est venu, il a protégé les deux terres du Midi et du Nord, il a pacifié les deux rives de l'Ouest et de l'Est!

« Il est venu, il a donné la vie à l'Égypte noire et il a pulvérisé ses douleurs.

« Il est venu, il a donné la vie aux clans et il a fait respirer ibrement les humains.

« Il est venu, il a foulé les barbares du Midi, il a assommé ceux du Nord qui ne le redoutaient point!

« Il est venu, il a consolidé sa frontière, et il a repoussé les guerres loin d'elle !

« Il est venu, il a prodigué des biens à ses féaux, de ce que son sabre nous a rapporté!

« Il est venu, il nous a donné d'élever nos enfants et d'ensevelir nos vieillards de ses bienfaits[1] ! »

C'est ainsi qu'on chantait les louanges du roi-providence qui assure la vie et la protection des hommes pendant et après leur existence terrestre; un autre poème, qui nous est arrivé dans une rédaction de la XIXᵉ dynastie, invoque le roi-dieu « qui se lève comme le soleil[2] » :

« Tourne ta face vers moi, Soleil levant, qui éclaire le monde de ta beauté, disque étincelant parmi les hommes, qui chasse les ténèbres de l'Égypte. Tu es la forme de ton père, quand il se lève au ciel et tes rayons pénètrent en tout pays; il n'y a point de lieu qui soit privé de tes beautés, car tes paroles règlent les destinées de tous les pays. Quand tu reposes dans ton palais, tu entends ce qu'on dit en toute contrée, car tu as des millions d'oreilles. Ton œil brille plus qu'étoile

---

1. Maspero, *Études de mythologie*, IV, p. 408-409. Ce texte a été publié et traduit par Griffith, *The Petrie Papyri — Hieratic papyri from Kahun and Gurob.*, pl. I-III et p. 1-3.

2. Hymne adressé à Minephtah, au Papyrus Anastasi IV et à son fils Séti II au Papyrus Anastasi II; cf. Maspero, *Histoire*, II, p. 438, n. 4.

au ciel et voit mieux que le soleil. Si l'on parle, quand même la bouche qui parle serait dans les murs d'une maison, ses paroles atteignent ton oreille. Si l'on fait quelque action cachée, ton œil l'aperçoit, ô roi, seigneur gracieux, qui donne à tous le souffle de la vie [1] ».

Les hymnes dédiés au roi étaient colligés et conservés par les « scribes de la double maison de vie » qui « savaient les secrets des choses » en particulier les incantations et les charmes magiques. On a retrouvé quelques-unes des incantations réservées à l'usage du roi. Dans la bibliothèque du temple d'Edfou, le catalogue gravé sur la muraille mentionne « un livre pour protéger le roi en sa demeure » (![hieroglyphes])[2]. Le papyrus de Boulaq n° VII, nous a conservé des fragments d'un « livre royal » de ce genre. « C'est, dit Mariette, un traité mystique renfermant les prières que l'on doit adresser à chaque heure de la nuit et à chacune des divinités protectrices de ces heures, pour la santé du roi et pour l'éloignement des maux qu'il pourrait craindre [3]. On peut se rendre compte, par la traduction qu'en a publiée M. Maspero, que cette composition est analogue aux « veillées d'Osiris ou de Sokaris » qui illustrent les parois des temples ptolémaïques [4] : à chaque heure du jour et de la nuit sont préposés un ou plusieurs dieux qui font bonne garde sur la statue royale, et la préservent de tous les maux auxquels sont éternellement en butte les dieux osiriens. Voici la formule finale du papyrus :

Douzième heure : Veillez, (ô dieux) qui êtes (de service) en votre heure, veillez, ô vous qui êtes dans la nuit ! Ah ! faites

---

1. Maspero, *Lectures historiques*, p. 47.
2. Brugsch, *A. Z.*, 1871, p. 44.
3. Mariette, *Papyrus du Musée de Boulaq*, t. I, p. 10, pl. XXXVI-XXXVIII.
4. *Mémoires sur quelques papyrus du Louvre*, p. 59 sqq.

vigilance sur le Pharaon v. s. f. Il est un de vous, puisqu'il est dans la forme d'Amon-Râ seigneur de Karnak. Oh! seul unique, issu du Noun, plus lumineux que les lumineux, plus dieu que les dieux, conçu hier, né aujourd'hui, grand lion mystérieux qui résides dans Manou, lion de Manou qui résides dans Edfou, toi dont l'âme est au ciel, et le cadavre dans l'Hadès [1], grande forme vivante dans Hermonthis, viens en ta forme d'orage que tu délivres le Pharaon v. s. f., défends-le de tout adversaire, de toute ombre mauvaise. » La clausule ajoute : « C'est un talisman efficace au ciel, sur la terre, dans la double maison de vie » [2].

Tels étaient les moyens d'action du Pharaon vis-à-vis des divinités hostiles qui attaquaient en lui le dieu osirien. Autant que les adorations des dieux et des hommes, les maléfices des esprits du mal constataient et justifiaient sa divinité. Fils du soleil, paré des couronnes solaires, armé des armes solaires [3], les dieux et les hommes l'adoraient comme Râ, le défendaient comme Râ d'attaques menaçant en lui l'être divin, qui durant son existence humaine connaissait déjà la gloire et les dangers d'être « un soleil incarné » et « l'image vivante sur terre de son père Toum d'Héliopolis [4] ».

1. La formule est fréquemment employée pour caractériser l'état des morts osiriens et des dieux auxquels le Pharaon est identifié. Cf. *Rituel du culte divin*, p. 83, n. 1.

2. Maspero, *Mémoires sur quelques papyrus du Louvre*, p. 65-67. Un autre « livre royal », acquis par le Musée de Leyde a été récemment publié. Il est rédigé en écriture démotique, et nous reporte par conséquent aux derniers temps de la civilisation égyptienne.

3. Les hymnes à Râ ou à Amon-Râ (*Todtenbuch*, ch. XV, l. 4; Grébaut, *Hymnes à Amon-Râ*, p. 8-9, 14-15) nous apprennent que le pschent, les plumes, l'uræus, le bandeau *seshed*, la couronne *atef*, les sceptres et le fouet, sont donnés aux dieux comme au Pharaon.

4. Ce sont les expressions de la stèle de Kouban, à propos de Ramsès II :

[hieroglyphs] (l. 18).

CHAPITRE X

Conclusion

I. A la fin de cette enquête sur le caractère religieux de la royauté pharaonique, il n'est pas inutile de résumer en quelques lignes les résultats acquis.

a) L'examen des titres choisis par le Pharaon permet de dire qu'il se désigne avant tout comme le fils des dieux et leur héritier. Les dieux ont régné avant lui et lui ont constitué testament de leur domaine. Il est leur successeur légal; il porte leurs titres « roi du Sud et du Nord », et se dénomme Horus, fils du Soleil. Il inscrit dans le cercle solaire ces noms royaux, pour marquer que son pouvoir s'exerce dans tout l'espace délimité par la course de Râ, où ont vécu et régné, jadis, les rois de la dynastie divine.

Ce titre de fils des dieux se justifie, pour les Égyptiens, par la réalité tangible des faits. Comment le dieu Amon Râ s'unit à la mère mortelle du roi, comment chaque Pharaon est mis au jour avec la coopération des divinités solaires, les tableaux de la nativité royale, conservés dans les temples, le montrent assez clairement : dès sa naissance l'enfant, prédestiné à la royauté, reçoit des dieux le fluide de vie, qui le consacre par avance pour ses devoirs futurs.

Quand l'enfant est devenu adolescent, on procède à son intronisation. Les dieux eux-mêmes le purifient de tout ce qui
peut rester de mortel en lui, lui mettent en tête la double couronne, l'embrassent pour le pénétrer de la vie divine, et exécutent pour lui des rites qui sont ceux du culte divin. Reconnu
roi, l'adolescent est en mesure de remplir la mission que lui
destinent les dieux.

b) Cette mission est la plus importante de toutes celles que
peut remplir un être dans la société égyptienne : elle consiste
à rendre aux dieux, pères du roi, le culte que chaque fils, dans
toute famille humaine, doit aux ancêtres défunts. Pour s'acquitter du culte filial qu'il doit aux dieux, le roi prend les
mêmes noms, s'associe les mêmes aides, bâtit le même sanctuaire (le temple) que le fils, chargé du culte funéraire célébré
au tombeau.

L'identité du culte divin et du culte funéraire n'est pas seulement apparente, elle se fonde sur une doctrine commune.
Les rites du culte divin, célébré par le roi, assimilent chaque
dieu à Osiris, le premier mort de la société humaine ; les rites
du culte funéraire, célébré par les fils des hommes, trans-
forment aussi tout mortel défunt en Osiris. Hommes et dieux
retrouvent la vie divine, après la mort, par les rites osiriens :
il en résulte que le culte, dont le roi est l'officiant, s'adresse à
tout ce qui est divin dans la société égyptienne. Le roi, prêtre
des dieux, devient aussi prêtre des morts divinisés ; de là l'inexprimable importance des pouvoirs religieux du Pharaon.

Les conséquences pratiques de cet état de choses sont considérables. La majeure partie des revenus de l'Égypte, dont
la totalité appartient au roi par droit d'héritage, sont affectés
par lui à la fondation et à l'entretien des temples, à l'envoi
d'offrandes aux morts, parfois à la fondation de tombeaux pour
les sujets privilégiés. Aux uns et aux autres le roi doit et donne
l'offrande du repas funéraire ou divin. Pour mériter les faveurs du roi dans l'autre vie, les sujets se lient vis à vis de

lui par les engagements de la recommandation, ce qui fortifie l'autorité royale dans la société. Au contraire, la classe sacerdotale, qui gère les biens perpétuels, incessamment accrus, des temples, augmente sa richesse et son influence au détriment de la puissance royale. Le rôle religieux du roi dans la société égyptienne est donc à la fois une source de force et de faiblesse pour la monarchie pharaonique.

c) Les rites des cultes divin et funéraire destinés à rendre la vie aux dieux et aux morts nous ont apparu avoir le même caractère que ceux par lesquels les dieux donnent eux-mêmes la vie et le pouvoir royal à Pharaon. Le sacre est donc un véritable culte divin rendu au roi par les dieux et les hommes. Or, chaque jour, avant tout service du culte divin célébré par le roi, on renouvelle son intronisation et son culte dans la « chambre d'adoration » des temples. Des statues du « double » royal y restent à demeure pour subir, à défaut de la personne du roi, l'intronisation ritualistique quotidienne. Le roi reçoit des dieux la divinité pour être à même de la leur rendre : l'office de prêtre nécessite qu'il soit un dieu.

Dans des fêtes célébrées plusieurs fois par an, on renouvelle pour le roi les rites de l'intronisation solennelle. Le roi, enfin, inaugure en grande pompe, à des dates variables, un temple consacré à lui-même et aux dieux de sa famille : mais le culte que le Pharaon reçoit à cette occasion est le même que celui dont il a déjà bénéficié lors du sacre et dans la « chambre d'adoration » et s'explique pour les mêmes raisons. Après sa mort, le roi est adoré comme tout mort osirien. Il réunit donc en sa personne tout ce que l'on reconnaissait de divin aux êtres mortels et surhumains.

Les insignes extérieurs de la dignité royale, couronnes, sceptres, armes, sont ceux que l'on prête aux dieux solaires. Comme les démiurges, le roi crée par l'œil et la voix; il dispose de la foudre et l'uræus divine le défend. Dans la gestion des affaires terrestres, les seuls conseillers écoutés de Pha-

raon, sont les dieux ; les entretiens du roi avec les conseillers
humains et les audiences, sont de véritables services solennels du culte royal, et non des délibérations à la mode des as-
semblées humaines. Le roi n'y entend guère que des chants
d'adoration qui exaltent ses bienfaits pour les dieux et les
morts divinisés ou des incantations magiques qui écartent de
lui, dieu solaire, les ennemis du Soleil.

Telle est la conception religieuse que les Égyptiens s'étaient
faite de la royauté. Elle se résume en ce fait que le roi est le
fils des dieux : de là découlent les obligations du culte divin
et les honneurs sacrés que le roi réclame comme prêtre des
dieux. Mais, comme les morts, en Égypte, reçoivent le
même culte filial que les dieux, Pharaon devient le « Fils »
par excellence dans la société égyptienne et le prêtre commun des morts et des dieux, non pas seulement dans le cercle
étroit de la famille royale, mais « au nom de tous les êtres
vivants ». De là entre les mains du roi la concentration d'un
pouvoir religieux, de là aussi une vénération de la personne
royale comme il n'y en eut sans doute jamais chez aucun
autre peuple.

II. Ce caractère particulier de la royauté pharaonique apparaîtra plus distinctement si on la compare aux théocraties sacerdotales qui ont apparu à diverses reprises dans l'Orient ancien, en Égypte même, en Chaldée, en Assyrie, en Judée.

Quand la classe sacerdotale fut assez forte en Égypte, à la
fin de la XXe dynastie, pour usurper la royauté, et constituer
les dynasties de grands-prêtres à Thèbes et le royaume éthiopien de Napata, il n'y eut en apparence rien de changé : le
grand-prêtre effectif, le fonctionnaire, prenait la dignité
royale à laquelle la pratique matérielle du sacerdoce semblait
lui donner droit. Dès lors cependant, la situation réciproque
des Pharaons et de la divinité ne fut plus la même dans l'opinion
publique, et dans l'opinion des nouveaux Pharaons eux-mêmes.
On eut une théocratie sacerdotale, et non une royauté divine ;

le gouvernement passa aux mains du dieu, il ne fut plus exercé
par le roi en personne. Tandis qu'aux époques où le fils des
dieux règne, les affaires de l'État sont examinées dans des entretiens intimes du roi et des dieux et résolues par le roi seul,
au temps de la suprématie sacerdotale la décision suprême fut
réservée à la statue d'Amon, mannequin articulé dont la tête
approuvait ou désapprouvait en public les décrets présentés
par le grand-prêtre. « Les inscriptions nous montrent que sous
les derniers Ramessides (soumis déjà à l'influence croissante
du sacerdoce) on n'entreprenait rien sans consulter la statue
du dieu. Le roi, dans le sanctuaire, parfois même en public,
s'adressait à la statue et lui exposait l'affaire ; après chaque
question elle *disait oui de la tête très fort par deux fois*
🏛 ⌘ ⌘ ⌘[1]. » Aussi les rois-prêtres se mettent-ils toujours à l'abri derrière l'autorité divine : y a-t-il un procès
d'État? ce n'est plus devant le roi, mais devant la statue du
dieu qu'on porte la cause[2] ; faut-il constituer un apanage sur
les biens des temples ou de l'État? ce n'est pas un décret royal
qui intervient, mais un décret du dieu qui dispose en personne
de ses biens[3]. Dans le royaume sacerdotal de Napata l'influence
attribuée aux statues divines était encore plus grande : on en
a un exemple par ce qui se passait lors du couronnement des
rois. Le candidat royal n'est plus l'enfant prédestiné, appelé
par son père terrestre, le roi régnant, à prendre la couronne
et qui reçoit ensuite la consécration divine des mains de son
véritable père le dieu. A Napata, le choix du roi était réservé
à l'intervention mécanique de la statue divine : devant l'idole
les princes royaux défilaient ; les bras de la statue d'Amon

1. Maspero, *Le Double et les statues prophétiques* (*Études de mythologie*, I,
p. 85).

2. Ed. Naville, *Inscription de Pinozem* ; Spiegelberg, *Stèle de l'oasis de
Dachel* (*Recueil de Travaux*, XXI, p. 12 sqq.).

3. Maspero, *Mémoires de la mission du Caire*, I, p. 695 ; cf. *Études de mythologie*, I, p. 85.

saisissaient au passage le candidat préféré des prêtres qui devenait ainsi le roi [1]. Il semble que de telles pratiques ne sont
que l'imitation caricaturale des vieux rites divins de la famille
royale ; elles ne peuvent s'expliquer que par le besoin de
donner au sacerdoce usurpateur une consécration toute matérielle et grossière. L'autorité religieuse du roi d'Égypte était
fondée sur les liens de parenté qui, l'unissant aux dieux, faisaient de lui le fils, le prêtre et l'égal des dieux. La théocratie
sacerdotale ne put au contraire jamais se dégager de son origine inférieure.

Preuve en est le récit que nous a transmis Diodore sur la
vie religieuse des rois d'Égypte, récit qui s'applique aux prêtres-rois et ne convient en aucune façon aux Pharaons authentiques. « Les rois ne pouvaient pas vivre à leur gré... les
heures du jour et de la nuit auxquelles le roi avait quelque
devoir à remplir, étaient fixées par les lois et n'étaient pas
abandonnées à son arbitraire. Éveillé dès le matin,... après
s'être baigné et revêtu des insignes de la royauté et de vêtements magnifiques, il offrait un sacrifice aux dieux. Les victimes étant amenées à l'autel, le grand prêtre se tenait, selon
la coutume, près du roi, et, en présence du peuple égyptien,
implorait les dieux à haute voix de conserver au roi la santé
et tous les autres biens, lorsque le roi agissait selon les lois ;
en même temps, le grand prêtre était obligé d'énumérer les
vertus du roi.... le grand prêtre agissait ainsi afin d'inspirer
au roi la crainte de la divinité et pour l'habituer à une vie
pieuse et exemplaire.... Il y avait un temps déterminé, non
seulement pour les audiences et les jugements, mais encore
pour la promenade, pour le bain, pour le commerce conjugal,
en un mot pour tous les actes de la vie. Les rois étaient ac-
coutumés à vivre d'aliments simples, de chair de veau et d'oie ;
ils ne devaient boire qu'une certaine mesure de vin, fixée de

1. Voir à ce sujet Maspero, *Histoire*, III, p. 170.

manière à ne produire ni une trop grande plénitude ni l'i-
vresse.... Comme c'étaient là des coutumes établies, les rois
n'étaient point mécontents de leur sort... Ils ont conservé ce
régime pendant fort longtemps et ont mené une vie heureuse
sous l'empire de ces lois[1]. »

Ainsi que l'a remarqué M. Maspero[2], ce tableau de la vie
des rois d'Égypte semble avoir été emprunté au roman historique écrit par Hécatée d'Abdère, qui avait compilé pêle-mêle
les traditions et les avait embellies d'un coloris poétique. « La
comparaison avec les monuments figurés et avec les rituels du
culte d'Amon prouve que la description idéale qu'on y faisait
de la vie des rois reproduisait les traits principaux de la vie
des grands prêtres thébains et éthiopiens; la plus grande
partie des ordonnances minutieuses qu'on remarque, s'applique
donc à ces derniers et non pas aux Pharaons proprement dits. »

On sait en effet par les monuments figurés et les textes tels
que les contes populaires, qu'on attribuait aux vrais Pharaons
des habitudes de vie très libres. Aucune prescription relative ni aux vêtements, ni à la nourriture, ni à l'emploi du
temps des rois de souche authentique ne nous est parvenue[3].
Si l'on en croit les légendes, Pharaon ne dédaignait pas la bois-
son, ni la bonne chère, ni les autres plaisirs[4]. Il est probable
que le plus souvent le roi se déchargeait sur les prêtres de service des obligations du culte divin et n'officiait personnellement qu'aux jours de grandes fêtes. Cela n'enlevait rien d'ailleurs au respect du peuple pour la personne royale : au contraire, un formalisme étroit, comme celui auquel fait allusion

---

1. Diodore, I, 70-71 (traduction Hœfer).
2. *Histoire*, II, p. 759, n. 3.
3. La seule exception est relative au roi éthiopien Piankhi Meriamoun. qui ne permet l'entrée de son palais qu'aux hommes « qui ne
mangent pas de poisson » (*Stèle de Piankhi*, l. 151-152; éd. De Rougé,
p. 78). Mais cette exception confirme la règle, car Piankhi appartient
aux dynasties issues des prêtres d'Amon.
4. Cf. Maspero, *Histoire*, I, p. 268, sqq.

Diodore, n'aurait eu pour effet que de rabaisser le roi au rang d'un fonctionnaire exact et minutieusement surveillé. C'est ce caractère que les prêtres-rois des dynasties sacerdotales n'ont pas su dépouiller, tandis que les Pharaons n'en avaient nul souci. Comme l'a fort bien dit M. Loret, « un prêtre, fût-il le plus important du royaume, avait conscience lorsqu'il parlait à un dieu de s'adresser à un maître. Le roi traitait ce dieu familièrement, comme l'un des siens, et l'appelait « mon père [1] ».

Dans la Chaldée primitive, les rois, comme les Pharaons, recevaient des dieux l'investiture de la charge royale [2] et célébraient eux-mêmes, en échange, le service du culte divin. Mais « ils ne se proclamaient point dieux comme les Pharaons leurs contemporains »; ils se contentaient « qu'on les reconnût pour les « vicaires » (patési) du dieu ici-bas, ses prophètes, ses favoris, les pasteurs élus par lui afin de gouverner les troupeaux humains. Seulement, tandis que le prêtre du commun se choisissait un seul maître auquel il se consacrait, le prêtre-roi exerçait le sacerdoce universel [3] ». Ce qui achèvera de marquer la différence entre les rois chaldéens et les Pharaons, c'est qu'au lieu de revêtir, comme les rois d'Égypte, le costume divino-royal avant le culte, les « vicaires du dieu » chaldéens « abdiquaient tous les insignes du rang suprême pendant la cérémonie et revêtaient le costume de prêtre. On les rencontrait alors, le crâne ras et le buste nu, les reins ceints du pagne : ce n'est plus alors le souverain qui domine en eux, c'est l'hiérodule, c'est l'esclave qui comparait devant son maître divin afin de le servir et qui s'affuble, pour la circonstance, d'un déguisement d'esclave [4] ». Après leur mort, les patésis chaldéens pouvaient recevoir le culte, et l'on possède

1. Cf. Loret, L'Égypte au temps des Pharaons, p. 39.
2. Maspero, Histoire, I, p. 705.
3. Maspero, Histoire, I, p. 703-704.
4. Maspero, Histoire, I, p. 706-707.

des listes d'offrandes qui devaient être servies régulièrement aux statues de Goudéa et de Doungi [1].

Les Assyriens semblent avoir, au contact de l'Égypte, modifié la conception chaldéenne de la dignité royale [2]. Tout en restant avant tout le prêtre des dieux, le roi s'identifiait parfois « non pas avec le maître suprême Assour, mais avec l'un des démiurges du second rang, Shamash, le Soleil, celui-là même dont les Pharaons prétendaient être la chair et l'image tangible ici-bas. » Lui-même prenait le nom de Soleil et se faisait adorer de son vivant [3]. Néanmoins, il y avait loin de cette divinité acquise, et peut-être imitée, à la vie divine primordiale qui animait les Pharaons. Les Assyriens ne semblent avoir jamais considéré leur souverain comme le dieu « vivant et divin plus que les dieux mêmes » tels que les Égyptiens se représentaient le Pharaon.

En Judée, quand la royauté fut constituée, le roi aussi était le chef du culte; il officiait lui-même dans les grandes circonstances, guidé par un prêtre de carrière qui savait l'art de consulter l'éphod et de sacrifier les victimes [4]; le portrait idéal du roi-prêtre fut tracé par Josias dans le Livre de la loi [5]. Mais la classe sacerdotale qui avait créé la monarchie, les prophètes qui s'attribuaient le privilège exclusif de l'inspiration divine, étaient des éléments trop importants dans la société juive pour laisser longtemps au roi l'autorité religieuse véritable. En Égypte, Pharaon était sans discussion le seul interprète des dieux : on ne pouvait révéler les mystères divins qu'au nom de l'inspiration royale. En Judée le souffle divin se répandait partout, et des élus, inconnus la veille, surgissaient pour révéler aux rois la parole divine.

1. V. Scheil, *Le culte de Gudéa sous la II° dynastie d'Ur* (*Recueil de travaux*, t. XVIII, p. 64 sqq.).
2. Maspero, *Histoire*, II, p. 622.
3. Maspero, *Histoire*, II, p. 622.
4. Maspero, *Histoire*, II, p. 730-749.
5. Maspero, *Histoire*, III, p. 510.

L'Égypte a donc connu une conception originale de la
royauté religieuse : le Pharaon se distingue des autres rois-
prêtres en ce qu'il est lié aux dieux par la naissance autant
que par la dignité sacerdotale. Il est dieu parce qu'il est
prêtre ; mais il n'est prêtre qu'en tant que fils des dieux.

III. Cette conception d'une royauté à la fois divine et sacerdotale, apparaît, comme nous l'avons vu, dès les premiers
temps actuellement connus de l'histoire d'Égypte ; le régime
politique, qui en découle, a résisté à quarante siècles d'application et s'est montré l'élément le plus durable, le plus inac-
cessible aux révolutions, de toute la civilisation égyptienne.
L'avènement transitoire de la classe sacerdotale à la royauté
a pu altérer les rapports réciproques du roi et des dieux, en
subordonnant à la majesté divine l'humble mortel, prêtre
d'Amon, promu roi à la suite d'un hasard heureux. Mais si la
personne des rois d'occasion a subi pendant quelques siècles
une diminution d'autorité, le principe de la royauté, divine
et sacerdotale, a survécu jusqu'à la période romaine, et n'a dis-
paru qu'avec la religion égyptienne, sous les coups du chris-
tianisme. Sans doute des idées nouvelles sur le caractère de
la personne royale se sont introduites en Égypte avec les
Ptolémées et les Césars : on a célébré dans l'entourage du
souverain, un culte du roi plus conforme à la civilisation
hellénistique. Mais ces modifications, les temples d'Égypte ne
les connaissent pas, ne les acceptent point. Qu'importe que le
souverain soit Grec ou Romain, qu'il se réclame aussi d'une
filiation divine auprès des dieux de son pays : dans les temples,
où l'on nomme de moins en moins le roi étranger par son
nom, le « fils d'Isis » ou le « Pharaon » continue comme
aux temps antiques à célébrer et à recevoir les immuables
rites osiriens.

La stabilité de « ce pouvoir absolu qui prétendait être non-
seulement d'origine divine mais exercé par des êtres divins »
ne s'explique que par l'existence d'un corps sacerdotal qui

« gardait le dépôt et les bénéfices de la tradition¹ ». Nous
avons vu comment les fondations perpétuelles du roi en faveur des dieux ont fait la fortune et la puissance des prêtres
gérants des « biens divins ». Ces prêtres ont eu probablement
une influence décisive dans l'élaboration de la doctrine de la
royauté divine et sacerdotale telle que nous la connaissons. Le dogme du roi fils du soleil nous apparaît entièrement constitué dès le moment où la théologie solaire s'im-
pose elle-même à tous les sanctuaires de l'Égypte. Les textes
des pyramides de la VI⁰ dynastie nous apprennent qu'à cette
époque l'omnipotence du dieu Râ était déjà admise, et sans
doute depuis longtemps : c'est sous la dynastie précédente
que le roi se proclame pour la première fois « fils de Râ » et
né de sa chair divine². On en peut conclure que la théorie de
la naissance solaire du Pharaon et de l'identification complète du roi au dieu Râ, ou au dieu Horus fils de Râ, fait partie
intégrante de la théologie héliopolitaine et date de la même
période de l'histoire de la civilisation égyptienne.

On se demandera, dès lors, de quels éléments les théologiens d'Héliopolis ont composé la doctrine divine royale et
comment ils ont progressivement amené les esprits à la
croyance qui, pendant quarante siècles, s'est imposée à
l'Égypte. Cette étude, nous l'avons dit déjà à propos du protocole pharaonique, est encore entièrement à faire : à peine
pouvons-nous actuellement distinguer quelques influences
locales dans le choix des épithètes divines prises par les Pharaons pour caractériser leur personnalité morale. Les monuments de la période archaïque, quand nous les posséderons
en plus grand nombre, donneront peut-être la solution de ce
problème très intéressant. Peut-être aussi arriverons-nous

---

1. J'emprunte ces expressions à une leçon de M. Bouché-Leclercq sur
le *Culte dynastique en Égypte sous les Lagides* (ap. *Leçons d'histoire grecque*, p. 322-24).

2. Cf. *supra*, p. 66-67.

A. Moret. 21

un jour à définir les étapes successives des rites relatifs à la nativité, au couronnement, au culte du Pharaon : pour le moment nous n'avons pu que les décrire en général, sans distinction d'époque ni de lieu. Nous espérons que de nouvelles découvertes, ou des publications plus complètes des monuments déjà connus, pourront dans l'avenir nous permettre d'améliorer nos connaissances à cet égard.

Faut-il aussi se demander jusqu'à quel point le dogme de la divinité solaire du Pharaon était compris de la masse du peuple égyptien? On a beaucoup contesté à la théologie solaire l'omnipotence sur les esprits que semblent lui attribuer les écrits religieux et les textes officiels gravés dans les temples. Le peuple, a-t-on dit, se souciait peu des abstractions des théologiens : celles-ci n'étaient comprises, ou même connues, que d'une élite. Le culte populaire s'adressait plus volontiers aux dieux locaux, de puissance limitée, qu'au grand dieu, unique sous des formes multiples, adoré par les théologiens d'Héliopolis. Dès lors ne pourrait-on suspecter l'importance réelle de la divinité royale, si étroitement liée aux destinées de la théologie solaire?

Nous répondrons que si l'on ignore jusqu'à quel point la théologie solaire était comprise du peuple, on ne sait pas davantage dans quelle mesure elle en était méconnue. Les monuments attestent que les dogmes de la divinité royale étaient proclamés partout; les contes de toutes les époques nous apprennent que les idées touchant à la naissance divine du roi et au caractère sacré de sa personne, étaient entrées dans le domaine populaire. En admettant même que la majorité des hommes fût dans l'ignorance des subtilités auxquelles se complaisaient les théologiens, comment croire que le rôle de Pharaon, héritier et fils des dieux, prêtre du culte divin, ait pu paraître incompréhensible au vulgaire? Dans un pays où le souci de la vie future et le culte des morts tenaient tant de place dans les préoccupations de tous, pouvait-on s'étonner que

les dieux, soumis aux mêmes nécessités que les morts, aient
pris soin d'assurer leur propre existence divine en léguant leur
patrimoine et la charge d'un culte familial à un héritier de
leur sang? Si l'on peut reconnaître dans la théorie solaire de
la divinité royale un système de date relativement récente et
plus familier aux théologiens qu'aux gens du commun, il
n'en subsiste pas moins dans la conception du Pharaon
dieu et fils des dieux un élément très ancien et issu de
la croyance populaire. C'est l'idée qu'il faut à la tête de la
société humaine, créée par les dieux et qui retourne par la
mort à la divinité, un être capable d'assurer pendant la vie
les relations entre la terre et le ciel, de même que dans chaque
famille un chef sert d'intermédiaire entre les aïeux divinisés
et les membres survivants. Dans ce rôle, le souverain a la
situation, les privilèges et les charges d'un chef de la grande
famille humaine vis-à-vis des ancêtres de celle-ci, les dieux
et les morts divinisés : aussi est-il considéré comme étant par
excellence le fils aîné des dieux, l'homme le plus près par le
sang de la race céleste, auquel les fonctions de prêtre confèrent dès la vie terrestre un caractère divin. Tel se montre à
nous Pharaon, pendant les siècles de l'histoire d'Égypte actuellement connue, dans le décor immuable dont les théologiens d'Héliopolis ont su entourer sa personne ; tels nous ap-
paraîtront, sous des dehors plus frustes, ou avec des conceptions plus rudimentaires, les chefs de l'Égypte primitive dont
les monuments archaïques nous révéleront les conditions
d'existence quelque jour [1].

Dès maintenant, il est possible d'observer en Égypte, pen-

---

[1]. Il n'est pas douteux qu'avant l'établissement d'une royauté centralisatrice les chefs de clans égyptiens n'aient possédé, chacun sur son territoire, les pouvoirs sacerdotaux ; ils les ont gardés, sous la direction
suprême du Pharaon, longtemps encore après l'unification de l'Égypte.
Voir à ce sujet Lepage Renouf, *The priestly character of the earliest
Egyptian civilization*, ap. P. S. B. A., XII, p. 355-362.

dant quatre mille ans, un exemple décisif de « ce caractère sacerdotal de la royauté primitive » dont Fustel de Coulanges a défini les conditions pour les pays de l'antiquité classique[1]. Ici aussi, la religion d'État part du même principe que la religion de la famille, et, ici comme ailleurs, la charge du culte des ancêtres explique l'autorité reconnue de ceux qui détiennent le pouvoir. En Égypte, ce fut toujours une croyance populaire que la portion essentielle de l'humanité « se compose de plus de morts que de vivants » puisque les morts divinisés sont confondus avec les dieux, morts eux-mêmes, dans les prières et dans les sacrifices. Pour le peuple comme pour les théologiens, Pharaon, fils et prêtre des dieux, prêtre des morts divinisés, dieu lui-même comme les dieux et les morts par naissance et par dignité sacerdotale, concentrait en sa personne les aspirations religieuses totales de l'humanité.

1. *La Cité antique*, III, ch. IX.

APPENDICE

TRADUCTION DES LÉGENDES DES FIGURES CITÉES AUX

CHAPITRES VII ET VIII

— P. 211. Figure 55. LA CHAMBRE D'ADORATION DE SÉTI I. (*Abydos*, 1, pl. 22-23.)

1ᵉʳ Registre (g. à dr.).

I. *Le long du tableau*, cartouche développé du roi Séti I.

Au dessus : Dit par Horus, fils d'Osiris, résidant au temple de Men-Mâ-Rî :

« Ta purification est la purification d'Horus et réciproquement; ta purification est la purification de Thot, et réciproquement ».

Derrière Horus : « Purifier le roi *Men-Mâ-Rî* qui donne la vie; il (Horus) l'encense avec l'œil de son corps [1], purifie ses chairs divines.....[2] ».

Devant le roi : les quatre enfants d'Horus sur le plan du temple de *Men-Mâ-Rî*.

Derrière le roi : « Tout fluide de vie (est) derrière lui comme (derrière) Râ ».

----

1. L'encens qui sert à la purification est appelé *Œil d'Horus* comme toutes les offrandes.
2. Peut-être faut-il lire *toum àri-f* (« purifie ses chairs divines) de ce qui ne doit plus lui appartenir »; cf. p. 328.

Au dessus du roi : le double nom royal.

II. *Au dessus de Thot* : Dit par Thot, maître d'Hermopolis :
« Tu as pris cette bonne vie divine, ô Horus qui te lèves dans Thèbes ; ta couronne blanche du Sud et ta couronne rouge du Nord
sont établies sur ta tête, les deux terres réunies sont ta propriété.
Râ a dit de sa propre bouche : « Que sa majesté soit (inscrite)
dans les livres, que soit établi mon fils sur son trône de roi du
Sud et du Nord, sans pareil ».

Devant Thot : « Je te présente la vie à ton nez et les deux Uraeus
à ta belle face ».

Au dessus du roi : le double nom royal.

Derrière le roi : Le nom du double de Séti, dans le *serekh*, tenant en main la hampe du « double royal ».

III. *Au dessus du prêtre* : Dit par Horus Anmoutef résidant
dans le temple *Men-Mâ-Rî* du roi *Men-Mâ-Rî* : « De par (?) le
grand cycle des dieux et le petit cycle des dieux, de par (?) les
deux régions du Sud et du Nord, (voici) les résines pures et agréables d'odeur, qui sont (mentionnées) sur les livres de la « chambre
des livres sacrés » et qu'ils donnent à deux mains. Râ purifie le
roi *Men-Mâ-Rî* dans cette chambre qui est sienne, dans ce temple
qui est vôtre, dans ses terrains du Sud, dans son sanctuaire du
Nord, pour ses tables d'offrandes qui sont au ciel et qui sont sur
terre en ce temple [1].

Dire quatre fois : Pures, pures sont ces tables d'offrandes du
roi *Men-Mâ-Rî* , car je me suis purifié [2] ».

Au dessus du roi : le double nom royal.

Derrière le roi : « (Tout fluide de vie est derrière lui) comme
(derrière) Râ, à jamais ».

2º Registre (dr. à g.).

I. *Le long du tableau*, cartouche développé du roi Séti I.

1. On énumère ici les différentes parties du temple : le roi est purifié
dans chacune d'elles.
2. Sur cette formule voir *Rituel du culte divin*, p. 18. *Aou ou* est fautif
pour *Aou à*.

Au dessus d'Anubis : Dit par *Ap-Ouaïtou* du Sud, le chef des deux terres résidant dans le temple de *Men-Mâ-Rî* : « Je suis venu à toi avec la vie et la force, pour que tu rajeunisses comme Horus en qualité de roi. Je te transmets le croc et le fouet, et la dignité excellente d'Ounnofir (Osiris), pour que ton nom prospère par tes actions et que, tant que sera le ciel, tu sois toi-même.

Devant Anubis : *Ap-Ouaïtou* du Sud, le chef des deux terres, à son fils chéri le maître des deux terres *Men-Mâ Rî* : « Tu as pris le croc et le fouet qui sont aux mains de ton père Osiris ».

Au dessus du roi : le double nom royal.

Derrière le roi : « Voici que le roi, maître des deux terres, *Men-Mâ-Rî* se lève (en roi) sur le trône d'Horus résidant dans la *tebit* et dans la double chambre d'adoration, pour guider tous les vivants, comme Râ, à jamais ».

II. *Au dessus de l'officiant* : Dit par Anmoutef : « L'encens vient, le parfum divin vient, son parfum vient vers toi, maître des deux terres, *Men-Mâ-Rî* ».

Devant Anmoutef : « Faire l'encensement au roi *Men-Mâ-Rî*, qui donne la vie ».

Au dessus de la déesse : Dit par Isis : « Je donne que tu te poses sur ton grand trône, te levant (en roi) sur le trône de Toum ».

Devant la déesse : « Agiter (*litt.* faire) le sistre à ta belle face, à jamais » (*bis*).

Au dessus du roi : le double nom royal.

Derrière le roi : Le fluide de toute vie, stabilité, force, de toute santé, de toute magnanimité est derrière lui, chaque jour, comme (derrière) Râ.

III. *Au dessus de Thot* : Dit par Thot, maître d'Hermopolis : « Le roi donne l'offrande à Seb, au cycle des dieux, (à savoir) milliers de pains, milliers de bière, milliers de têtes de bœuf, milliers d'oies, milliers d'encens, milliers de fards, milliers d'offrandes, milliers de provisions, milliers de libations, milliers de toutes choses bonnes, pures, milliers de toutes choses bonnes, agréables, que le Nil apporte de sa cachette, pour qu'ils les donnent à deux mains. Le dieu de l'Inondation purifie Séti. Viens, ô toi, fils de Râ, Séti Meri-n-Phtah, vers ce dieu, embrasse tous ces pains (?) ».

Au dessus du roi : le double nom royal.

— P. 223. Figure 63. LE MENU DU REPAS SERVI AU ROI ET A SON DOUBLE. (*Abydos*, I, pl. 33.)

Le roi Séti I, assis sur le *serekh* « met les deux mains sur la table d'offrandes ». Derrière lui, le double royal vivant. Entre eux, légende : « Le fluide de vie, stabilité, force, de toute santé, de toute magnanimité est derrière lui comme (derrière) Râ ».

Au dessus du tableau : inscription horizontale. Dit par le domestique, Horus Anmoutef : « Faire l'offrande à son fils chéri le maître des deux terres, Seti, qui donne la vie. Je t'ai lancé l'Œil d'Horus, que tu as demandé pour que tu t'unisses à lui, fils de Râ »…..

Devant Anmoutef : « …. Purifié, purifié l'Osiris roi, maître des deux terres Men-Mâ-Rî. Ta purification est la purification d'Horus et réciproquement; ta purification est la purification de Seb et réciproquement; ta purification est la purification de Thot et réciproquement; ta purification est la purification de Sopou et réciproquement : Purifié, purifié (est) le roi Men-Mâ-Rî. — Tu as pris ta tête, on t'a offert tes os par devant Seb. Thot l'a purifié (le roi) de ce qui ne doit plus lui appartenir. Purifié, purifié est l'Osiris, maître des couronnes, Séti meri-n-Phtah. — Je t'ai lancé l'eau qui est dans (ces vases) l'Œil d'Horus rouge. (Ton natron est le natron d'Horus) et réciproquement; ton natron est le natron de Seb et réciproquement; (ton natron est le natron de Thot) et réciproquement; ton natron est le natron de Sopou et réciproquement. (Tu es établi parmi) tes frères les dieux; ta bouche est (pure comme la) bouche d'un veau (de lait au jour de sa naissance...)[1] ».

Menu du repas. — On en trouvera la traduction dans l'édition des *Textes des Pyramides* publiée par M. Maspero, où le texte d'Abydos est cité parallèlement à celui de la pyramide du roi Ounas (*Recueil de travaux*, t. III, p. 177 sqq.). Chaque offrande est nommée, avec l'indication de la quantité; une courte formule définit la présentation ou les effets que le roi peut en attendre. Par ex. au

1. Sur ces formules, cf. p. 216-217.

début, on a : « *Eau*, vases, deux. Ah ! roi Séti, je t'ai lancé l'Œil d'Horus ; on t'a offert l'eau qui est en lui », et plus loin : « *Vin*, vases, deux. Ah ! roi Séti, je t'ai lancé l'Œil d'Horus ; ta bouche est ouverte avec lui ». A noter spécialement les indications relatives à la reconstitution du squelette (l. 11), à l'ouverture de la bouche (l. 13-17), à l'allaitement du roi par les déesses (l. 15, 26). — On trouvera une étude détaillée des mets présentés aux dieux et aux morts dans Maspero, *La table d'offrandes des tombeaux égyptiens* (Revue de l'histoire des religions, 1897).

— P. 237. Figure 67. LES ENSEIGNES DIVINES DU CORTÈGE DE SETI I. (*Abydos*, I, pl. 28 *d*.)

Au-dessus des enseignes : « Dit par les dieux qui sont sur leurs hampes : « Il est établi sur son trône comme le fils d'Isis, le maître des deux terres *Men-Mâ-Ri*, parce que le taureau Qamoutef l'a créé de même que son propre corps, la vache[1] Isis l'a formé pour l'héritage du trône de Toum, lui le bel adolescent qui exécute les rites, le modeleur excellent, à jamais, le maître des couronnes, Séti meri-n-Phtah ».

1er dieu : Il donne la double vaillance des deux dieux (Horus et Sit) et ce qu'ils possèdent sur terre au roi du Sud et du Nord Men-Mâ-Ri qui donne la vie comme Râ à jamais.

2° dieu : Il donne l'éternité en années réunies au roi... etc.

3° dieu : Il donne de très nombreuses fêtes *sed* au roi... etc.

4° dieu : Il donne toute vie, stabilité, force, toute santé au roi... etc.

5° dieu : Il donne toute vaillance, toute force au roi... etc.

6° dieu : Il donne les offrandes et les provisisions au roi... etc.

7° dieu : Il donne la durée comme roi des deux terres au roi...

8° dieu : pas de légende.

— P. 239. Figure 70. LES QUATRE PAVILLONS DU COURONNEMENT LORS DE LA FÊTE *sed* A BUBASTIS. (Ed. Naville, *The festival hall*, pl. II, et *text.*, p. 13.)

1. Je lis *ât* le groupe avant Isis (cf. Loret, *Recueil*, t. XVIII, p. 199).

De droite à gauche. **Escalier sud.** Dans le pavillon, le roi est couronné par Phtah Totounen et Amon (?).

Escalier nord. Dans le pavillon, le roi sera couronné par Toum et Harmakhis (?) avec la mention « (quatre fois), pour le Nord ».

Escalier ouest. Dans le pavillon, le roi sera couronné par Khopri et Seb « quatre fois pour l'Ouest ».

Escalier est. Dans le pavillon, le roi sera couronné par Isis et Nephthys « quatre fois pour l'Est ».

— P. 243. Figure 75. ROYALE MONTÉE DE SÉTI I LORS DE LA FÊTE *sed.* (*Abydos*, I, pl. 29.)

Au-dessus du roi conduit par les dieux : Montou, maître de Thèbes, le grand dieu maître du ciel, résidant dans (le temple de Men-Mâ-Rî.) — Dit par Montou et Toum : « Notre fils, que nous aimons, maître des deux terres Men-Mâ-Rî, entre de ta personne avec nous deux vers le temple, pour que tu t'assoies sur le siège de ton père dans ton temple de millions d'années. Les esprits d'Héliopolis te font le chemin quand tu viens, parce que tu es pur, ton double est pur, tout ce qui sort de ta bouche est pur ; ils gardent la terre, dans Héliopolis, de ceux qui raillent le double d'Horus..... Fils du soleil, Seti mer-n-Phtah (qui donnes la vie éternellement), comme Râ, ta purification est la purification de l'unique enfant mâle (Horus ?), ta purification est la purification d'Anubis qu'a formé Isis, ta purification est la purification d'Osiris et des dieux de son cycle, quand ils prennent les deux plumes. Voici (?) qu'Horus est doué de voix créatrice et qu'Anubis est derrière le roi Men-Mâ-Rî, qui est pur (pour) tous les dieux de son temple. »

Les esprits de Nekhen et de Pou à tête de chacal et d'épervier, portent des statuettes divines ; devant chacun d'eux le mot « libation ».

Au dessus du roi, conduit par le prêtre Anmoutef : « ... tu es placé sur terre comme Râ qui se lève, tu entres dans les réjouissances vers le temple où le cycle des dieux assemblés te reçoit (litt. te prend), tu sors, avec l'amour, du sanctuaire et de la présence de ton père Amon. Les déesses te disent : « Viens, purifié, prends tes offrandes, ô roi du Sud et du Nord, Men-Mâ-Rî, qui donne la vie, comme Râ ».

— P. 244. Figure 76. Amom-Ra embrasse le roi. (*Louxor*, pl. 46.)

Au dessus des déesses : Dit par Amonit qui réside dans Apitou :
« Tu as pris (dans tes bras) ton fils chéri à qui tu as attribué des
millions d'années dans cet héritage excellent, florissant, stable et
parfait que lui a créé Amon-Râ, seigneur de Karnak, éternellement et à jamais ».

Mout la grande maîtresse d'Asher (dit) : « Amenhotpou hiq
Ouas, je te donne tes années par millions et je t'emplis de vie
stabilité, force ». — Au bras de Mout pend un emblème-légende
signifiant que le roi est « maître de réaliser la fête *sed* ».

Au dessus du roi : le double nom royal.

Au dessus d'Amon-Râ : « Je te donne la vie, la force pour ta
belle face, (moi) Amon-Râ maître de Karnak, maître du ciel ».

Derrière Amon-Râ : « Mon fils chéri Amenhotpou hiq Ouas,
viens vers moi qui ai façonné tes beautés, je te donne des millions
(d'années...) ».

— P. 245. Figure 77. Horus Anmoutef annonce au cycle des
dieux que le roi a été couronné. (*Abydos*, I, pl. 34 *b*.)

Devant Anmoutef : « Émettre des paroles devant le cycle des
dieux par Horus Anmoutef ».

Au dessus d'Anmoutef : « Dit par Horus Anmoutef au grand
cycle des dieux : « Je suis venu pour agir suivant vos ordres à
l'égard du roi Men-Mâ-Rî, votre fils véritable, qui s'est posé sur le
siège de votre héritage, s'établissant sur vos trônes, les couronnes
de Râ bien établies sur sa tête. Il a ceint l'*Ourrit hiqaou* (la couronne « grande magicienne »); il a empoigné le croc *hiq* et le
fouet *nekhekh*, pour qu'il régente la terre comme Râ. Il est reconnu
(litt. achevé) comme Roi du Sud et du Nord, son nom officiel
(*nekhebit*) (est établi) comme « vivificateur des deux terres. » Thot
a rédigé ses chartes d'avènement (*genitou*)[1]; Horus a établi ses
diadèmes, sa couronne du Sud et sa couronne du Nord, avec
ses compagnons (d'Horus) pour lui donner ce qu'ils possèdent dans
la terre entière (?). Ainsi ce qui devait être fait est fait : tranquillisez
vos âmes ».

1. Voir à ce sujet p. 83 et 102.

Devant les dieux du cycle : Dit par le grand cycle des dieux qui résident au temple : « Certes, certes, que soient à lui ces choses d'une façon stable et bien établie à jamais pour le compte du fils bienfaisant, le modeleur excellent. Nombreuses sont les occasions de (ses) bienfaits ».

Devant chacun des dieux :

(*Osiris*). Il donne toute vaillance au maître des deux terres Men-Mà-Rî qui donne la vie.

Horus : Il donne toute force au maître des couronnes... etc.

Isis : Elle donne toute magnanimité au maître des deux terres... etc.

Râ : Il donne toutes provisions au maître des couronnes... etc.

Shou : Il donne toute abondance au maître des deux terres... etc.

Tafnouït : Elle donne toute offrande au maître des couronnes... etc.

Seb : Il donne la durée du soleil au maître des deux terres... etc.

Nouït : Elle donne toute vie et force au maître des couronnes... etc.

Ap-Ouaïtou (Anubis) : Il donne toute santé au maître des deux terres... etc.

— P. 246. Figure 78. Horus et Thot, Ouazit et Nekhabit donnent a Sêti I les insignes des fêtes *sed.* (*Abydos*, I, pl. 30, *c.*)

Au-dessus d'Horus : Dit par Horus : « Tu as pris les couronnes de Râ, pour que tu régentes l'Égypte et le Désert ».

Dit par Ouazit : « Je suis venue vers toi pour te donner le Nord qui te paie tribut de ses deux mains à profusion. Ma majesté s'est posée sur ton front à jamais (*bis*)[1].

Au dessus du roi : le double nom royal.

Au dessus de Thot : Dit par Thot, le maître des divines paroles :

1. *Ouazit* personnifie la couronne du Nord; cf. p. 289.

« Je rédige pour toi les chartes d'avènement (*genitou*) à nouveau, pour que tu réalises les royautés de Toum à jamais » (*bis*).

Dit par Nekhabit : « Que le Sud soit à toi, c'est ta propriété, jusqu'aux limites des piliers du ciel. Je suis avec toi à jamais pour renverser tes adversaires devant toi, et pour réaliser ta puissance parmi toutes les terres et ta crainte à travers tous les pays étrangers ».

Au centre : Horus et Thot remettent au roi des insignes *sed*, phylactères gravés au double nom du roi.

— P. 247. Figure 79. LE ROI SUR LE TRONE PORTATIF *sopa* AU RETOUR DE LA ROYALE MONTÉE. (*Abydos*, I, pl. 31 *b*.)

Au-dessus des dieux à tête de chacal. Dit par les Esprits de Nekhen[1] : « Nos deux bras sous toi, nous t'élevons sur ton siège comme (nous élevons) Horus et Sit, Nekhabit et Ouazit. Assis sur le trône d'éternité, tu as empoigné le croc *hiq* et le fouet *nekhekh*, te levant sur la terre comme le soleil. Il donne, certes, que tu illumines les deux terres comme le disque solaire Aton. Les dieux te reçoivent (litt. te prennent) en paix, leurs deux bras te font la libation *nini* à ta face, comme (à) Râ, éternellement à jamais. »

Au dessus du roi : le double nom royal.

Au dessus des dieux à tête d'épervier. Dit par les Esprits de Pou[2] : « Image de Râ maître du ciel, maître de la terre, roi Men-Mâ-Rî, nous te portons... tu t'assieds... en roi, tes royautés sont les royautés d'Horus et de Sit. Réalisant les fêtes *sed* quand tu te lèves (en roi) sur cette terre, notre fils unique, repose sur notre trône ».

Au dessus d'Anmoutef. Chapitre de purifier le roi avec la résine. Dit par Horus Anmoutef : « Horus est pur, il s'est encensé avec l'Œil de son corps; le roi Men-Mâ-Rî est pur, il s'est encensé avec l'Œil d'Horus, de son corps; il est pur et stable, car il s'est encensé avec l'Œil d'Horus, de son corps, qui lui fut donné pour qu'il l'approvisionne en ce sien nom de *pedou n noutir*

1. Ce sont les dieux d'Hiéraconpolis, c'est-à-dire de l'Égypte du Sud.
2. Ce sont les dieux de Bouto, c'est-à-dire de l'Égypte du Nord.

(*sontirou*). Le roi Men-Mâ-Rî est pur, grâce à lui, comme Râ (est pur) grâce à lui, comme Osiris dans son temple et Sokari sont purs grâce à lui. Ton natron est le natron d'Horus et réciproquement; ton natron est le natron de Seb et réciproquement; ton natron est le natron de Thot et réciproquement[1]. La bouche du fils du Soleil (Séti est pure comme la bouche d'un veau de lait au jour de sa naissance[2]) ».

— P. 251. Fig. 83. Le roi Séti Ier reçoit le culte divin. (*Abydos*, I, pl. 26.)

De bas en haut (gauche) :

1° Isis donne la vie en roi, en lui présentant l'urœus du Sud.

2° Dit par Anmoutef : « J'ouvre ta bouche avec l'herminette d'Anubis ». (Dire 4 fois.)

3° Anmoutef présente les quatre vases *dosheritou*[3] : Dit par Anmoutef qui réside dans le temple de Men-Mâ-Rî : « Je te lance l'OEil d'Horus... »

4° Horus, fils d'Isis, donne la vie et l'insigne *sed* au roi.

5° Dit par Anmoutef : « Offrande royale à l'Osiris roi Men-Mâ-Rî, que grande soit sa vie, stable...

6° Anubis *Ap Ouaïtou* du Sud donne au roi des sceptres variés.

(Droite) :

1° Horus modeleur de son père, (fils) chéri, vient embrasser le roi.

2° Dit par Anmoutef qui réside dans le temple de Men-Mâ-Rî, « faire l'encensement et la libation à ton double; tu es pur, tu es pur. » (Dire quatre fois.)

3° Dit par Anmoutef (qui réside) dans le temple de Men-Mâ-Rî : « Je t'emplis (la face) de l'OEil d'Horus, le fard *Mezet*. » (Scène de l'onction.)

4° Dit par Thot : « Le roi donne l'offrande; pur, pur est l'Osiris roi Men-Mâ Rî ».

5° « Horus Anmoutef qui réside dans le temple de Men-Mâ-Rî fait l'encensement au maître des deux terres. »

---

1. Sur cette formule, cf., plus haut, p. 216.
2. Sur cette formule, voir plus haut, p. 217, n. 1 et p. 328.
3. Cf. *Rituel du culte divin*, p. 172.

6° Thot purifie le roi : « Ta purification est la purification d'Horus et réciproquement... »

— P. 254. Figure 85. THOT ET ANMOUTEF FONT LE *Souton di hotpou* A LA STATUE DU ROI SÉTI Iᵉʳ DANS SA BARQUE DIVINE. (*Abydos, I,* pl. 32.)

Au-dessus de Thot : Chapitre d'entrer pour présenter les offrandes au roi, maître des deux terres, Men-Mâ-Rî, qui donne la vie. Dit par Thot, maître d'Hermopolis : « Ah! fils du soleil, Séti merin-Phtah, tes adversaires, ton père Toum les a éloignés de toi, Horus t'a fait offrande avec son OEil en son nom de *donneur d'offrandes.* Vos odeurs sont à vous, ô dieux, vos humeurs sont à vous, ô dieux[1]; (me voici) Thot, je suis venu pour faire ce qui convient au roi Men-Mâ-Rî[2] qui donne la vie, et aux dieux de son cycle. Que l'abondance (des offrandes) s'accroisse pour toi (?) que l'OEil d'Horus soit vers toi. »

Au dessus d'Anmoutef : Faire le *Souton di hotpou* au roi Men-Mâ-Rî qui donne la vie, par l'Anmoutef, maître du temple, à savoir : pains, vases, têtes de (bœuf) et d'oies, toutes les choses bonnes et pures. Dire quatre fois : Pur, pur (est le roi Séti). »

Au dessus de la barque divine : nom d'Horus et double nom royal de Séti I.

Au dessous de la barque : Statuettes funéraires de Séti Iᵉʳ, de son père Ramsès I et de sa mère.

Le naos où repose la barque divine porte gravé sur ses colonnes le cartouche développé de Séti Iᵉʳ.

1. Voir sur cette formule, *Rituel du culte divin,* p. 57-58, 60.
2. Cf. *Rituel du culte divin,* p. 105.

ADDITIONS

P. 89, n. 1 et chap. VIII, p. 235. *A propos du sens du mot sed* ou *seshed*. M. Spiegelberg (*Orientalische Litteratur Zeitung*, IV, 9) traduit par « fête de la queue » le nom de la fête *sed*; il estime qu'à l'origine, dans cette fête, le roi ceignait solennellement ses reins de la queue d'un animal. — Pharaon porte en effet une queue de chacal (ou de lion) dont on garde quelques spécimens dans les musées. Il semble, comme je l'ai dit p. 283, que « l'insigne remplace la peau entière de l'animal, dont on pensait revêtir la force ou les vertus en s'en couvrant ».

Reste à savoir si les rites de la fête *sed* comportaient spécialement la prise solennelle de la queue. Jusqu'ici aucune représentation ne montre, dans une fête *sed*, cet épisode particulier. Bien plus, le costume osirien caractéristique, que le roi revêt au point culminant de cette fête, *ne comporte pas la queue d'animal*. (voir nos fig. 69, 70, 71, 73, 74, 78, 79, 81, 82, 84, 87, 90 Osiris). — Je m'en tiens donc à l'étymologie proposée ici p. 89, n. 1, où *sed* est interprété comme la queue de l'Uraeus devenant bandeau royal.

P. 106, n. 3. *Le tiré des flèches*. La signification exacte de ce rite est donnée par des textes accompagnés de figures qu'on trouve gravés dans un petit temple élevé par Tahraka (XXV⁰ dyn.) près du sanctuaire de Médinet Habou, et qui ont été étudiés par E. de Rougé (*Études sur des monuments du règne de Tahraka* ap. *Mélanges d'archéologie*, I, p. 15-16). — Un des tableaux du temple nous montre le Pharaon lançant « quatre boulets (*henen*) vers le Sud, le Nord, l'Ouest, l'Est par devant le dieu » Osiris représenté dans son coffre funéraire. — Un autre tableau, qui forme pendant, nous représente la mère de Tahraka, la princesse Akela « tirant de l'arc vers quatre pays qui lui servent de but et qui sont atteints

A. MORET.   22

par ses flèches. La légende est encore entière : « La divine épouse
a saisi l'arc ; elle a lancé ses flèches vers le Sud, le Nord, l'Occident
et l'Orient, contre ses ennemis que le dieu lui a livrés ». Une seconde inscription, moins bien conservée, met dans la bouche de
la princesse quatre paroles prophétiques : à la première fois, elle
dit : « Cette invocation qui est dans ma bouche, je la dis au Ben-
nou (Osiris) ». A la seconde fois, elle dit : « Je suis la vache (divine); c'est Râ qui (détruit?) les impies et ceux qui se révoltent
contre moi. A la troisième fois, elle dit : « Tombez sur vos faces,
ennemis impies, et faites-moi place! »... « La quatrième fois, elle
dit : « Le roi (Tahraka), vivant à toujours, est le prince sorti de
la vache (divine). — La princesse qui parle ainsi doit être la mère
de Tahraka; elle le présente au peuple comme le successeur légitime d'Horus, en sa double qualité d'héritière de la couronne et
de divine épouse d'Amon. »

On s'explique désormais pourquoi on tirait les quatre flèches
le jour de l'intronisation ou aux anniversaires du couronnement.
Comme le lancer des quatre oiseaux, le tiré des quatre flèches
symbolise la prise de possession par le dieu solaire qu'est Pharaon des quatre parties de l'univers conquises sur les ennemis
de Râ.

P. 152, n. 2, dernière ligne. La référence exacte pour Edfou
est : I, p. 209, l. 7.

P. 196, n. 2. Compléter : Maspero, *Histoire*, II, p. 263, n. 1 et
p. 390 n. 2, p. 396, n. 1.

P. 226, n. 3. Compléter : *Abydos*, I, pl. 29; cf. notre fig. 75,
p. 243.

ERRATA

P. 11, l. 8, début : au lieu de : [hieroglyph], lire : [hieroglyph].

P. 12, n. 6, lire : *Khâsakhemouï Neboui hotpou*, etc.

P. 13, l. 16, lire : [hieroglyphs].

P. 15, n. 3, lire : [hieroglyphs].

P. 17, n. 1, au lieu de *Ostraia*, lire : *Ostraca*.

P. 24, n. 3, au lieu de *Kâhsakhem*, lire : *Khâsakhem*.

P. 26, l. 14, remplacer [hieroglyph] par [hieroglyph].

P. 28, l. 12, lire : [hieroglyphs].

P. 29, l. 9, l'indice de la note est 1, et non 4.

P. 30, l. 3, au lieu de : (chap. VIII), lire : (chap. IX).

P. 51, légende de la fig. 4, lire : Khnoumou.

P. 53, l. 14, lire : déesse.

P. 62, l. 25, remplacer : par :

P. 67, n. 2, l. 10, mettre » après : sa tête.

P. 75, sommaire, l. 2, lire : Purification.

P. 82, avant-dernière ligne, remplacer : par ;

P. 94, avant-dernière ligne, lire : nœuds.

P. 97, n 2. lire : Maspero.

P. 119, n. 3, au lieu de *par* le culte, lire : *pour*.

P. 127, n. 2, lire : Khonsou.

P. 129, l. 9, lire : chambre d'adoration.

P. 150, n. 3, lire : *Études*.

P. 168, l. 21, lire : à ses pères divins.

P. 171, n. 2, avant-dernière ligne, au lieu de : taureaux, lire : veaux.

P. 177, n. 1, lire : ἐξοδεία.

P. 185, sommaire, V, lire : fondations faites pour les dieux.

P. 188, l. 8, lire : avec sa contenance.

P. 189, n. 1, lire : se trouvent.

P. 192, n. 2, lire Bakenkhonsou.

P. 193, l. 16, reporter l'indice ³ à la ligne 15.

P. 204, l. 2, lire : sortis.

P. 207, l. 14, lire : distribués.

P. 210, l. 12, au lieu de : , lire : et l. 11, rétablir l'indice ¹, l. 12, l'indice ³.

P. 213, dernière ligne, au lieu de : suite, lire : série.

P. 218, n. 3, lire : cf. notre.

P. 226, l. 7, lire : nativité.

P. 228, l. 6, lire : dans les tableaux des temples.

P. 253, l. 18, lire : et ses successeurs.

P. 255, l. 8, lire : célébrés.

P. 261, n. 4, à la fin, lire : au Pouanit.

P. 262, dernière ligne, lire : en terres; n. 3, avant-dernière ligne, lire : établis pour.

P. 264, l. 16, lire : portraits.

P. 266, l. 13, lire : vue de l'extérieur.

P. 270, l. 5, lire : sarcophage.

P. 274, l. 1 ; au lieu de : jusque sous, lire : jusqu'à.

P. 285, l. 12, lire : assimilée.

P. 286, l. 25, lire : D'après les textes.

P. 292, l. 5, après : force, changer . en ,

P. 299, l. 17, lire : passer; l. 21, lire : donnent.

P. 309, l. 18, ajouter » après : craindre.

P. 319, n. 5, au lieu de : p. 510, lire : p. 509.

P. 333, n. 2, lire : les dieux.

TABLE DES MATIÈRES

DEUXIÈME PARTIE

Le roi prêtre des dieux et des morts.

TROISIÈME PARTIE

Le roi dieu.

Pages.

PLANCHES

ANGERS. — IMP. ORIENTALE DE A. BURDIN ET Cⁱᵉ, 4, RUE GARNIER.

Lightning Source UK Ltd.
Milton Keynes UK
UKHW051522310321
4173UKFR00017B/260